POCHES ODILE JACOB

QU'EST-CE QUE L'HOMME ?

DU MÊME AUTEUR

aux éditions Odile Jacob

Jean-Didier Vincent, *Biologie des passions*, 1986.

Jean-Didier Vincent, *Casanova, la contagion du plaisir* (prix Blaise Pascal), 1990.

Jean-Didier Vincent, *Celui qui parlait presque*, 1993.

Jean-Didier Vincent, *La vie est une fable*, 1998.

Jean-Didier Vincent, *Faust. Une histoire naturelle*, avec Jean-François Peyret, 2000.

Jean-Didier Vincent, *Pour une nouvelle physiologie du goût*, avec Jean-Marie Amat, 2000.

LUC FERRY
JEAN-DIDIER VINCENT

QU'EST-CE QUE L'HOMME ?

15, RUE SOUFFLOT, 75005 PARIS

www.odilejacob.fr

ISBN : 2-7381-1024-X
ISSN : 1621-0654

À mes filles, Gabrielle et Louise,

L.F.

À tous mes enfants,

J.-D. V.

Avant-propos

Pourquoi ce livre ? Pourquoi ce souci de partager des savoirs qui d'ordinaire, vivent fort bien leur vie de façon séparée ?

Nous dirions volontiers en préambule que « ceci n'est pas un cours », à la manière de Magritte inscrivant sur le fameux tableau qui représente l'objet en question, « ceci n'est pas une pipe ». Ce livre pourrait, en effet, paraître un cours puisqu'il vise à transmettre de manière aussi claire que possible à un non-spécialiste certaines données fondamentales du savoir biologique et philosophique. Non pour le contrarier ou lui lancer quelque défi intellectuel, mais tout simplement pour l'éclairer et l'aider à penser ce qui, pour chacun d'entre nous, fit l'objet d'une passion intellectuelle. Mais les exposés qu'on va lire ne sont pas pourtant des cours. Ils n'obéissent pas à une logique scolaire, encore moins à un souci d'exhaustivité, ni à aucune finalité académique.

Pourquoi, donc, une telle entreprise ?

D'abord parce que les formidables découvertes accomplies par les sciences de la vie depuis quelques années ne doivent laisser personne indifférent. Ces progrès inouïs bouleversent à tel point nos représentations du monde que la plupart des questions traditionnelles de la métaphysique s'en trouvent affectées. Le constat s'impose plus que jamais :

aucune philosophie un tant soit peu sérieuse ne saurait désormais s'enfermer plus longtemps dans une tour d'ivoire en prétendant ignorer les résultats des sciences positives ; aucun biologiste conscient des implications pratiques de la recherche fondamentale ne pourrait davantage se désintéresser des enjeux philosophiques que, presque quotidiennement, son travail soulève dans l'espace public. C'est de ce côté, du reste, dans des « comités d'éthique », que biologistes et philosophes sont le plus souvent appelés à se rencontrer, pour élaborer une réflexion commune autour de ces questions qu'on désigne communément sous le nom de « bioéthique » : qui fixera des limites en la matière, au nom de quels critères, selon quelles procédures ?

Mais c'est aussi du point de vue théorique, du point de vue de la pensée pure – on ose à peine dire de la « métaphysique », mais c'est bien le mot qui conviendrait – que les avancées de la génétique contemporaine révolutionnent les questions apparemment les plus traditionnelles, à commencer par celle qui nous préoccupera ici. Depuis une vingtaine d'années, en effet, la biologie nous invite, et ce quels que soient nos partis pris politiques ou nos sensibilités idéologiques, à reconsidérer en termes neufs le problème des rapports de l'inné et de l'acquis, de l'hérédité et du milieu. Chacun le sait : sans occulter la part de l'éducation et de l'histoire, les découvertes les plus récentes en matière de « biologie des passions » et des comportements accordent, dans ce vieux débat, une place de plus en plus grande à la dimension naturelle de l'humain. Elles nous invitent ainsi à relativiser l'idée « spiritualiste » selon laquelle l'homme serait une « créature » absolument à part, métaphysiquement distincte du reste des vivants. C'est là, sinon un constat scientifique, du moins un défi pour la pensée que le philosophe et le biologiste ne peuvent plus éluder.

Longtemps tenue pour taboue, soupçonnée des pires connotations politiques et idéologiques, la recherche des « fondements naturels » de nos comportements normaux ou déviants tend donc à devenir aujourd'hui une évidence pour l'immense majorité des biologistes, même lorsqu'ils se veulent par ailleurs « progressistes » et hostiles à toute forme d'idéologie raciste ou extrémiste. Pour la plupart d'entre eux, en effet, l'homme n'est, *du point de vue de la science à tout le moins*, qu'un être de nature, un animal parmi d'autres. Il est doué, sans doute, de facultés exceptionnelles comme le langage, certaines formes bien spécifiques d' intelligence, un rapport original au temps, aux valeurs éthiques, politiques ou esthétiques... mais ces spécificités elles-mêmes ne sont que les résultats de processus d'adaptation qui, en leur fond, ne se distinguent pas de ceux auxquels ont dû recourir pour survivre les calmars, les termites ou les éléphants. Elles sont différentes, voilà tout, mais il n'y aurait nul motif à y voir aujourd'hui, après tous les progrès scientifiques accomplis en ce siècle, quoi que ce soit qui puisse être tenu pour « sur-naturel », au sens propre : situé au-delà de la nature, *transcendant* par rapport au monde matériel.

Ce nouveau matérialisme prend donc position sur la question qui nous intéresse ici, celle de la définition de l'homme : en continuité avec le règne animal, pleinement inséré dans le monde naturel du vivant, il n'apparaîtrait plus comme un temple abritant une âme éternelle et sacrée. En affirmant ou même en présupposant des thèmes de ce type, la biologie contemporaine – ou du moins, faudrait-il dire pour être plus juste et plus prudent, une grande partie des *biologistes* –, plus qu'aucune autre science sans doute, poursuit le travail de sécularisation de la pensée entrepris par les philosophes du XVIIIe siècle.

C'est là aussi que le bât blesse, ou du moins, là que le débat entre les tendances matérialistes de la biologie contemporaine et la tradition des philosophies de la liberté – celles de Rousseau, de Kant et de Husserl notamment – doit s'engager. Car cette tradition de pensée, qui sera largement représentée ici, tient qu'il est possible de prendre en compte les résultats scientifiques de la biologie sans céder au « biologisme » qui en est pour ainsi dire la déviation dogmatique, l'idéologie spontanée, d'accorder sa part à la nature sans adopter pour autant les principes métaphysiques d'un matérialisme qui ne verrait que continuité entre le règne animal et le monde humain, entre l'univers de la nature et celui de la culture.

Sur la forme de ce livre...

Il nous fallait donc ouvrir le dialogue mais, disons-le franchement, il nous semblait en même temps tout à fait artificiel, voire à la limite impossible de l'engager *directement*, de faire comme si chacun d'entre nous était assez compétent dans le domaine de l'autre pour pouvoir discuter de plain-pied avec lui. Certes, de tels faux-semblants sont d'usage courant dans les mœurs universitaires, chaque collègue étant par définition un « sujet supposé savoir ». Mais l'honnêteté intellectuelle la plus élémentaire nous indiquait assez que la réalité est tout autre et que, malgré l'intérêt que nous portons depuis longtemps à la discipline qui, ici, n'est pas la nôtre, il nous fallait bien de bon gré ou non, dès lors que la réflexion devenait un tant soit peu intéressante et approfondie, faire preuve d'une réelle modestie... Il nous fallait en quelque sorte accepter de recommencer par le commencement, de nous donner l'un à l'autre, sous la forme toute simple d'un cours, les informations qui nous faisaient défaut.

C'est ici le lieu de dire un mot sur la forme de ce livre, qui doit beaucoup aux travaux que nous avons menés ensemble au sein du Conseil national des programmes (CNP). Préciser les circonstances qui nous ont conduits à l'écrire permettra d'en cerner plus exactement l'ambition et les limites.

Les missions du CNP sont, du moins en principe, relativement simples à saisir : il s'agit pour les vingt-deux membres qui le composent et qui représentent toutes les disciplines de notre enseignement scolaire, de concevoir les grandes lignes de ce que devraient être nos programmes, depuis l'école primaire jusqu'à la classe de terminale, et ce dans toutes les matières qui forment ce que l'on pourrait appeler la « culture scolaire ». Une fois ces grandes lignes tracées, des petits groupes d'enseignants (les « GTD » : groupes techniques disciplinaires), formés d'universitaires et d'enseignants de « terrain », rédigent les programmes et le CNP, au final, donne un avis d'ensemble et propose, le cas échéant, certains réaménagements.

Une idée directrice a guidé, tout au long de ces dernières années, ce travail souvent délicat : nous avons souhaité, dès l'origine, inciter nos collègues rédacteurs de programmes à centrer autant qu'il est possible notre culture scolaire sur les *éléments les plus fondamentaux* de chaque discipline. Il nous semblait en effet nécessaire de repenser les contenus de notre enseignement à partir d'une telle exigence, afin de parvenir, si possible, à transmettre aux élèves une culture commune, un « socle commun » de connaissances, de savoir-faire et de compétences nécessaires à la formation d'un citoyen, d'un honnête homme capable de s'orienter dans le monde d'aujourd'hui. Nous avions fait nôtre la devise, toujours d'actualité, « moins mais mieux ». Nous voulions aussi, ce faisant, faciliter la coexistence des disciplines entre elles, faire en sorte qu'elles travaillent autant qu'il est possible de façon cohérente et harmonieuse plutôt que de s'enfermer trop tôt, comme c'est si souvent le cas, dans des ghettos hyperspécialisés. Nous avions ainsi imaginé qu'au-delà même de l'école et du lycée, on puisse, dans les deux premières années de l'université, offrir à tous les étudiants, à côté de leur spécialisation disciplinaire, quatre ou cinq « cours pour grands débutants » qui auraient pour finalité de remettre à niveau ceux qui en ont le plus besoin, leur donnant ainsi les chances d'un nouveau départ, mais aussi celle de compléter pour tous la formation *interdisciplinaire* afin de transformer les savoirs particuliers en culture générale. Dans cette optique, il nous semblait et il nous semble toujours souhaitable que tout étudiant soit invité à suivre, par exemple, un cours général d'histoire moderne et contemporaine (de la Révolution française à nos jours), un cours de langue, un cours d'histoire des idées, mais aussi un cours portant sur les grandes découvertes scientifiques des deux derniers siècles – de tels enseignements ayant pour principe de faire (même si cela est faux en fait) comme si les élèves entrant à l'université étaient aussi innocents que la statut de cire de Condillac...

Ces recommandations, dont nous avons largement réussi à faire partager la légitimité autour de nous, à défaut de parvenir toujours à les faire mettre en œuvre autant que nous l'aurions souhaité, ne pouvaient pas nous laisser nous-mêmes indifférents. Tous deux professeurs d'université et chercheurs depuis de nombreuses années, tous deux également passionnés par notre discipline, nous avons donc décidé de mettre en pratique pour notre propre compte les conseils que nous ne pouvions nous contenter de dispenser à autrui. En clair, nous nous sommes proposé une forme d'échange de service que nombre de nos collègues, nous en sommes certains, aimeraient avoir eux aussi l'occasion de pouvoir se faire entre eux plus souvent : un cours fondamental de biologie, ne présupposant si possible aucune connaissance préalable, contre un cours de philosophie effectué dans les mêmes conditions. Ou, pour formuler le même défi dans des termes un peu différents mais qui reviennent finalement à l'identique, nous nous sommes posés chacun la simple question suivante : si j'avais un cours à faire pour un « grand débutant », un cours qui concentrerait ce que je considère comme étant tout à la fois le plus fondamental et le plus intéressant dans ma discipline, comment m'y prendrais-je ? Et pour que l'exercice n'en reste pas au stade d'un jeu intellectuel, nous nous sommes astreints à le mettre effectivement en œuvre au sein d'un séminaire qui s'est tenu à la faculté de Jussieu (Paris-VII) tout au long de l'année 1997/1998. Cette expérience fut, pour l'un comme pour l'autre, à la fois passionnante... et plus difficile que prévu. Mesurant mieux les écueils d'un tel projet, nous avons remis par écrit nos tentatives sur le métier jusqu'à ce que le résultat nous paraisse susceptible d'être publié, à proprement parler, à titre d'*essai*.

C'est dire aussi combien, face aux problèmes nouveaux que nous posent les sciences du vivant, l'ouvrage qu'on va lire adopte une démarche modeste : il ne s'agit ni d'épater par l'originalité du propos, ni d'innover, ne fût-ce que par rapport à ce que nous avons nous-mêmes déjà pu écrire dans de précédents ouvrages, mais de faire œuvre simplement *pédagogique*. Il fallait même, dans ce contexte, ne pas hésiter à reformuler, à résumer, à réexposer ce qui nous a semblé fondamental dans les connaissances que nous avons rencontrées ou acquises au fil de nos travaux antérieurs. Voici donc notre objectif tout à la fois limité et ambitieux : tenir le pari d'un cours d'initiation pure, sans concession aux artifices d'un jargon ou d'une technicité superflus, qui commencerait de déployer les éléments à nos yeux les plus fondamentaux de nos deux disciplines, tout en approchant pour elle-même l'une des questions les plus cruciales, sinon, à en croire le vieux Kant, la question ultime de la pensée moderne : celle du statut de l'humain au sein du règne de la nature.

INTRODUCTION PHILOSOPHIQUE

La nature est-elle notre code ?
La question du matérialisme biologique

On se souvient peut-être du cri de ralliement un jour lancé par l'un de nos illustres révolutionnaires, Rabaut Saint-Étienne : « Notre histoire n'est pas notre code ! » Il entendait signifier par là que les Hommes ne sont pas prisonniers de leur passé, de l'Ancien Régime en l'occurrence, mais qu'ils sont au contraire libres de s'en affranchir pour *inventer leur histoire*. Et c'était cela même, à ses yeux, l'acte révolutionnaire par excellence. Invitation à l'imagination et à la création, philosophie de l'avenir, si l'on veut, qui supposait au minimum que l'on prêtât aux êtres humains une faculté spécifique de s'arracher aux déterminations naturelles ou historiques auxquelles ils se croient parfois, mais à tort, liés comme par des chaînes. C'est dans cet écart, dans cette transcendance, que résidait le propre de l'humain, sa différence spécifique d'avec le règne de la nature, y compris animale. Philosophie de la liberté, donc, mais qui se heurte sans cesse davantage aujourd'hui aux objections venues des courants matérialistes dominant la biologie tout autant que les sciences humaines. De leur point de vue, en effet, l'histoire apparaît bien plutôt comme le contraire de la liberté, comme un code justement, et même d'autant plus puissant qu'il posséderait une double dimension. Nous ne serions pas, comme le croyait naïvement Rabaut Saint-Étienne, les auteurs, mais bien plutôt les produits d'une histoire elle-même duale : celle de notre classe sociale et de notre famille, d'une part, mais aussi de notre héritage naturel, génétique, de sorte que la liberté ne serait qu'une illusion due à la *complexité* des déterminismes qui régissent à notre insu la plupart de nos comportements – complexité d'autant plus grande que ces deux déterminismes, l'historique et le naturel, étant eux-mêmes en constante interaction, nous ne pourrions jamais prendre la juste mesure des forces qui nous font être, sans le savoir, ce que nous sommes. Nous prendrions ainsi *l'indétermination de notre connaissance* de nous-mêmes et de nos origines véritables, pour une *indétermination en soi* ou pour une forme de liberté. Illusion que le matérialisme scientifique seul parviendrait à dissiper en dévoilant les motifs inconscients qui nous détermineraient de façon implacable. Voici au fond la grande découverte du matérialisme biologique contemporain : à l'encontre de ce qu'enseignaient les grandes religions, mais aussi, après elles, toute une tradition de pensée héritée des Lumières, ce n'est pas, entre le règne animal et le règne humain, la discontinuité qui serait de règle, mais bien la continuité au sein d'un vaste domaine commun, celui de l'universelle nature. Certes, l'humain aurait des caractères spécifiques, mais au même titre que tous les autres animaux. Aucune spécificité radicale ou *essentielle*, donc, mais seulement des caractéristiques particulières, analogues dans leur principe à celles que possèdent toutes les autres espèces vivantes ayant réussi leur adaptation au milieu. Ni plus, ni moins.

De là la nécessité, pour introduire nos réflexions sur la question de l'homme, de préciser plus avant la signification et les arguments fondamentaux du *matérialisme*, étant entendu – je joue ici cartes sur table – que la tradition des philosophies de la liberté à laquelle je me référerai tout au long de ces conférences, s'inscrit en faux contre celle du matérialisme.

De la nature du matérialisme

Au sens philosophique (on laissera ici de côté le sens ordinaire et péjoratif), on doit entendre par matérialisme la position qui consiste à postuler que la vie de l'esprit est tout à la fois *produite* et *déterminée* par la *matière*, c'est-à-dire, pour l'essentiel, par la nature et par l'histoire. En clair : les idées philosophiques ou religieuses, mais aussi les valeurs morales, juridiques et politiques, ainsi que les grands symboles esthétiques et culturels n'ont ni vérité ni signification *absolues*, mais sont des « superstructures », des *produits relatifs* à certains états de faits matériels qui les conditionnent de part en part, fût-ce de façon complexe et multiforme. Par rapport à la matière naturelle ou historique, donc, il n'y aurait pas d'autonomie véritable du monde de l'esprit ou, si l'on veut, pas de transcendance réelle, mais seulement une illusion d'autonomie. Constance du discours matérialiste : la critique de la religion, bien sûr, mais aussi de toute philosophie qui postule une discontinuité, une transcendance des idées ou des valeurs morales et culturelles.

Les grandes « philosophies du soupçon » qui ont tant marqué les années 1960, celles de Marx, Nietzsche et Freud, sont d'excellentes illustrations du matérialisme contemporain : on y *réduit* les idées et les normes en les rapportant à ce qui les engendre « en dernière instance » – l'infrastructure économique, la vie des instincts et des pulsions, la libido, bref, à toutes les figures imaginables de l'inconscient. Même s'il prend en compte la complexité des facteurs qui entrent en jeu dans la production des idées et des valeurs, le matérialisme doit assumer ses deux traits caractéristiques fondamentaux : le réductionnisme et le déterminisme.

Tout matérialisme est, en effet, à un moment ou à un autre, un « réductionnisme », comme le souligne André Comte-Sponville avec une rigueur qui tranche sur la pusillanimité habituelle (nombre de matérialistes ne le font plus aujourd'hui par crainte d'être accusés de céder à un mécanisme simpliste) : « Si l'on entend par réductionnisme la soumission du spécifique au général et la négation de toute autonomie absolue des phénomènes humains, le matérialisme ne saurait, sans cesser d'être matérialiste, s'en passer [1]. » On ne saurait mieux dire.

Tout matérialisme est aussi un déterminisme en ce sens qu'il prétend montrer comment les idées et les valeurs dont nous croyons pouvoir disposer librement, comme si nous pouvions, sinon les créer, du moins les *choisir*, s'imposent en vérité à nous selon des mécanismes inconscients que le travail de la pensée consiste justement à mettre au jour.

Il y a donc aujourd'hui, au sens philosophique qu'on vient brièvement d'évoquer, deux grands matérialismes : un matérialisme historico-sociologique, qui tient que nous sommes déterminés de manière exhaustive par le contexte social-historique dans lequel nous avons été éduqués ; un matérialisme naturaliste, qui pense pouvoir aller encore plus loin que le premier, ou à tout le moins le compléter utilement en affirmant qu'en dernière instance, c'est notre infrastructure génétique, notamment neurale, qui détermine l'essentiel de ce que nous sommes. Ce second matérialisme ne rejette pas d'ailleurs le premier, en ce sens qu'il peut accorder lui aussi une place considérable au milieu et à l'éducation. Simplement, il tend à penser que cette place, même cruciale, reste plus ou moins seconde par rapport au poids spécifique de la naturalité en nous.

C'est aussi pourquoi, loin de s'exclure mutuellement, les deux matérialismes marchent le plus souvent de pair (quoiqu'il leur arrive aussi d'entrer parfois dans des querelles de préséance), pour parvenir à la conclusion que l'être humain ne *possède* pas une histoire et un corps, mais qu'il *est* purement et simplement cette histoire et ce corps, et rien de plus – de sorte que le matérialisme se définirait à nouveau de la façon la plus précise et la plus exacte comme la position philosophique selon laquelle, contrairement à ce que supposait Rabaut Saint-Étienne, *l'histoire et la nature,*

1. A. Comte-Sponville, *Dictionnaire de philosophie politique*, Paris, PUF, 1996.

l'acquis et l'inné dans leur interaction réciproque, sont nos codes.

De là, aussi, la réelle séduction qu'exerce le matérialisme sur tout esprit normalement épris de vérité.

D'une part, parce que le matérialisme est, au sens propre, un *élitisme* : son travail se déploie dans l'ordre du soupçon, de la démystification, dans la recherche d'une vérité cachée qui échappe au plus grand nombre. Le matérialiste prétend par nature « en savoir plus » que le vulgaire, puisque l'essentiel de son effort réside dans une généalogie de nos naïvetés. La psychanalyse, par exemple, appartient au registre de la psychologie « des profondeurs », elle est censée décrypter au plus profond, là où le commun des mortels n'ose guère s'aventurer ; elle va au-delà des apparences, des symptômes et se prête ainsi volontiers à une lecture matérialiste. Même chose, bien sûr, chez Nietzsche ou chez Marx, mais aussi, dans un autre style, avec les versions les plus intelligentes (et il y en a bien sûr), de la sociobiologie.

D'autre part, le matérialisme offre, plus que toute autre option philosophique, la particularité, non seulement de ne pas prendre les idées pour argent comptant, mais de « partir des faits », de s'intéresser enfin aux « vraies réalités », c'est-à-dire à celles qui sont réellement déterminantes : Freud nous parle de sexe, Nietzsche des instincts, Marx de l'histoire économique et sociale, la sociobiologie de cette part d'animalité en nous que toute une tradition religieuse et philosophique à voulu occulter. Bref ils nous entretiennent de ce qui importe vraiment et que l'on cache si volontiers sous des euphémismes et des abstractions. Or le plus souvent, c'est vrai, le réel est plus intéressant que les fictions philosophiques...

Du « biologisme » comme nouvelle figure du matérialisme

Il ne faut pas confondre, bien entendu, la biologie, en tant que science authentique, et ce que l'on pourrait nommer le

« biologisme [2] », c'est-à-dire l'idéologie matérialiste selon laquelle la détermination ultime, sinon unique, de nos comportements, y compris sociaux et culturels, serait d'origine naturelle. Il y a bien sûr des biologistes chrétiens, spiritualistes ou « idéalistes », de même qu'il existe des philosophes positivistes ou matérialistes. Toutefois, il paraît difficile de contester à la biologie la légitimité de son double penchant « naturel » au matérialisme. Il est normal, d'abord, qu'elle tende spontanément, en tant que science en général, au déterminisme (à l'application universelle du principe de raison). Mais en outre, elle ne peut pas, en tant que science de la nature, ne pas rechercher des *fondements naturels plus que spirituels* de nos comportements. Quoi de plus normal et même de plus justifié ? Pourtant, tout le problème de la liberté – donc de la spécificité de l'être humain, puisque c'est en elle que réside, si du moins elle n'est pas une illusion, *sa discontinuité d'avec le règne de la nature* – vient du fait que cette attitude scientifique, raisonnable et légitime au départ, se transforme insensiblement en une métaphysique spontanée, en l'occurrence une métaphysique dogmatique, voire une religion de la matière qui remplace, sans même s'en rendre compte et avec la meilleure volonté scientifique du monde, Dieu par la nature, suivant en cela le vieil adage de Spinoza : *Deus sive natura*. Comme le matérialisme historique qui voyait, selon le fameux mot de Marx, dans notre « être social », dans notre « position de classe », le déterminant ultime de nos croyances ou de nos « états de conscience », le biologisme tend à faire de la nature en nous la cause première et dernière de tous nos comportements.

Dans les deux cas pourtant, avec l'historicisme comme avec le biologisme, nous avons affaire à de fausses sciences, à des idéologies qui, croyant sincèrement parfois s'enraciner dans des faits avérés, sombrent en réalité dans les illusions les plus classiques de la métaphysique et de la théologie dogmatiques. En généralisant des expériences par

2. C'est là, il me semble, un des aspects les plus intéressants de la *Biologie des passions* de Jean-Didier Vincent.

définitions circonscrites, elles tendent à réhabiliter l'idée d'un fondement suprême de toute chose, surtout lorsque, s'alliant l'une à l'autre, elles instaurent les interactions complexes de l'inné et de l'acquis, de la nature et de l'histoire, en posture de cause première.

Or il n'est guère douteux que depuis quelques années, le matérialisme, sous l'effet de la crise du marxisme, s'est nettement déplacé de l'histoire vers la nature, et ce avec d'autant plus de profit que les sciences dures sont infiniment plus crédibles que les molles. Dans ce déplacement, la vieille question des rapports de l'inné et de l'acquis a repris du service, avec, bien entendu, quelques arguments nouveaux apportés par les réels progrès des sciences de la vie.

Je le dis, là encore, d'entrée de jeu : la thèse que j'aimerais défendre ici, c'est qu'il est possible de prendre en compte les avancées réelles, c'est-à-dire authentiquement scientifiques, de la biologie contemporaine, sans pour autant céder à cette déviation idéologique qu'est le « biologisme ». Il ne faut pas se le dissimuler : la marge est fort mince entre deux écueils également fâcheux. En n'accordant pas assez à la recherche contemporaine en génétique, on risque, au nom d'une idéologie bien-pensante mais erronée, de passer tout simplement à côté des découvertes scientifiques les plus cruciales de cette fin de siècle. Mais en lui accordant trop, on perd la spécificité de l'humain au sein du règne animal et, qui plus est, on se heurte aux tenants des sciences humaines traditionnelles, notamment à certaines tendances intégristes de la psychanalyse, qui croient à tort que toute concession à la biologie est, d'une part politiquement suspecte (les souvenirs du nazisme sont aussitôt convoqués) et d'autre part dangereuse pour la corporation (si l'on parvenait à démontrer que telle ou telle maladie mentale possède bel et bien une origine génétique, cela ne manquerait pas, en effet, de créer quelques difficultés dans le champ analytique). Voie étroite, donc, mais il me semble aussi, seul chemin de vérité qu'il nous faut tenter d'explorer.

Des rapports de l'inné et de l'acquis : le renouveau du matérialisme

Inné/acquis, nature/culture, génétique/épigénétique, hérédité/milieu, peu importe ses diverses formulations : le thème est « bien connu », apparemment usé jusqu'à la corde. Il n'en recèle pas moins encore bien des énigmes. Voici comment on le présente d'ordinaire... pour mieux s'en débarrasser : on commence par évoquer deux positions extrêmes, qui forment une belle antinomie. À ma gauche, le Tout/acquis des sciences humaines : en matière de comportements humains, tout se jouerait dans le milieu, l'éducation, l'histoire. À ma droite, le Tout/inné, selon lequel l'épigénétique ne ferait jamais plus qu'actualiser le génétique, tout étant joué en vérité à la naissance. François Jacob, dans *Le Jeu des possibles*, a donné une belle description de cette antinomie en recourant à une double métaphore : d'un côté, la bande magnétique, qui reçoit tout du dehors, symbolise le tout/acquis ; de l'autre, le disque qui représente le tout/inné, puisqu'à l'inverse, il contient tout en lui dès l'origine :

« Les tenants de la bande magnétique sont souvent influencés par l'idéologie marxiste selon laquelle l'individu est entièrement façonné par sa classe sociale et son éducation. Pour eux, les aptitudes mentales de l'être humain n'ont simplement rien à voir avec la biologie et l'hérédité... Tout aussi insoutenable apparaît l'attitude opposée, celle du disque de phonographe. Ce point de vue, qui se trouve souvent associé à une philosophie conservatrice, sous-tend les formes variées du racisme et du fascisme. Il attribue à l'hérédité de l'être humain la quasi-totalité de ses aptitudes mentales et nie pratiquement toute influence du milieu, ruinant ainsi tout espoir d'amélioration par l'entraînement et l'apprentissage [3]. »

3. F. Jacob, *Le Jeu des possibles*, Paris, LGF, p. 110-111.

On ne saurait mieux dire. Les enjeux éthiques et politiques sont pointés sans fard, et ils expliquent assez les passions que ne manque jamais de susciter cette question, dont on oublie au passage qu'elle est par ailleurs *aussi* une question scientifique. Il est clair que l'innéisme évoque, dans notre histoire politique, non seulement le racisme et le fascisme, comme le dit François Jacob, mais plus généralement les visions féodales ou aristocratiques de l'Ancien Régime selon lesquels il existerait *par nature* des bons et des mauvais, des élus et des tarés [4]... Dans les années 1970 encore, il était courant de rencontrer des partisans de ces deux positions radicales. Aujourd'hui, la situation est différente. Non que les avis extrêmes aient réellement disparu, mais ils se dissimulent volontiers sous une motion de synthèse qui, en apparence, accorde tout le monde : chacun reconnaît qu'il y a, certes, un terrain, une part d'héritage, donc, mais que le milieu et l'éducation jouent aussi leur rôle de sorte que le comportement humain résulterait de « l'interaction-complexe-de-ces-deux-éléments-au-demeurant-tout-à-fait-indissociables ». Ouf ! Doublement ouf, même : car on échappe ainsi au « marxisme » et au « fascisme », pour reprendre les formulations de François Jacob – ou, plus simplement, ne dramatisons pas outre mesure, à l'absurdité flagrante des deux extrémismes ; ensuite parce qu'on se donne ainsi l'impression de sauver, grâce à l'indétermination qu'introduit la notion fourre-tout de « complexité », la liberté et la responsabilité sans lesquelles l'être humain serait réduit à l'état de machine : quelle marge de manœuvre nous resterait-il, en effet, si nous n'étions qu'un disque voué à répéter sans variation possible ce qui est depuis toujours programmé en lui ?

L'affaire, hélas, est infiniment plus compliquée que ne le laisse supposer le simple bon sens. Parce qu'elle cache en réalité deux autres questions dont on ne peut sérieusement faire l'économie si l'on veut penser jusqu'au bout les rapports entre nature et histoire. La première est celle,

4. Pour une critique de l'innéisme, cf. l'ouvrage d'Hervé Ponchelet, au titre évocateur : *L'Avenir n'est pas héréditaire*, Paris, Belin, 1997.

justement, de la signification, du statut, voire de l'existence même d'une liberté humaine comprise comme un écart possible par rapport à des codes. Or ce concept de liberté, sur lequel s'appuie notamment tout le droit pénal moderne, n'est nullement garanti par la seule affirmation d'une interaction « complexe » entre l'hérédité et le milieu. Car ce milieu, le premier sociologue vous le dira, peut s'avérer tout aussi déterminant que la nature originelle dont nous héritons par nos parents. Et l'on voit mal, dans ces conditions, comment la liberté et la responsabilité pourraient naître de l'interaction, fût elle infiniment complexe, de deux déterminismes. C'est bien plutôt, dans cette perspective, comme une « double illusion [5] » qu'il faudrait la définir. La liberté serait ainsi doublement niée : une fois au nom d'un matérialisme naturaliste, une autre au nom d'un matérialisme historique, les deux déterminismes ne s'excluant pas mais s'accordant tout au contraire pour aboutir à une négation enfin complète du libre arbitre. Si la motion de synthèse s'impose si aisément à tous, c'est donc parce qu'elle offre l'avantage... de n'engager rigoureusement à rien ! Il faut aller plus loin, et commencer par définir plus précisément l'idée moderne de liberté entendue, justement, comme écart par rapport aux lois supposées déterminantes de la nature et de l'histoire ou comme refus de considérer ces deux entités comme des codes ou des programmes intangibles. Il se peut qu'elle soit illusoire, mais il serait dommage d'en décider *a priori*, sans examiner plus avant un concept dans lequel se joue, nous allons voir pourquoi, la réponse de la pensée moderne à la question du propre de l'homme.

De la liberté comme propre de l'humain

J'aimerais retourner ici, sous forme de paradoxe, l'opinion qui est d'ordinaire celle du matérialisme : ce n'est pas parce que l'homme a une histoire, sociale ou naturelle, qu'il n'est pas libre, mais tout à l'inverse, parce qu'il est libre

5. J'emprunte la formule au professeur Philippe Meyer.

qu'il accède à l'historicité authentique, celle qui nous éloigne du règne de la nature pour nous faire entrer dans celui de la culture.

De là l'importance du débat, trivial en apparence, mais en apparence seulement, portant sur la fameuse différence entre l'homme et l'animal, c'est-à-dire, pour aller à l'essentiel, *entre le monde de la culture et celui de la nature*. C'est sur ce thème que vont se fonder, depuis le XVIIIe siècle, les philosophies de la liberté. Elles supposent, en effet, une nouvelle vision de l'homme par rapport au monde de l'Antiquité (nous y reviendrons au chapitre prochain), une nouvelle « anthropologie » antinaturaliste que Rousseau, mieux qu'aucun autre avant lui sans doute, a parfaitement formulée au début de son fameux *Discours sur l'origine et les fondements de l'inégalité parmi les hommes* – (ce qui ne signifie pas, bien entendu, qu'un seul penseur soit à l'origine de ce bouleversement mais seulement qu'il l'a thématisé et conceptualisé dans sa philosophie). Comme je l'ai écrit déjà dans plusieurs de mes livres, c'est ici à mes yeux qu'apparaît le principal apport philosophique de Rousseau. Le début de son *Discours* repose sur une de ces intuitions géniales qui sont parfois fondatrices pour plusieurs siècles de pensée. Il faut s'y arrêter, car dans le critère qui sépare l'animalité de l'humanité gît tout le secret de l'humanisme moderne.

L'animal, sans doute, possède une intelligence, une sensibilité, voire une faculté de communiquer et ce n'est nullement la raison, l'affectivité ou même le langage qui distinguent en dernier lieu les êtres humains. D'évidence, il est des animaux plus intelligents, plus affectueux, plus sociables et plus « communicants » que certains hommes. Le critère, pour Rousseau, est ailleurs : dans la liberté ou, comme il dit, dans la « perfectibilité », c'est-à-dire dans la faculté de se perfectionner tout au long de sa vie là où l'animal, guidé dès l'origine et de façon sûre par la nature, est pour ainsi dire parfait « d'un seul coup », dès sa naissance. La preuve ? Si on l'observe objectivement, on constate que la bête est conduite par un instinct infaillible, commun à son espèce, comme par une norme intangible, une sorte de logiciel dont elle ne peut jamais vraiment s'écarter. La nature lui tient lieu tout entière de culture : « C'est ainsi qu'un pigeon mourrait de faim près d'un bassin rempli des meilleurs viandes, et un chat sur des tas de fruits ou de grains, quoique l'un ou l'autre pût très bien se nourrir de l'aliment qu'il dédaigne, s'il s'était avisé d'en essayer. » La nature constitue pour eux des codes, l'un de granivore, l'autre de carnivore, et il n'est point d'écart possible (ou si peu !) par rapport à eux. Sans doute un pigeon peut-il absorber quelques petites parcelles de viande ou le chat mordiller, comme on le voit parfois dans les jardins, quelques brins d'herbe, mais au total, leurs programmes naturels ne leur laissent pratiquement aucune marge.

La situation de l'être humain est inverse : il est même si peu programmé par la nature qu'il peut commettre des excès, boire ou fumer par exemple, ce que les animaux ne peuvent, jusqu'à en mourir, car en lui, selon la belle formule de Rousseau, « la volonté parle encore quand la nature se tait ». Première conséquence : les humains seront, à la différence des bêtes, doués d'une histoire *culturelle*. Au lieu que les termites, les abeilles ou les fourmis sont les mêmes depuis des milliers d'années, les sociétés humaines progressent, ou du moins changent, sous l'effet d'une double historicité : celle de l'individu, qui a nom éducation (d'où l'*Émile*) et celle de l'espèce, qui est la politique (d'où le *Contrat social*). Voilà pourquoi, aux yeux de Rousseau, et un peu plus tard de Kant, le propre de l'homme réside dans la faculté de se perfectionner, « faculté, écrit Rousseau, qui à l'aide des circonstances développe successivement toutes les autres et réside parmi nous tant dans l'espèce que dans l'individu ; au lieu qu'un animal est au bout de quelques mois ce qu'il sera toute sa vie, et son espèce au bout de mille ans ce qu'elle était la première année de ses mille ans »...

De fait, l'argument de Rousseau ne manque pas d'intérêt : les animaux bénéficient sans doute de certains *apprentissages*, mais ils n'ont presque pas besoin d'*éducation*. Ainsi, par exemple, des jeunes tortues qui trouvent spontanément, aussitôt sorties de l'œuf, la direction de l'océan et savent immédiatement accomplir les mouvements qui leur permettent de marcher, de nager et de survivre... là où le petit d'homme doit rester dans son foyer familial jusqu'à un âge qui excède souvent celui de sa majorité ! De même, si l'on se situe au niveau, non plus individuel (de l'éducation), mais collectif (de la politique), on mesure sans peine ce qui sépare les « sociétés » dites animales et les sociétés humaines : à nouveau, l'historicité, bien sûr, les premières restant en tout point identiques depuis les origines, les secondes ne cessant au contraire de changer et d'évoluer. Et comment rendre compte de cette différence, telle est au fond l'hypothèse de Rousseau, si l'on ne postule pas une forme de liberté, un écart possible par rapport à la norme naturelle qui guide en tout point les bêtes et leur interdit pour ainsi dire de varier ?

Seconde implication : c'est parce qu'il est libre, qu'il n'est prisonnier d'aucun *code* naturel ou historique déterministe, que l'être humain est un être moral. Comment pourrait-on d'ailleurs lui imputer de bonnes ou de mauvaises actions s'il n'était en quelque façon libre de ses choix ? Il faut pouvoir s'écarter du réel pour le juger bon ou mauvais, de même qu'il faut se distancier de ses appartenances naturelles ou historiques pour acquérir ce que l'on nomme d'ordinaire « l'esprit critique » hors duquel il n'est aucun jugement de valeur qui puisse prétendre à l'universalité. Ce que réaffirmera dans le même esprit, quelques décennies plus tard, notre Déclaration des droits de l'homme : ce n'est pas en tant que membre d'une communauté ethnique, religieuse, linguistique, nationale qu'il faut respecter l'individu, mais en tant qu'il est, par sa liberté, toujours aussi au-delà de sa communauté d'origine. Humanisme *abstrait*, comme le nommait justement Claude Lefort, puisqu'il nous invite en effet à faire *abstraction* des déterminations matérielles dans la considération du droit et de l'éthique.

La naissance de l'humanisme moderne : une nouvelle anthropologie

Depuis son apparition au XVIIIe siècle (et peut-être même avant, puisqu'on en trouve déjà les traces chez Pic de La Mirandole et Descartes), cette nouvelle anthropologie n'a cessé d'engager un débat sur la différence entre l'homme et l'animal. Nous l'avons vu avec Rousseau, mais on en trouve encore un avatar intéressant au XXe siècle, avec le livre de Vercors : *Les Animaux dénaturés* [6]. Il n'est pas inutile d'en dire ici quelques mots parce que son intrigue principale offre l'intérêt de présenter de façon imagée la problématique philosophique que nous venons d'évoquer en termes conceptuels. Dans les années 1950, une équipe de savants britanniques part pour la Nouvelle-Guinée, à la recherche du fameux « chaînon manquant » entre l'homme et l'animal. Ils espèrent découvrir quelque fossile et tombent, par le plus grand des hasards, sur une colonie bien vivante d'êtres « intermédiaires », qu'ils désignent aussitôt du nom de « Tropis ». Ce sont des quadrumanes, donc des singes. Mais ils vivent, comme les troglodytes, dans des cavernes de pierre... et ils enterrent leurs morts. Bien plus, ils semblent disposer d'un embryon de langage. Comment donc les situer, entre l'humain et l'animal ? La question est d'autant plus pressante qu'un homme d'affaires peu scrupuleux envisage de les domestiquer pour en faire ses esclaves ! Le héros du livre se dévoue donc : il fait un enfant à une femelle (ou femme ?) tropi, ce qui prouve déjà qu'il s'agit d'une espèce plus que proche de la notre. Comment classer l'enfant : homme ou animal ? Il faut trancher, car cet étrange père a tué son propre enfant pour obliger la justice à se prononcer. Un procès s'ouvre donc, qui passionne toute l'Angleterre, et occupe bientôt la une de la presse mondiale. Les meilleurs spécialistes sont convoqués à la barre : anthropologues, biologistes, paléontologues, philosophes, théologiens... Leurs désaccords sont absolus, et leurs arguments pourtant si excellents dans leur genre qu'aucun d'entre eux ne parvient à l'emporter. C'est l'épouse du juge qui trouvera le critère décisif : s'ils enterrent leurs morts, les Tropis sont bien des humains. Car cette cérémonie témoigne d'une interrogation, au sens propre, méta-physique, d'une distance, donc, à l'égard de la nature. Comme elle le dit à son

6. Vercors, *Les Animaux dénaturés*, Paris, LGF, 1984.

mari : « Pour s'interroger, il faut être deux, celui qui interroge, celui qu'on interroge. Confondu avec la nature, l'animal ne peut l'interroger. Voilà, il me semble, le point que nous cherchons. L'animal fait *un* avec la nature. L'homme fait *deux*. » On ne saurait mieux traduire la pensée de Rousseau...

Ce critère appelle encore un commentaire. Car on pourrait, bien sûr, en imaginer mille autres : après tout, les animaux ne portent pas de montres ni n'utilisent de parapluies, ils ne conduisent pas de voiture, ne fument pas non plus la pipe ou le cigare, etc. Pourquoi le critère de la distance avec la nature serait-il plus important que n'importe quel autre ? Parce qu'il est, en vérité, un critère *tout à la fois éthique et culturel* spécifique : c'est par cette distance, en effet, qu'il nous est possible de questionner le monde, de le juger et de le transformer, d'inventer, comme on dit si bien, des « idéaux », donc une distinction entre le bien et le mal. Si la nature était notre code, rien de tout cela ne serait possible. Mais si l'histoire l'était, à la place de la nature ou à côté d'elle, la situation serait la même : totalement immergés dans le réel, dans la matière historique ou naturelle, comment pourrions-nous même prétendre la juger en bien ou en mal ?

Par où l'on voit à nouveau combien l'idée que nos comportements seraient un mixte, le résultat d'une interaction entre l'hérédité et le milieu est une idée, non pas fausse (même pas !), mais obscure et confuse : elle ne dit rien encore de la façon dont nous devons comprendre le rôle de ce fameux milieu. Comme un déterminant qui s'ajoute à la nature pour la renforcer et disqualifier plus sûrement encore l'hypothèse de la liberté ou comme une situation indéterminée où cette liberté, justement, pourrait trouver à s'exercer ? Voilà pourquoi il convient encore de faire, comme nous y invitait Sartre [7] dans le droit-fil de Rousseau et de Kant, une distinction cruciale : celle qui sépare une simple situation (nous

---

7. Notamment dans sa fameuse conférence intitulée *L'Existentialisme est un humanisme*, Paris, Nagel, 1970.

avons, en effet, un corps et une histoire, cela n'est pas douteux) d'une détermination (que ce corps et cette histoire nous déterminent de part en part, c'est une tout autre affaire).

« Situation » et « détermination »

Une « situation » peut être, on vient de le suggérer, aussi bien naturelle que social-historique : c'est ce qui fait, si l'on peut dire, notre lot de départ. Je suis né homme et non femme, avec un certain héritage génétique, dans telle classe sociale, telle famille de France et non telle autre de Chine, etc. Je n'y puis rien, et sur ces données initiales, qu'elles soient biologiques ou, au sens large, historiques, ma liberté n'a aucune prise. Est-elle pour autant réduite à néant ? Non si l'on refuse de confondre, comme le font sans cesse l'historicisme et le biologisme, situation et détermination : ma liberté n'est pas anéantie par les situations, plus ou moins contraignantes en effet, dans lesquelles je suis toujours pris. C'est au contraire par rapport à elles qu'elle s'exerce. Encore faut-il, pour l'admettre, ne pas réduire l'homme à sa nature ou à son histoire... D'où la nécessité d'une critique enfin solide, elle-même non réductrice, du réductionnisme.

Les exposés qui vont suivre n'auront d'autre ambition que de mettre en place les outils philosophiques qui permettent de mesurer plus exactement les conditions de pertinence d'une telle critique. Je voudrais en particulier montrer comment on est passé, en quittant le monde de l'Antiquité grecque pour l'univers des modernes, d'une vision cosmologique et naturaliste à une vision humaniste de l'éthique. Et c'est par là que je rejoindrai aussi l'aspect purement pédagogique de ces leçons. Car si j'avais, hors de tout cadre scolaire ou académique contraignant, un cours d'initiation à la philosophie à donner pour un débutant, je le consacrerais sans nul doute à la faille qui sépare le monde ancien, aristocratique et hiérarchisé, thématisé avec le plus de force dans la philosophie d'Aristote, et le monde moderne, démocratico-méritocratique, que symbolisent depuis Rousseau et Kant jusqu'à Husserl et Sartre, les philosophies de la liberté. C'est donc tout naturellement dans cette optique que j'ai choisi d'aborder la question : « qu'est-ce que l'homme ? », en commençant par mettre d'emblée en perspective ces différentes visions morales du monde au sein de ce que l'on pourrait désigner comme une « brève histoire de l'éthique ».

On y verra aussi, qu'à l'encontre d'une imagerie souvent accréditée par le scientisme contemporain, on ne va pas de l'obscurantisme aux Lumières en passant de l'idée de liberté au matérialisme scientifique. Trop souvent, en effet, on s'imagine qu'après l'Antiquité, dont les cosmologies ont été réfutées par la science moderne, après l'humanisme lié aux grandes déclarations des droits de l'homme du XVIIIe siècle, serait enfin venu l'âge positiviste, nécessairement désenchanté mais lucide, dont le biologisme serait en cette fin de millénaire l'un des plus beaux fleurons. Comme on aura l'occasion de le voir tout au long des prochains chapitres, il n'en est rien. La vérité est que l'émergence de l'idée moderne de liberté, telle qu'elle est mise en place notamment par Rousseau et Kant puis pour ainsi dire incarnée dans l'idéal des droits de l'homme, est rigoureusement contemporaine de son contraire : l'apparition d'un matérialisme déterministe et scientiste, souvent, comme chez Diderot par exemple, lié à quelque héritage spinoziste, qui tient la liberté pour une illusion et entend bien en finir avec elle. Le débat entre matérialisme déterministe et philosophie de la liberté est donc ouvert dès la fin du XVIIIe siècle et si l'évolution des sciences en renouvelle parfois le contenu, elle ne parvient nullement à le clore comme en témoigne assez sa vigueur persistante dans la philosophie contemporaine. Il est d'autant plus intéressant et peut-être même utile de le suivre jusque dans ses derniers développements, que le matérialisme scientiste prétend plus que jamais pénétrer au cœur des modes de pensée, des valeurs, des symboles et des passions humaines. De l'amour à la raison mathématique, des émotions les plus subtiles jusqu'aux racines de nos moindres choix éthiques ou esthétiques, le biologisme, et parfois même la biologie, prétend mettre au jour les infrastructures sous-jacentes. Est-ce la fin de l'idée de liberté, la réalisation, enfin, de cette « mort de l'homme » qui fit grand bruit dans les années 1960 ? C'est là, en tout cas, tout l'enjeu du débat qui va suivre.

INITIATION À LA PHILOSOPHIE

I

Une brève histoire de l'éthique : L'ancien, le moderne et le contemporain

Résumons d'une phrase l'opposition que nous avons commencé de mettre en place entre le matérialisme et les philosophies de la liberté : on pourrait dire que pour le premier, c'est parce que l'homme possède une histoire, sociale et naturelle, qu'il n'est pas libre ; pour les secondes au contraire, c'est parce que l'homme est libre, parce qu'il n'est pas programmé comme l'est l'animal, qu'il possède une histoire. Et c'est de cette historicité spécifique aux humains que je voudrais dire quelques mots aujourd'hui en vous montrant comment, dans l'histoire occidentale de la philosophie, sont apparues au moins trois grandes visions morales du monde qui, pour être réellement différentes, voire opposées entre elles, n'en conservent pas moins pour nous une extraordinaire actualité.

Pour faciliter l'accès à ces représentations de l'éthique et pour vous en faire saisir l'essentiel – mais soyons francs : chacune d'elles pourrait nous occuper largement pendant plus d'une année – je partirai d'un problème concret : celui de l'apprentissage d'une activité physique à dimension culturelle, par exemple d'un sport ou d'un instrument de musique. On sait aujourd'hui combien nombre de parents sont soucieux de faire acquérir à leurs enfants ce type de savoir-faire. Ils savent par expérience personnelle, en se reportant à leurs propres souvenirs et parfois à leurs regrets, que dans ces domaines, il est souvent trop tard, passé l'âge de l'adolescence, pour parvenir à l'excellence. Pourtant, cette simple considération ne suffit pas à justifier tout à fait l'intérêt porté à ces disciplines. Il faut aussi des motivations positives, sociales ou personnelles et, à un moment ou à un autre, on doit bien se demander qu'elle sera la finalité de l'enseignement d'un sport ou d'un art pour ses enfants : qu'en attend-on au juste ? Bien des réponses sont possibles qui prennent en compte des champs très différents de la vie humaine, allant de l'espace de la simple mondanité sociale à celui de la culture la plus sophistiquée en passant, plus rarement, par des considérations professionnelles. Mais trois d'entre elles se situent sur le plan *éthique*. Ce sont elles seules que je voudrais considérer ici car elles correspondent, à leur manière, aux trois visions morales du monde qui ont marqué l'histoire de la philosophie occidentale depuis plus de deux mille ans.

La première est d'essence *aristocratique* : elle consiste à prendre en compte en priorité les *talents naturels* de certains enfants. Dans cette perspective, l'enseignement aura pour finalité première de repérer ces talents afin d'aider ceux qui en sont dotés à les réaliser ou, pour mieux dire, à les *actualiser* autant qu'il est possible. Il s'agit ici d'une pédagogie tout à la fois *élitiste* et *naturaliste*, en quoi on peut bien, en effet, la dire aristocratique puisqu'elle repose sur l'idée qu'il existe des « bons » et des « mauvais » *par nature*, de façon pour ainsi dire « innée ». L'éducation et l'histoire n'y peuvent rien, ou du moins pas grand-chose... Dans cette optique, l'éducation ne vise nullement à faire en sorte que les enfants, comme on dit parfois aujourd'hui, se « dépassent » eux-mêmes, aillent « plus loin » sur une voie qui serait *a priori* indéfinie. Elle cherche plutôt à faire en sorte que les *virtualités initiales des meilleurs* passent à l'acte. C'est aussi pourquoi la pratique d'un sport ou d'un instrument n'apparaît jamais ici comme un *travail*, un labeur pénible. Du reste, le monde aristocratique se définit assez bien par le refus du travail en général, considéré comme une activité servile. La *praxis* apparaît plutôt comme un *exercice* qui n'a rien de douloureux ni de fatigant, du moins pour celui qui est *doué naturellement*. À l'inverse même, c'est en empêchant un enfant talentueux de pratiquer son art qu'on le rendrait malheureux, car le vrai bonheur réside dans l'actualisation la plus complète que possible des virtualités naturelles. Comme Nietzsche l'a souvent souligné, dans le monde grec, le sport ainsi conçu s'apparente davantage à une joute guerrière qu'à une compétition démocratique, à une rencontre dont les meilleurs, les *aristoi*, sont censés se dégager du lot... Il est clair qu'une telle conception de la pratique sportive ou artistique n'a pas tout à fait disparu de notre univers moderne : comment penser, par exemple, les talents extraordinairement précoces d'un McEnroe ou d'un Menuhin, sans recourir peu ou prou à un modèle aristocratique en même temps qu'à l'idée, en l'occurrence peu contestable, d'une *inégalité naturelle dans la répartition des talents* ? Sa place, toutefois, a considérablement changé en raison de l'apparition, au XVIIIe siècle, d'une nouvelle vision morale du monde, toute différente de la première, et même, à certains égards, très opposée à elle.

Liée aux philosophies de la liberté qu'on a évoquées dans notre introduction, elle tient que les talents naturels et innés ne sont nullement l'essentiel en matière d'éducation artistique ou sportive. Peu importe, à la limite, que l'on soit doué ou non : ce n'est pas cette considération qui doit interdire à un enfant d'être initié à des enseignements que le monde démocratique considère à l'évidence comme destinés *à tous*. Il en va même à ses yeux de la morale la plus élémentaire. C'est que la perspective aristocratique et naturaliste s'est, bien sûr, entre-temps, effondrée. Même si elle conserve une petite place quelque part dans notre pensée, les priorités ont changé... L'essentiel ne réside plus dans les *données naturelles innées* du talent, mais dans ce qui se passe *après* : dans *l'effort* que chaque enfant va consentir pour parvenir à un résultat qui, au final, importe moins que la trajectoire elle-même. La pratique est devenue d'abord et avant tout un *travail*, une *discipline* dont on attend surtout, indépendamment du résultat final, qu'elle soit *formatrice* pour la personnalité de l'enfant. La joute guerrière a fait place à une *compétition ludique* organisée par des règles égalitaires et, du moins au niveau de l'enseignement et de l'épanouissement individuel qu'on en attend, le *mérite compte plus que le talent* : chacun sait que, d'un point de vue moral, le bon instituteur préfère un élève peu doué mais volontaire et travailleur, à celui qui possède des « facilités » mais, selon l'expression consacrée, « peut mieux faire » ! Au demeurant, chacun sait bien aussi que, parmi les millions d'enfants qui chaque année s'initient à la pratique des arts et des sports, un nombre infinitésimal parviendra à en faire une véritable profession ou même une occupation pour la vie tout entière. Parallèlement à l'effacement de la priorité accordée dans le monde aristocratique à l'inné et à la nature, on passe d'une logique de la *réalisation de soi* à une logique du *dépassement de soi* : l'important est d'aller le plus loin possible sur un chemin dont plus rien ne permet de fixer *a priori* les limites. En ce sens, on peut dire que les rapports entre nature et histoire se sont, avec l'émergence de l'univers démocratique fondé sur l'idée de liberté, inversés : la seconde compte désormais plus que la première.

Mais une troisième conception de l'éthique apparue, elle aussi au XVIIIe siècle avec la naissance, dans le monde anglosaxon, des morales « utilitaristes », a pris cependant une place telle dans la période contemporaine qu'elle tend à supplanter les représentations *méritocratiques* du travail, de la discipline et de l'effort. Dans cette troisième optique, il ne s'agit plus de réaliser des virtualités innées, pas davantage de se « dépasser soi-même », mais, plus modestement de se *faire plaisir* : ce n'est plus le talent qui importe avant tout, ni même les effets formateurs d'une pratique qui suppose parfois qu'on lui consacre plusieurs heures de travail par jour, mais le bénéfice qu'on en tire en termes de bien-être mental ou corporel. Ce qu'on attend alors de l'enseignement, c'est qu'il conduise ceux qui en bénéficient à être plus à l'aise, mieux dans leur corps et dans leur tête. L'épanouissement de la personnalité ne se mesure plus à l'aune de l'actualisation des données de nature, ni à celle d'une activité qui viserait à discipliner la volonté : seul le bien-être est véritablement visé, comme si le souci des résultats, mais aussi de la trajectoire elle-même, faisait place à la seule considération de l'instant présent. On pratique le tennis ou la guitare pour « rester en forme » ou pour « s'éclater », non pour être le meilleur ni même pour structurer sa personnalité et ses repères culturels... À l'élitisme de la nature, mais aussi à l'élitisme républicain, succède l'idéal individualiste de la démocratie de masse. Ce n'est plus de joute guerrière qu'il s'agit dans le sport, ni, pour l'immense majorité, de compétition égalitariste, mais plutôt de jeu ou de remise en forme physique et psychique...

Bien entendu, ces trois regards éthiques ne s'excluent pas tout à fait et, pour une part, chacune des motivations qu'ils impliquent peut intervenir aujourd'hui encore, avec des proportions variables, dans nos choix. Nous sommes, en ce sens, devenus éclectiques. Mais si l'on s'y arrête de plus près, si l'on prend en compte les arrière-fonds philosophiques qui sont les leurs, on s'aperçoit néanmoins qu'ils reposent sur des visions du monde radicalement divergentes.

Reprenons, donc, en considérant d'un peu plus près ces trois visions morales du monde à l'aide de quelques éléments simples empruntés à l'histoire de la philosophie.

Les éthiques aristocratiques ou la valorisation de l'excellence naturelle

C'est dans le monde grec, assurément, que le concept aristocratique d'*excellence* a été thématisé pour la première fois de façon philosophique. Pour aller à l'essentiel : les Grecs définissaient volontiers la vertu ou l'excellence comme une forme de perfection, comme la réalisation aussi parfaite que possible, pour chaque être, de ce qui constitue sa nature et indique par là sa « fonction » ou sa finalité. C'était à leurs yeux dans la nature innée de chacun que devait se lire sa destinée ultime. Telle est la raison pour laquelle l'*Éthique à Nicomaque* d'Aristote, que l'on peut considérer comme le modèle d'une conception aristocratique de la vertu, commence par une réflexion sur la finalité spécifique qui est celle de l'homme parmi les autres êtres :

« De même, en effet, que dans le cas d'un joueur de flûte, d'un sculpteur ou d'un artiste quelconque, et en général, pour tous ceux qui ont une fonction ou une activité déterminée, c'est dans la fonction que réside, selon l'opinion courante, le bien, le "réussi", on peut penser qu'il en est ainsi pour l'homme, s'il est vrai qu'il y a une certaine fonction spéciale à l'homme » – ce qui ne fait, à l'évidence, aucun doute, tant il serait absurde de penser « qu'un charpentier ou un cordonnier aient une fonction et une activité à exercer mais que l'homme n'en ait aucune et que la nature l'ait dispensé de toute œuvre à accomplir » (1197 b 25) [1].

C'est donc ici la nature qui fixe les fins de l'homme et assigne ainsi sa direction à l'éthique. Ou pour le dire à la manière d'un philosophe contemporain, Hans Jonas, auteur d'une réflexion qui vise pour une large part à réhabiliter l'idée ancienne de la cosmologie, les fins sont « domiciliées dans la nature », inscrites en elle. Ce qui ne signifie pas que dans l'accomplissement de sa tâche propre, l'individu ne rencontre pas de difficultés, qu'il n'ait pas besoin d'exercer sa volonté et ses facultés de discernement. Mais il en va de l'éthique comme de toute autre activité, par exemple l'apprentissage d'un instrument de musique : il faut sans doute de l'exercice pour devenir le meilleur, l'excellent, mais par-dessus tout du *talent*. Même si Aristote n'exclut pas un certain usage de la volonté, seul un don naturel peut indiquer la voie à suivre et permettre de lever les difficultés dont elle est jonchée (c'est dans cette perspective qu'il faut lire les textes d'Aristote sur la « délibération », et nullement comme la préfiguration d'une théorie moderne du « libre arbitre »). Telle est aussi la raison pour laquelle la vertu ou l'excellence (ces mots sont ici synonymes) se définit comme une « juste mesure », un intermédiaire entre des extrêmes, une « médiété ». S'il s'agit de réaliser avec perfection notre destination naturelle, il est clair, en effet, qu'elle ne peut se situer

1. Aristote, *Éthique à Nicomaque*, trad. Tricot, Paris, Vrin, 1994.

que dans une position moyenne : ainsi, par exemple, le courage se tient-il à égale distance de la lâcheté comme de la témérité, ou la vue bonne, entre la myopie et la presbytie, de sorte qu'ici, la juste mesure n'a rien à voir avec une position « centriste » ou modérée, mais au contraire avec une perfection. D'un point de vue ontologique (« dans l'ordre de la substance », dit Aristote), l'être qui réalise parfaitement sa nature ou son essence est également éloigné des pôles opposés qui, parce qu'ils sont à la limite de leur définition, confinent à la monstruosité : l'être monstrueux, en effet, c'est celui qui, à force d'« extrémisme », finit par échapper à sa propre nature. Ainsi, par exemple, d'un œil aveugle ou d'un cheval à trois pattes. Mais par là même, « dans l'ordre de l'excellence et du parfait, la vertu est un sommet » (1107 a 5).

Je me souviens qu'étudiant, j'avais les plus grandes difficultés à comprendre en quel sens Aristote pouvait parler sérieusement d'un cheval ou d'un œil « vertueux ». Ce texte, entre autres, me plongeait dans un abîme de perplexité : « Nous devons remarquer que toute vertu, pour la chose dont elle est vertu, a pour effet à la fois de mettre cette chose en bon état et de lui permettre de bien accomplir son œuvre propre : par exemple, la vertu de l'œil rend l'œil et sa fonction également parfaits, car c'est par la vertu de l'œil que la vision s'effectue en nous comme il faut. De même, la vertu du cheval rend un cheval à la fois parfait en lui-même et bon pour la course pour porter son cavalier et faire face à l'ennemi » (1106 a 15). Trop marqué spontanément par la perspective moderne, méritocratique, je ne voyais pas ce que l'idée même de « vertu » venait faire en l'occurrence. Mais dans une perspective aristocratique, de tels propos n'ont en vérité rien de mystérieux : l'être « vertueux » n'est pas celui qui atteint un certain niveau grâce à des efforts librement consentis, mais celui qui fonctionne bien, et même excellemment, selon la nature et la finalité qui sont les siennes. Et cela vaut tout autant pour les choses ou les animaux que pour les êtres humains dont le bonheur est lié à cet accomplissement de soi. Au sein d'une telle vision de l'éthique, la question des limites reçoit ainsi une solution

« objective » : c'est dans l'ordre des choses, dans la réalité du Cosmos qu'il convient d'en rechercher la trace, comme le physiologiste, en comprenant la finalité des organes et des membres, aperçoit également dans quelles limites ils doivent exercer leur activité. De même qu'on ne saurait sans dommage échanger un foie contre un rein, chacun, dans l'espace social doit trouver sa place et s'y tenir, faute de quoi c'est le juge qui devra intervenir pour rétablir un ordre harmonieux et rendre, selon la fameuse formule du droit romain, « à chacun le sien ».

Toute la difficulté, pour nous modernes, vient de ce qu'une telle lecture cosmique est devenue impossible, faute, tout simplement, de Cosmos à scruter et de nature à déchiffrer. Avec la naissance de la physique moderne, en effet, nous sommes passés, selon l'heureuse formule d'Alexandre Koyré, du « monde clos à l'univers infini ». Pour les Grecs [2], du moins pour Aristote, l'univers apparaissait comme clos, ordonné et hiérarchisé, de sorte qu'il pouvait en effet exister pour chaque être un *lieu naturel* qui lui convienne absolument. Les modernes, depuis Galilée et Newton, pensent au contraire le monde comme infini. Il n'y a donc plus de lieux absolus, mais seulement des points relatifs à des coordonnées arbitraires (les fameuses coordonnées cartésiennes, abscisse et ordonnée, qui servent justement à déterminer de façon conventionnelle une situation dans l'espace infini). On pourrait ainsi établir un parallèle étroit et rigoureux entre la vision naturaliste et inégalitaire de la hiérarchie des êtres qui fonde l'univers aristocratique sur le plan moral et politique d'un côté, et de l'autre, la représentation cosmologique qu'il se fait de la réalité physique.

2. Cette remarque ne vaut ni pour la sophistique, ni pour l'épicurisme.

La naissance de l'éthique méritocratique ou les révolutions de l'humanisme moderne

La définition rousseauiste de l'humanité de l'homme, dans sa différence spécifique d'avec l'animal, conduit à un refus du matérialisme historique autant que biologique : l'humain est par essence en *excès* par rapport aux deux grands codes dans lesquels l'historicisme et le biologisme prétendraient l'enfermer. En quoi, bien sûr, il apparaît, au sens où Sartre et Heidegger reprendront le terme, comme un être de *projet* ou de *transcendance*. Mais bien avant de pouvoir intervenir dans nos débats d'aujourd'hui, cette anthropologie s'oppose déjà à toute forme de naturalisme, à commencer par celui des Anciens qu'on vient brièvement d'évoquer. Les révolutions introduites par l'humanisme « abstrait » touchent ainsi tous les domaines de la pensée. Je voudrais seulement vous en indiquer quatre, parce qu'ils engagent directement ou indirectement la discussion que nous avons autour de la biologie et du biologisme. Il s'agit de bouleversements fondamentaux dans l'ordre de l'éthique, de la pédagogie, de la théorie de la connaissance et du religieux dont je me bornerai bien sûr, ici, à esquisser le profil général.

- Une nouvelle morale

On pourrait caractériser ainsi l'opposition cardinale qui sépare l'éthique aristocratique des anciens de l'éthique méritocratique des républicains modernes à partir de l'anthropologie annoncée par Rousseau : chez les Anciens, on a dit ici pourquoi, la *vertu*, entendue comme excellence dans son genre, n'est pas à l'opposé de la nature, mais tout au contraire, elle n'est rien d'autre qu'une *actualisation réussie des dispositions naturelles d'un être*, un passage, comme dit Aristote, de la puissance à l'acte. Pour les philosophies de la liberté au contraire, et notamment pour Kant, qui reprend à son compte l'anthropologie de Rousseau, mais aussi pour les républicains français par exemple, la vertu apparaît à l'exact inverse comme une *lutte de la liberté contre la naturalité en nous*. C'est donc, dans l'ordre de la pensée, à une véritable révolution qu'on assiste par rapport aux visions éthiques de l'Antiquité. Dans cette perspective nouvelle, la nature, du moins sur le plan moral (en esthétique, il en ira sans doute autrement), est plutôt maléfique que bénéfique, car nos inclinations « naturelles », nos « penchants » spontanés et « sensibles », vont tous, ou peu s'en faut, dans le sens de l'égoïsme. Or c'est cet égoïsme qu'il nous faut justement combattre par notre volonté libre, si nous voulons du moins prendre en quelque façon en compte l'intérêt général ou le bien commun. Volontarisme moral et politique, donc, qui a presque toujours pour adversaire l'un ou l'autre des visages possibles de la nature rebelle, indisciplinée, peu encline à l'altruisme ou tout simplement paresseuse.

Tous les traits fondamentaux des morales méritocratiques modernes se déduisent ainsi, sans exception aucune et très logiquement, de l'anthropologie mise au jour par Rousseau. C'est encore à Kant, et aux républicains français qui en sont si proches, qu'il appartiendra d'exposer de façon thématique les deux conséquences morales les plus connues et les plus marquantes de cette nouvelle définition de l'homme par la liberté : l'idée d'action désintéressée et celle d'universalité. Elles sont si unanimement partagées par nos contemporains qu'elles apparaissent véritablement comme les deux principaux critères définissant ce qu'on pourrait presque nommer sans autre forme de procès *la* morale moderne.

Commençons par l'idée de désintéressement. L'action vraiment morale, l'action vraiment « humaine » (et il est significatif que les deux termes commencent à se recouper et que l'on dise d'un grand crime, par exemple, qu'il est « inhumain » alors qu'en vérité il n'est que trop humain...) sera d'abord et avant tout l'action désintéressée, c'est-à-dire celle qui témoigne de ce propre de l'homme qu'est la liberté entendue comme faculté d'échapper à toute détermination par une essence préalable : alors que ma nature – puisque je suis, *aussi*, mais non seulement, animal – me pousse, comme toute nature, à l'égoïsme [3] (qui n'est qu'une variante de l'instinct de conservation pour moi et pour les miens), j'ai aussi, telle est du moins la première hypothèse de la morale moderne, la possibilité de m'en écarter pour agir de façon désintéressée, altruiste. Sans l'hypothèse de la liberté, cette idée d'action désintéressée n'aurait évidemment aucun sens. Sans cette idée, la moralité disparaîtrait au profit d'une « éthologie » : une simple description neutre, non normative, des comportements relevant *de facto* de ce que l'on désigne comme la moralité – un analogue, si l'on veut, de l'analyse des mœurs des animaux par un zoologue qui conserve toute sa neutralité et ne porte aucun jugement moral sur eux.

Ce qui est peut-être le plus frappant dans cette nouvelle perspective morale, antinaturaliste et antiaristocratique, c'est que la valeur éthique du désintéressement s'impose à nous avec une telle évidence que nous ne prenons même plus la peine d'y réfléchir. Si je découvre, par exemple, qu'une personne, qui se montre bienveillante et généreuse avec moi, le fait dans l'espoir d'obtenir un avantage quelconque qu'elle me dissimule (par exemple mon héritage), il va de soi que la valeur morale attribuée par hypothèse à ses gestes s'évanouit d'un seul coup. Ou encore : je n'attribue aucune valeur morale particulière au chauffeur de taxi qui accepte de me prendre en charge parce que je sais qu'il le fait, et c'est normal, par intérêt. En revanche, je ne puis m'empêcher de remercier comme s'il avait agi humainement celui qui, sans intérêt particulier, au moins apparent, a

3. On m'objecte parfois que l'amour et la sympathie sont tout aussi « naturels » que l'égoïsme. À quoi l'on peut répondre, comme l'avait fait Kant face à l'utilitarisme anglais, que l'amour et la sympathie *naturelles* ne sont bien entendu que des variantes de l'égoïsme : je me sens souvent mieux, assurément, dans l'amour que dans la haine, et le plus souvent aussi la sociabilité est tout à fait conforme à mes intérêts particuliers. C'est seulement avec la problématique du sacrifice, du moins pour autant qu'on ne la tienne pas pour illusoire, que l'hypothèse d'une liberté d'arrachement à la nature devient indispensable.

l'amabilité de me prendre en stop un jour de grève. Ces exemples et tout ceux que l'on voudra rajouter dans le même sens font signe vers la même idée : à tort ou à raison (c'est un autre débat), vertu et action désintéressée sont inséparables dans l'imaginaire moderne, et c'est seulement sur la base d'une anthropologie telle que celle de Rousseau que cette liaison prend sens : il faut en effet pouvoir agir librement, sans être programmé par un code naturel ou historique, pour accéder à la sphère du désintéressement et de la générosité volontaire.

La seconde déduction éthique fondamentale à partir de l'anthropologie rousseauiste est l'accent mis sur l'universalité comme idéal de bien commun et de dépassement des simples intérêts particuliers, en principe visé par les actions morales. Le bien n'est plus lié à mon intérêt privé, à celui de ma famille ou de ma tribu. Bien entendu, il ne les exclut pas, mais il doit aussi, au moins en principe, prendre en compte les intérêts d'autrui, voire de l'humanité tout entière – universalisme qui s'exprimera, comme on sait, dans la grande Déclaration des droits de l'homme. Là encore, le lien avec l'idée de liberté est clair : la nature, par définition, est particulière ; je suis homme ou femme (ce qui est déjà une particularité), j'ai tel corps, avec ses goûts, ses passions, ses désirs qui ne sont pas forcément (c'est une litote) altruistes. Si je suivais toujours ma nature animale, il est probable que le bien commun et l'intérêt général pourraient attendre longtemps avant que je daigne seulement considérer leur éventuelle existence (à moins, bien sûr, qu'ils ne recoupent mes intérêts particuliers, par exemple mon confort moral personnel). Mais si je suis libre, si j'ai la faculté de m'écarter des exigences de ma nature, de lui résister si peu que ce soit, alors, dans cet écart même et parce que je me distancie pour ainsi dire de moi, je puis me rapprocher des autres pour entrer en communication avec eux et, pourquoi pas, prendre en compte leurs propres exigences. À tort ou à raison, là encore je laisse la question en suspens, l'imaginaire moderne, du moins dans la tradition continentale des philosophies de la liberté, va fonder cet altruisme, ce souci de l'intérêt général, sur l'hypothèse de la liberté humaine.

Liberté, vertu de l'action désintéressée, souci de l'intérêt général : voici les trois maîtres mots qui définissent les modernes morales du devoir – « du devoir », justement, parce qu'elles nous commandent une résistance, voire un combat contre la naturalité ou l'animalité en nous. Par où l'on mesure à nouveau combien cette définition de la vertu est désormais aux antipodes de celle des Grecs.

Revenons encore un instant, pour mieux les approfondir et mieux les situer dans l'histoire de la philosophie, notamment chez Kant, sur les deux aspects qui constituent le cœur de la réflexion éthique moderne : le désintéressement et l'universalité.

Subjectivement – au regard des intentions qui peuvent animer une activité quelle qu'elle soit –, la « bonne volonté » se définit comme volonté « désintéressée ». Pour des raisons que Kant analyse méthodiquement dans les *Fondements de la métaphysique des mœurs* [4], il y a chez les modernes un consensus pour considérer que seule l'action désintéressée peut être déclarée véritablement morale. Telle est la signification de la fameuse distinction que Kant établit entre « légalité » et « moralité ». Je puis toujours me conformer à une loi (l'interdiction du vol, pour reprendre l'exemple célèbre des *Fondements*) par intérêt : en l'occurrence, par peur d'être arrêté et emprisonné – mais on pourrait bien sûr donner d'autres exemples où l'intérêt serait « positif » et résiderait dans l'espoir d'une récompense, ou même dans l'amour d'autrui, et non dans la crainte d'une punition. Du point de vue qui nous occupe ici, ces motivations sont équivalentes en tant qu'elles sont toutes, de façon plus ou moins sympathique sans doute, mais peu importe, « intéressées ». Dans ces conditions, mon action est peut-être « légale » (*Gesetzmässig* : c'est-à-dire, littéralement, « conforme à la loi »), mais chacun admettra qu'elle n'a rien pour autant de vertueux ni d'admirable. Sans même y réfléchir, là non plus,

4. E. Kant, *Fondements de la métaphysique des mœurs*, Paris, Vrin, 1992.

nous associons l'idée de vertu à celle d'effort, et le mérite, pour nous, suppose en quelque façon une lutte de la volonté contre ses intérêts propres, contre l'égoïsme. L'action morale devra donc, quant à ses motivations, être effectuée par pur respect pour la loi. On comprend dès lors que seule la « bonne volonté » puisse être nommée proprement morale : les talents, qui sont des dons naturels, n'ont aucune valeur éthique en eux-mêmes. La preuve évidente en est que l'intelligence, la force, la beauté et même le courage peuvent être mis au service, non seulement de nos intérêts égoïstes, mais du crime le plus effroyable. Loin donc que la vertu réside dans le perfectionnement de dons naturels, dans l'accomplissement d'une fonction conforme à la nature spécifique de l'homme, elle apparaît comme lutte contre la naturalité en nous, comme capacité de résister aux inclinations qui sont celles de notre nature particulière.

L'extraordinaire puissance de l'éthique kantienne lui vient du fait qu'il nous est en effet pratiquement impossible de faire l'économie complète de la notion de mérite. Certes, certaines doctrines, de Spinoza à Nietzsche, s'y sont essayées. Mais chassé par la porte de la philosophie, elle revient toujours par la fenêtre de la vie quotidienne et des jugements de valeur anodins qu'elle nous amène toujours à proférer hors le contrôle des concepts : quel est le spinoziste ou le nietzschéen qui n'a jamais dans sa vie porté un jugement moral sur autrui ? J'aimerais qu'on me le montre car je n'en ai personnellement jamais rencontré et je doute sincèrement qu'il existe... Je connais en revanche une quantité impressionnante de spinozistes, et plus encore d'ailleurs de nietzschéens, qui passent le plus clair de leur temps à juger moralement tout le monde et son voisin sans même se rendre compte une seconde qu'ils sont non seulement kantiens, mais qui plus est en contradiction avec eux-mêmes... Qu'on le veuille ou non, la notion de mérite n'a de sens que dans une optique moderne, antinaturaliste et attachée à l'idée de libre arbitre. Si l'on y réfléchit suffisamment, on verra en effet qu'elle suppose toujours la liberté comme pouvoir de résister à la nature en nous, donc comme faculté d'agir de façon désintéressée. De même qu'il n'est pas d'éloge flatteur sans liberté de blâmer, il n'est aucun mérite sans liberté de choix – ce pourquoi du reste, nous ne parlons que par analogie des « mérites » d'une voiture ou d'un cheval...

Pour les mêmes raisons, il nous est devenu impossible de considérer que le fait d'être grand, fort, beau ou habile dans les activités du corps et même de l'esprit soit à proprement parler une vertu – et ce quel que soit l'extraordinaire pouvoir de séduction que de telles qualités peuvent parfois exercer sur nous, voire le sentiment d'admiration réelle qu'elles éveillent. Car la séduction, pour nous, modernes, ne relève plus de l'éthique mais des sphères de l'esthétique et de l'amour qui lui sont désormais extérieures. D'un point de vue subjectif, la morale du mérite est donc une morale du devoir : puisqu'il ne s'agit plus, comme chez les Anciens, d'accomplir sa nature, mais au contraire de lutter le plus souvent contre elle, les règles s'imposent presque toujours sous la forme d'impératifs. L'exigence morale prend la forme d'un « tu dois ! » ou d'un « il faut ! ».

Encore convient-il de préciser en quoi consistent *objectivement*, quant à leur contenu précis, les fins qui s'imposent à nous sur ce mode. Tel est le second versant de l'éthique moderne, celui qui touche à l'idée d'universalité. Car il ne s'agit pas simplement d'être capable de désintéressement, d'arrachement à l'égard de sa nature particulière : il faut aussi indiquer dans quelle direction doit s'effectuer cette séparation d'avec soi-même. Si l'action vertueuse est subjectivement désintéressée, quel est son objectif ?

Le terme possède comme chacun sait une double signification – sur laquelle joue la notion contemporaine de « raison objective » dont l'origine remonte au kantisme. Si l'objectif est le but, il est aussi ce qui n'est pas subjectif, ce qui ne vaut pas simplement pour moi, mais également pour les autres. Le bien commun est donc un objectif au double sens – ce qu'exprime à sa façon la doctrine kantienne des impératifs, avec ses trois niveaux : l'« habileté », la « prudence » et la « moralité » tels que Kant les décrit très simplement dans les *Fondements de la métaphysique des mœurs*. En passant d'un degré à un autre, on s'élève tout à la fois dans l'échelle des fins et dans celle de l'objectivité.

Les impératifs de l'habileté, en effet, ne réfléchissent que sur les moyens. Ils sont encore purement techniques ou instrumentaux (en quoi, en effet, la « raison instrumentale » n'est pas encore la « raison objective »). Ils disent seulement : « Si tu veux une fin X, fais Y », sans se soucier en quoi que ce soit de savoir si cette fin doit ou non être poursuivie, si elle dépasse ou non la sphère de mes intérêts particuliers. L'habileté correspond pour Kant à la morale d'Épicure ou à l'utilitarisme, entendu au sens étroit, comme un hédonisme égoïste (on verra plus tard, qu'en vérité, l'utilitarisme peut être lui aussi un universalisme) : les « objectifs » qu'elle permet d'atteindre restent encore, si l'on ose dire, tout à fait subjectifs et particuliers.

Avec la prudence – qui traduit la *phronêsis* aristotélicienne –, nous nous élevons d'un cran dans l'objectivité : les fins que poursuit le prudent sont communes à l'humanité, et non spécifiques à tel ou tel individu isolé comme peuvent l'être celles de l'habileté. L'exemple type est ici la santé que chacun ne peut que désirer, du moins en tant que l'homme est aussi un animal dont le corps doit être entretenu. La prudence nous élève donc jusqu'à la sphère du *général* ou, comme on dit si bien, du « sens commun ». Mais elle n'atteint pas encore à *l'universalité* rigoureuse qui caractérise les fins de la moralité. La preuve en est que, si la morale l'exige, il faut savoir être « imprudent » : le sacrifice librement consenti ne saurait être exclu de l'éthique moderne. Or il peut mettre en cause la santé, et même la vie...

C'est donc avec les fins de la moralité que nous entrons selon Kant – mais il n'exprime ici que l'opinion commune des modernes – dans la sphère de l'objectivité véritable. Ici, les buts de nos actions s'imposent à nous sur le mode d'une loi universelle, valable absolument pour tous. Mais comme cette loi, en tant que loi de la raison, est notre loi, qu'il y a donc auto-nomie (ce qui ne serait pas le cas dans une vision religieuse de l'éthique), on peut dire que la transcendance est fondée dans l'immanence : c'est pour ainsi dire *en nous* que nous devons trouver les raisons – en fait : La Raison –

d'oublier notre intérêt personnel. Le mérite est lié à cette tension interne entre le particulier des désirs égoïstes et l'universel de la loi dont la vertu consacre le triomphe. C'est cette même tension qui animera en France l'idéal républicain, l'éthique des « hussards de la république »...

Les deux moments de l'éthique moderne – l'intention désintéressée et l'universalité de la fin choisie – se concilient ainsi dans la définition de l'homme comme « perfectibilité ». C'est dans cette anthropologie philosophique qu'ils trouvent leur source ultime : car la liberté signifie avant tout la capacité à agir hors la détermination des intérêts « naturels », c'est-à-dire particuliers ; et en prenant ses distances à l'égard du particulier, c'est vers l'universel, vers la prise en compte de l'autre homme, qu'on s'élève. L'éthique méritocratique est donc d'inspiration démocratique : étant donné que le mérite se situe dans un registre autre que celui des talents innés, nul n'en est *a priori* dépourvu. Il requiert « seulement » la bonne volonté. Elle se situe ainsi aux antipodes de l'aristocratisme ancien, mais aussi du « biologisme » tel que nous l'avons défini. En quoi elle commande également une nouvelle conception de la pédagogie...

- Une nouvelle conception de l'éducation : la naissance des méthodes actives et la valorisation « antiaristocratique » du travail

Cette nouvelle pédagogie apparaît bien sûr dans le maître livre de Rousseau, l'*Émile*, puis, comme l'a si bien montré Alexis Philonenko [5], dans les *Réflexions sur l'éducation* de Kant.

Même si certains de ses préceptes les plus concrets sont restés célèbres, Rousseau n'est pas Laurence Pernoud (ni l'inverse...) et il est absurde de lire l'*Émile* comme un simple recueil de conseils adressés aux parents. Ses protestations contre l'emmaillotage du nouveau-né, ses injonctions lancées aux mères d'allaiter elles-mêmes leurs enfants

5. Dans sa belle introduction aux *Réflexions sur l'éducation* (Paris, Vrin, 1993) de Kant, dont je reprends ici les analyses.

plutôt que de les confier à des nourrices, son souci d'éviter une éducation trop abstraite le conduisant à préconiser pour tous l'apprentissage d'un métier manuel, et quelques autres recommandations concrètes du même ordre étaient sans doute, surtout à l'époque, pleines de bon sens. Elles ne prennent toutefois leur signification réelle qu'au sein d'une problématique générale, révolutionnaire, celle des « méthodes actives » : il faut, selon la formule de Rousseau, préférer l'éducation « par les choses » à l'éducation « par les hommes ».

Qu'est-ce à dire ? Kant, fidèle disciple de Rousseau sur ce point, a donné à cette intuition la forme suivante : trois conceptions de la pédagogie sont possibles. La première laisse une liberté absolue à l'enfant : c'est l'éducation par le *jeu* qui correspond, selon une analogie avec la politique qu'il faudrait développer plus longuement, à l'anarchie. La deuxième en est le contraire exact : le *dressage*, équivalent de l'absolutisme, qui convient sans doute à des animaux, mais point à des êtres libres. Comment concilier ce que ces deux visions extrêmes, toutes deux également fausses, peuvent avoir néanmoins de juste, au moins au départ, ou pour mieux dire : comment respecter la *liberté* de l'enfant tout en lui enseignant une *discipline* ? Réponse : par le *travail*. C'est lui qui fournit, si l'on peut dire, le « concept synthétique », la solution de ce conflit. Car, en travaillant – si du moins il ne s'agit pas pour lui simplement d'une contrainte imposée du dehors – l'enfant exerce sa liberté, mais il se heurte néanmoins à des obstacles objectifs qui, lorsqu'ils sont bien choisis par le maître, peuvent se montrer formateurs pour lui dès lors qu'il parvient à les surmonter activement. *À l'anarchie du jeu et à l'absolutisme du dressage succède ainsi la citoyenneté du travail* : le citoyen est celui qui est libre lorsqu'il vote la loi, et contraint cependant par cette même loi, dès lors qu'il l'a approuvée – où l'on retrouve les deux moments, liberté et discipline, activité et passivité, que le travail réconcilie en lui.

Cette conception des méthodes actives était radicalement nouvelle à l'époque où Rousseau l'invente. Alliant le respect de l'enfant et les nécessités d'une certaine autorité, elle continuera d'animer jusqu'à nos jours ce que nos systèmes éducatifs ont assurément de meilleur. C'est aussi pourquoi elle devait choquer ses contemporains dans des proportions que nous avons peine à imaginer aujourd'hui. L'*Émile* vaudra à Rousseau de longues années de tourments. L'ouvrage fit en effet l'unanimité des institutions officielles contre lui : condamné par le Parlement de Paris, qui le fit confisquer et brûler, il le fut aussi par l'Église catholique et par le Consistoire de Genève ! Rousseau fut décrété « de prise de corps » et dut précipitamment quitter son séjour de Montlouis pour se réfugier en Suisse, à Yverdon d'abord, puis à Motiers. Malgré le calme de ces lieux retirés, ses ennuis n'étaient pas terminés. En pleine nuit, le 8 septembre 1765, sa modeste demeure fut lapidée par les habitants du village et il dut à nouveau plier bagage de toute urgence pour se terrer dans l'île Saint-Pierre, au milieu du lac de Bienne... d'où le Sénat de Berne jugera bon, quelque temps plus tard, de le faire expulser. Il devra accepter une hospitalité plus lointaine, celle que lui offrait alors en Angleterre David Hume et ne pourra revenir à Paris qu'en 1770, après de longues années d'incertitude et d'errance...

C'est assez dire l'ampleur du bouleversement introduit. Comment l'interpréter ? De multiples façons, bien sûr, mais l'une d'entre elles, certainement, tient à la remise en question radicale du monde aristocratique introduite par cette valorisation nouvelle du *travail* au sein des méthodes actives. Le monde aristocratique, nous l'avons rappelé et chacun le sait, est un monde dans lequel le travail apparaît comme une activité par nature servile. L'aristocrate ne travaille pas, dit Nietzsche. Il commande, fait la guerre, s'exerce dans les arts et les sports et *contemple*, au sens de la *theoria* grecque : il saisit l'ordre naturel, cosmique, au sein duquel sa place est, par nature, celle des meilleurs. Là où règne cette représentation du monde, le travail ne vaut rien. Mais lorsque la vertu change de définition, lorsqu'elle n'est plus actualisation d'une nature innée, mais lutte de la liberté contre la naturalité en nous, le travail, lui aussi change de sens et de statut : il acquiert une valeur jusqu'alors inconnue. Chez les modernes, celui qui ne travaille pas risque fort de n'être pas seulement un homme pauvre, mais aussi un pauvre homme. *Car le travail s'identifie désormais à l'une des manifestations essentielles du propre de l'homme, de la liberté comme faculté de transformer le monde et, le transformant, de se transformer et de s'éduquer soi-même*. Et le primat de la *theoria* a fait place, en quelque façon, à celui de la *praxis*. Ce qui n'est pas non plus sans conséquence sur la conception du fonctionnement de l'esprit, ou pour mieux dire, du « travail » de la pensée.

• De la *theoria* à la *praxis* : une nouvelle conception de la pensée

C'est bien, en effet, comme un travail ou comme une activité, et non plus comme une simple « vision » (idée) ou contemplation de l'esprit, que la pensée elle-même va désormais se définir. Et c'est donc là aussi, dans l'ordre de la philosophie bien sûr, à une véritable révolution par rapport au monde ancien qu'on assiste. C'est à la thématiser et à la mettre en place qu'est consacré, dans la *Critique de la raison pure* de Kant, le célèbre chapitre qui traite du « schématisme ». Le mot lui-même ne l'indique guère et il peut faire reculer le lecteur débutant. Au reste, ce chapitre de la *Critique* est réputé l'un des plus difficiles à cerner au sein d'un ouvrage qui passe lui-même pour l'un des plus redoutables de toute l'histoire de la philosophie. De fait, il a suscité de nombreuses interprétations contradictoires [6] et des lecteurs de Kant aussi prestigieux que Fichte, Hegel et Heidegger y ont vu, sans doute à juste titre, le centre véritable de la première *Critique*. Mon propos n'est pas de revenir ici sur ces interprétations mais seulement de vous faire saisir en quoi la nouvelle conception de la pensée qui apparaît sous ce terme énigmatique correspond rigoureusement aux mutations que nous venons d'observer du côté de l'anthropologie, de l'éthique et de la pédagogie. Et comme, justement, la pédagogie est au cœur de notre sujet, je puis

---

6. Sur ces interprétations, cf. A. Philonenko, *L'Œuvre de Kant*, Paris, Vrin, 1975, tome I. Sur la lecture heideggérienne, cf. L. Ferry et A. Renaut, *La Pensée 68*, Paris, Gallimard, 1985, dernier chapitre.

vous assurer que, même sans connaître Kant ni avoir étudié la philosophie, il est parfaitement possible de comprendre le fond de l'affaire pourvu qu'on y prête un instant attention.

À quoi correspond, en effet, la théorie du schématisme ? Sans nul doute, dans l'esprit de Kant lui-même, elle est *d'abord* destinée à dépasser les deux grandes théories de la connaissance qui s'affrontent encore à son époque : l'empirisme et le cartésianisme.

Disons les choses simplement : pour les cartésiens, il existe en chacun de nous des « idées innées », des vérités communes dès l'origine à tous les êtres humains pour la bonne et simple raison qu'elles ont été crées par Dieu et données par lui en partage à tous les hommes. C'est en ce sens qu'il faut comprendre la fameuse formule de Descartes selon laquelle « le bon sens est la chose du monde la mieux partagée ». Tout homme est capable, si du moins son esprit est normal, de saisir quelques notions communes en mathématique : par exemple, savoir compter, se représenter que la ligne droite est le plus court chemin d'un point à un autre, ou encore que la somme des angles d'un triangle fait 180 degrés... De telles vérités élémentaires échappent au lieu et au temps : elles accèdent à l'universalité ou, ce qui revient ici au même, à l'objectivité en ce sens qu'elles valent pour tous, indépendamment des *subjectivités* liées aux individus vivant à des époques ou dans des cultures différentes. Et c'est par cette doctrine des idées innées que la théorie de la connaissance échappe au scepticisme.

Pour les empiristes, au contraire, de telles idées n'ont aucun sens : tous nos états de conscience, toutes nos représentations et toutes nos connaissances proviennent toujours en dernière instance de l'expérience. L'essentiel de nos raisonnements se ramène à l'induction : j'ai par exemple observé plusieurs fois que l'eau se met à bouillir à 100 degrés et j'en déduis qu'il en sera ainsi la prochaine fois. Mais en réalité, cette connaissance n'a rien d'absolu ni de certain : elle est relative à mes expériences, voilà tout. Voici pourquoi du reste la science elle-même n'est qu'une « croyance » parmi d'autres possibles, une attente (en l'occurrence, celle que l'eau va bouillir) que rien, en toute rigueur, ne vient absolument *garantir*. En quoi l'empirisme conduit toujours, lorsqu'il est lui-même rigoureux, au relativisme et au scepticisme.

Selon les empiristes, l'hypothèse selon laquelle il existerait quelque chose comme des « concepts généraux » se heurte encore à une autre difficulté insurmontable : de tels concepts, outre qu'ils relèvent d'un postulat métaphysique ou religieux, ne sont pas même *représentables* pour la conscience humaine. Soit, par exemple, le concept de « triangle en général » : chaque fois que j'essaie concrètement de me représenter un triangle, c'est en vérité à un triangle *particulier*, possédant des dimensions et une forme *particulières*, que je pense. Il n'est donc rien dans ma conscience qui ressemblerait de près ou de loin à une « idée innée », à une image du « triangle en général », mais seulement des images qui, toujours, sont à la fois *particulières* et immergées dans le *temps* de ma pensée.

Par rapport à cette objection, la situation du criticisme kantien est particulièrement délicate : Kant admet, en effet, la validité du raisonnement empiriste au niveau psychologique, c'est-à-dire au niveau de la description du fonctionnement concret de l'esprit. Les empiristes, à ses yeux, ont à l'évidence raison contre les cartésiens sur un point : nos représentations, nos images en l'occurrence, sont toujours *particulières* et toujours *immergées dans le temps* de la conscience (dans le « sens interne », comme dit Kant). Et pourtant, Kant ne veut pas renoncer – ce par quoi il rejoint d'une certaine façon les cartésiens – à l'idée qu'il existe des concepts dont la valeur est à la fois *intemporelle* et *universelle*, des notions objectives qui valent en tout lieu et en tout temps. Si l'on renonçait à cette idée, c'est en effet au scepticisme et au relativisme que nous serions voués, comme le sont d'ailleurs les empiristes cohérents dont Hume fournit le modèle.

Le problème devient dès lors le suivant : *comment des concepts* a priori, *des concepts universels et intemporels peuvent-ils être représentés par la conscience empirique qui, elle, est toujours particulière et temporelle ?* Ou, pour être tout à fait clair et faire apparaître le paradoxe de la question :

comment de tels concepts, par exemple ceux des mathématiques, peuvent-ils être *particularisés* et *temporalisés* (faute de quoi ils ne pourraient être représentés dans *ma* conscience particulière et temporelle), sans perdre pour autant leur validité *universelle* et *nécessaire* (faute de quoi nous tomberions dans le scepticisme) ? C'est fondamentalement cette question que tente de résoudre la théorie du schématisme – même si ses implications excèdent de loin le cadre d'une simple théorie de la connaissance scientifique.

La solution de ce problème peut être résumée de la façon suivante : les concepts, les empiristes ont raison sur ce point contre les cartésiens, ne sont pas des représentations générales, des idées innées. Ils doivent être considérés justement comme des *schèmes*, c'est-à-dire comme des *méthodes* générales de construction des objets. Qu'est-ce à dire ? Reprenons l'exemple du triangle : le concept mathématique de triangle, considéré comme schème, n'indique pas une sorte d'image « en général », ce qui en effet n'a aucun sens, mais il définit en réalité l'ensemble des règles selon lesquelles il faut que je procède concrètement, avec un compas et un crayon, pour parvenir à tracer une image de triangle sur une feuille de papier ou un tableau. *Ce sont donc les règles ou les procédures elles-mêmes qui sont pour tout un chacun les mêmes en tout lieu et en tout temps. Ce sont elles qui sont générales et communes à l'humanité, et nullement la figure tracée ou imaginée qui, elle, à l'évidence, reste toujours particulière.*

La solution apportée à l'antinomie du cartésianisme et de l'empirisme correspond donc bien au problème posé : si le concept de triangle est essentiellement un schème, c'est-à-dire une méthode de construction, il peut être *temporalisé* et *particularisé sans perdre pour autant son caractère de validité en tout temps, en tout lieu et pour tout individu*. Le schème du triangle n'est en effet rien d'autre que la série des opérations que j'effectue nécessairement *dans le temps*, opérations qui sont nécessairement des opérations concrètes et *particulières*, et pourtant, les règles que j'utilise pour construire le triangle particulier sont valables pour tous les triangles (quelles que soient leurs dimensions et leurs formes) et pour tous les hommes qui veulent construire un triangle en tout temps et en tout lieu. *La temporalité et la particularité des opérations effectuées pour construire le triangle n'excluent donc pas la validité universelle et nécessaire des règles mises en jeu dans cette construction, de même que les propriétés qui en découlent et qu'explicitent les mathématiques*.

Cette théorie du schématisme, dont on appréciera l'élégance, possède plusieurs implications d'ordre général, excédant le cadre de l'épistémologie.

On remarquera d'abord, comme nous l'annoncions, que, du point de vue de l'histoire de la philosophie, la conception kantienne du concept comme schème représente une véritable révolution. Avec elle, en effet, la connaissance n'est plus pensée essentiellement comme une contemplation, une *theoria*, mais comme une *activité*. Nous sortons du vocabulaire de la vision pour entrer dans celui de l'action : connaître, c'est « synthétiser » ou, comme le dit Kant, « penser c'est juger », c'est-à-dire relier entre elles les représentations en suivant certaines règles. Les empiristes et les cartésiens pensaient encore en termes d'« idées », d'images mentales générales ou particulières. Avec Kant, la connaissance ne se définira plus comme « Idée » (terme dont l'étymologie renvoie au registre de la *vision*), mais comme *concept*, *Begriff* (terme dont l'étymologie renvoie à une activité de synthèse, à une pratique, puisqu'il signifie : mettre ensemble). On pourrait dire qu'en ce point de la théorie kantienne de la connaissance, la pratique prend le pas sur la théorie de sorte que, désormais, la pensée apparaît comme une *construction*, thème que reprendra souvent l'épistémologie contemporaine qui tient volontiers, selon le fameux mot de Bachelard, que « rien n'est donné, tout est construit ».

La portée de cette théorie est immense : le schématisme nous montre en effet comment un concept abstrait (en l'occurrence une série de procédures et de règles opératoires), pour avoir un sens réel dans notre conscience, doit déboucher *pratiquement* sur une perception sensible (en l'occurrence, celle de la figure d'un triangle sur un tableau ou une feuille de papier). Elle permet de saisir le fondement ultime de la critique kantienne de la métaphysique. Pour le dire brièvement, la métaphysique est un discours qui, s'élevant au-delà de toute expérience possible, ne peut par définition jamais être relié à une expérience quelconque. Ainsi par exemple, dans les prétendues « preuves » de l'existence de Dieu, nous manions un concept, celui d'un Être surprême, auquel aucune image sensible ne peut jamais correspondre adéquatement. La métaphysique ne peut donc jamais se constituer en connaissance véritable. Mais il y a plus : la métaphysique est aussi, en fonction de cette théorie de la signification, un discours dénué de sens, un discours non schématisable, non représentable par une conscience humaine concrète. En d'autres termes : il est impossible de « pratiquer intellectuellement » le discours métaphysique, de lui donner une signification pour nous ou, pour reprendre un thème que Kant affectionne : on ne peut se faire une image de Dieu (sauf à sombrer dans l'anthropomorphisme le plus plat). La métaphysique est un langage qui se développe tout entier au mépris des exigences de compréhension et de sens qui sont celles de la conscience réelle des hommes. Et c'est au nom de ces exigences – nullement par « irrationalisme » – que la raison métaphysique doit être déconstruite.

Cette critique de la métaphysique, j'y reviendrai, me semble parfaitement s'appliquer au matérialisme philosophique sous toutes ses formes, historiciste ou biologique : loin d'être un nouveau chapitre de la science, la recherche des fondements naturels de l'éthique risque ainsi de se transformer en une métaphysique dogmatique, en une nouvelle religion de la nature qui se perdra dans de nouvelles antinomies, dont celle de l'inné et de l'acquis n'est qu'une des figures les plus visibles.

La critique de la métaphysique, élaborée à partir de l'idée que la pensée est une pratique humaine *libre*, ne pouvait pas non plus laisser intacte l'ancienne théologie.

• Une nouvelle représentation du religieux : du théologico-éthique à l'éthico-religieux

Dans la philosophie du XVIIe siècle encore, l'homme est pensé à partir de Dieu et, si l'on ose dire, *après* lui. Il y a d'abord le créateur, l'être absolu et infini, et par rapport à lui, l'être humain se définit comme manque, comme finitude. De là ses faiblesses notoires, son ignorance congénitale, bien sûr, mais tout autant son irrépressible propension au péché. Cette perspective, dans laquelle Dieu vient logiquement, moralement et métaphysiquement *avant* l'homme, s'accorde encore au théologico-éthique, à la fondation religieuse de la morale.

C'est cette hiérarchie que l'anthropologie mise en place par Rousseau et développée par Kant remet fondamentalement en question. Car si l'être humain se définit, comme on l'a dit, par le fait qu'il échappe à tous les « codes », à toutes les catégories dans lesquelles on prétendrait l'enfermer, cela signifie aussi qu'il n'est pas réductible non plus à l'idée que s'en ferait son éventuel créateur. En clair : la représentation théologique traditionnelle selon laquelle l'homme serait conçu par Dieu, puis, dans un second temps, créé par lui, sur le fameux modèle du Dieu artisan qui fait des plans et les réalise, n'est plus recevable, *car l'être humain n'est prisonnier d'aucun concept préalable*. Comme le dira Sartre, reprenant sans le savoir les termes mêmes de la tradition kantienne : « originairement l'homme n'est rien », il est « néant », contrairement à la chose, ou même à l'animal qui sont toujours ce qu'ils sont. Nous reviendrons dans notre prochain cours, sur cette conception sartrienne du néant. Contentons-nous pour l'instant de noter qu'avec Rousseau et Kant, et plus largement tout au long du XVIIIe siècle, comme l'avait bien vu Ernst Cassirer, le primat de l'être humain se voit, dans tous les domaines de la culture, affirmé. Au point que, dans un renversement complet de perspective, c'est à la limite Dieu qui commence à apparaître comme une « idée » de cet homme qu'il était censé avoir créé et qui, selon le mot de Voltaire, « le lui a bien rendu ». De Kant à Feuerbach, Marx ou Freud, le trait d'esprit voltairien ne cessera d'être davantage pris au sérieux...

Sur le plan moral, ce renversement sonne le glas du théologico-éthique, c'est-à-dire de l'idée que la morale devrait s'enraciner toujours dans une religion révélée. C'est en l'homme, dans sa raison et dans sa liberté qui constituent sa dignité, qu'il faut fonder les principes du respect de l'autre, non dans une divinité. Et le Christ lui-même, le Dieu-homme par excellence, n'est déjà plus qu'un saint homme aux yeux des philosophes, un individu qui réalise en lui et applique autour de lui des principes universalistes dont l'expression la plus adéquate figurera bientôt dans la Déclaration de 1789. Il est, diront Kant et ses disciples, « l'idéal moral de l'humanité » – ce qui leur vaudra d'ailleurs d'infamantes accusations d'athéisme : si l'éthique rejoint d'elle-même l'enseignement chrétien, il n'est plus besoin de Dieu, ni même du Christ, pour la fonder.

Ce mouvement est bien connu. Mais la description qu'on en donne d'ordinaire élude la question cruciale : celle du rôle qui revient, dès lors, à la religion. Question d'autant plus difficile à écarter, pourtant, que les philosophes des Lumières se voulaient souvent chrétiens et qu'ils pensaient, avec sincérité, élever la compréhension du message des Évangiles à son niveau le plus authentique. Et de fait, loin de disparaître, ce message continue de former l'horizon des morales laïques.

Voici, je crois, la signification décisive de cette « révolution religieuse » : *sans disparaître pour autant, le contenu de la théologie chrétienne ne vient plus avant l'éthique, pour la fonder en vérité, mais après elle, pour lui donner un sens*. L'homme n'a plus recours à Dieu pour comprendre qu'il lui faut respecter autrui, le traiter comme fin et non seulement comme moyen. L'athéisme et la morale peuvent être ainsi réconciliés. Mais la référence au divin, à cette idée d'un Dieu dont Lévinas, ici fidèle à cette tradition des Lumières, dira qu'il « nous vient à l'esprit », ne s'évanouit par pour autant. Elle subsiste au contraire, pour des raisons de fond. Elle vient pour ainsi dire conférer un sens au fait de respecter la loi, ajouter l'espérance au devoir, l'amour au respect, l'élément chrétien à l'élément juif.

De là, chez Kant ou chez Voltaire, la réintroduction d'un certain « théisme », voire d'une « foi pratique » (mais elle ne dépend pas d'une démonstration philosophique). Et ce à partir d'une problématique humaniste. « À partir de », c'est-à-dire, aussi, *après et d'après elle*, mais non point avant elle. Le mouvement va désormais de l'homme à Dieu, et non plus à l'inverse. C'est l'autonomie qui doit conduire à l'hétéronomie, non cette dernière qui vient, en s'imposant à l'individu, contrecarrer la première. Les chrétiens traditionalistes y verront le signe suprême de l'orgueil humain. Les chrétiens laïcs pourront au contraire y lire l'avènement d'une foi enfin authentique sur fond d'une éclipse du théologico-éthique. C'est là l'enjeu du débat, rouvert par l'encyclique de Jean Paul II sur la *Splendeur de la vérité* qui oppose les partisans d'un retour à la théologie morale et ceux qui font au contraire « l'éloge de la conscience » au point d'en appeler, jusqu'au sein de l'Église, à une « éthique de la discussion ». La transcendance, en effet, n'est pas niée par ce renversement de perspective. Elle est même inscrite, à titre d'idée, dans la raison humaine. Mais c'est du sein de l'immanence à soi, rejet de l'argument d'autorité oblige, qu'elle se manifeste maintenant à un sujet qui revendique, sur le plan moral à tout le moins, un idéal d'autonomie.

Il nous reste maintenant à examiner en quoi la troisième vision morale du monde, celle que nous avons qualifiée comme individualiste et hédoniste, tout orientée qu'elle est vers le culte du bien-être personnel, remet en question les présupposés de l'humanisme classique. Il nous faudra percevoir aussi en quoi cette représentation nouvelle des finalités de l'homme sous-tend, parfois à leur insu, les nouvelles figures du matérialisme que nous avons désigné sous le nom de « biologisme ». Ce sera l'objet de notre prochaine leçon, consacrée à l'alliance de l'utilitarisme et du darwinisme. Nous verrons également comment, dans la philosophie contemporaine, et notamment dans la phénoménologie et l'existentialisme, les principes fondateurs des philosophies de la liberté furent réactualisés contre ces avatars du matérialisme.

II

Déterminisme et liberté dans la philosophie contemporaine : L'éthique évolutionniste et ses critiques

« Toutes les actions sont égoïstes, motivées par l'intérêt. » Cette théorie est très répandue : il en existe des versions dans le béhaviorisme, la psychanalyse, la psychologie individuelle, l'utilitarisme, le marxisme vulgaire, la pensée religieuse et la sociologie de la connaissance. Or il est pourtant clair que cette théorie, et avec elle toutes ses variantes, n'est pas falsifiable : aucun exemple d'action altruiste ne peut réfuter l'idée selon laquelle il en existerait une motivation égoïste cachée.

Karl POPPER, *Le Réalisme et la science*, Paris, Hermann, p. 2

On s'imagine parfois que ce débat sur la liberté n'appartiendrait qu'au XVIIIe siècle et s'achèverait avec lui. C'est plutôt l'inverse qui est vrai : au XVIIIe siècle, il ne fait que commencer et, depuis lors, il ne cesse de resurgir sous des formes diverses. Sans doute la physique contemporaine ne le pose-t-elle plus dans les termes qui furent ceux de la mécanique classique. Mais du côté de la biologie et de la philosophie, il retrouve une vigueur intacte à travers l'apparition de nouvelles problématiques : celle du néodarwinisme, notamment, qui reconduit les principaux postulats du matérialisme philosophique auquel s'oppose la phénoménologie existentielle (Husserl, Sartre), pour autant du moins qu'elle reprend dans une large mesure l'héritage des philosophies de la liberté déjà développées par Rousseau et Kant. Ce conflit est aujourd'hui si profond, si riche d'enjeux éthiques et métaphysiques majeurs, qu'il faut prendre le temps d'en saisir les principales lignes de force. Et la biologie, à nouveau, figure au centre de ces nouvelles discussions.

Matérialisme, néodarwinisme et utilitarisme : la nouvelle querelle du déterminisme

J'aimerais montrer ici comment l'utilitarisme anglo-saxon va s'ajouter au matérialisme biologique pour rejeter tout à la fois les éthiques réellement normatives et les philosophies de la liberté. Ce lien puissant s'est noué dans le courant néo-darwinien qui se désigne lui-même aujourd'hui sous le terme « d'éthique évolutionniste ». Disons le d'entrée de jeu : cette vision du monde est loin d'être aussi méprisable intellectuellement, ni aussi suspecte politiquement qu'on affecte parfois de le croire en France pour s'épargner la peine de prendre en compte des arguments souvent solides, bien construits, et quoiqu'on en pense *a priori*, difficiles à réfuter.

À mes yeux, l'éthique évolutionniste représente même la tentative la plus forte et la plus sérieuse pour rejeter le point de vue des philosophies de la liberté en s'appuyant sur certaines données des sciences positives. Les principes de cette philosophie ont fait l'objet de très nombreuses publications. On les trouvera exposés de façon limpide, en français, dans l'article, excellent dans son genre, de Michael Ruse intitulé « Une défense de l'éthique évolutionniste », et publié sous la direction de Jean-Pierre Changeux dans *Les Fondements naturels de l'éthique* [1].

Mais au préalable, de même que nous avons défini dans les chapitres précédents ce qu'il convenait d'entendre par

1. J.-P. Changeux, *Les Fondements naturels de l'éthique*, Paris, Odile Jacob, 1993.

« matérialisme », il n'est pas inutile de rappeler en quelques mots la signification de cet utilitarisme qui va jouer un rôle crucial dans le dispositif intellectuel néodarwinien.

De l'utilitarisme et de ses apories

Dominantes dans le monde anglo-saxon, les théories utilitaristes ont repris et réaménagé aux conditions de l'individualisme moderne, l'idée chère aux Anciens, selon laquelle le but de l'activité humaine resterait fondamentalement le bonheur. De ce point de vue, l'utilitarisme peut apparaître légitimement comme une alternative radicale au kantisme. Entre la liberté et le bonheur, que faudrait-il, le cas échéant, choisir ? Sans prétendre trancher un débat déjà séculaire, je me bornerai à indiquer ce qui en constitue, dans la perspective ici esquissée, le principal enjeu.

Commençons par écarter un malentendu trop fréquent : l'utilitarisme n'est nullement réductible, comme le veut à tort une opinion courante, à la doctrine de l'égoïsme personnel généralisé. Il se présente au contraire chez tous ses grands théoriciens – notamment chez Bentham, Mill et Sidgwick – comme une morale « universaliste » dont le principe pourrait s'énoncer de la façon suivante : une action est bonne quand elle tend à réaliser la plus grande somme de bonheur pour le plus grand nombre de personnes concernées par cette action. Elle est mauvaise dans le cas inverse, c'est-à-dire lorsqu'elle tend à augmenter la somme globale des souffrances en ce monde. On voit donc que ce principe se confond si peu avec celui d'un hédonisme égoïste qu'il entre même directement en conflit avec lui : c'est bien ici de sommes *globales* de souffrance ou de bonheur qu'il s'agit, et non seulement du point de vue de tel ou tel individu particulier.

Il peut par conséquent, dans la perspective de l'utilitarisme, y avoir parfois, comme dans le kantisme, incompatibilité entre *mon* bonheur personnel et celui du plus grand nombre. Toute la question (que pose d'ailleurs clairement Sidgwick) est dès lors de savoir pour quelles raisons je devrais préférer l'éthique utilitariste universaliste au point de vue de l'hédonisme égocentrique.

C'est là qu'on rencontre aussitôt la difficulté principale et peut-être insoluble, de toute doctrine utilitariste. Car le passage d'un terme (l'égoïsme) à l'autre (l'altruisme, si l'on veut, c'est-à-dire la prise en compte du bonheur général) ne peut guère se comprendre, dans le cadre de l'anthropologie qui inspire l'utilitarisme, que sur le mode de la continuité : si l'homme est avant tout un être de calcul, un individu qui soupèse les divers intérêts en présence avant d'agir, si la rationalité qui, dans le meilleur des cas, l'anime, est celle de « l'intérêt bien entendu », on voit mal, en effet, comment et pourquoi il « s'arracherait » à ses propres penchants pour prendre en considération le bien d'autrui. Il va de soi que ce problème n'a pas échappé aux grands penseurs utilitaristes. Ils l'ont tous perçu et traité à leur façon. Ils ont donc dû trouver une réponse en harmonie avec leurs principes initiaux : pour comprendre comment un individu qui soupèse les divers intérêts en présence peut être conduit, toujours par intérêt, à dépasser parfois ses propres intérêts (du moins immédiats), il suffit d'admettre l'existence de certains *sentiments* qui permettent d'établir ce passage et de surmonter le paradoxe : par exemple, la pitié ou la sympathie feraient en sorte que la question du bonheur d'autrui ne m'étant pas indifférente, elle devienne l'un des aspects de mon propre bonheur. J'aurais ainsi parfois intérêt à préférer, si l'on peut dire, les intérêts d'autrui à ceux qui, à première vue du moins ou à court terme, seraient logiquement les miens.

On mesure combien l'utilitarisme s'oppose ici au kantisme, malgré le souci « universaliste » du bien commun qui les anime tous les deux : loin que le passage de l'égoïsme à l'altruisme soit le fait d'une vertu désintéressée, d'une action courageuse qui mobiliserait la liberté entendue comme faculté d'arrachement à ses intérêts propres, elle résiderait tout à l'inverse dans un *sentiment* lui-même intéressé par lequel j'intégrerais le souci d'autrui dans la sphère de mon propre ego.

Mais au-delà de cette opposition avec l'anthropologie de

Rousseau et de Kant, l'utilitarisme, comme l'a d'ailleurs bien vu Sidgwick lui-même, s'avère problématique aussi sur le plan juridique et politique. Car le principe du plus grand bonheur pour le plus grand nombre n'implique pas seulement que *je me* décide *moi-même* à renoncer parfois à mes propres intérêts (renoncement dont on vient de voir qu'il fallait, dans le cadre de l'utilitarisme et en l'absence de l'idée de liberté comme arrachement à soi, l'expliquer par une logique des sentiments), mais il peut s'accommoder aussi de ce que d'autres me contraignent à le faire au nom du bien commun. Comme l'a parfaitement montré John Rawls, l'utilitarisme ne peut éviter de trébucher sur la difficile question du sacrifice – par où il quitte l'orbite de l'individualisme moderne pour s'apparenter à une nouvelle forme de « holisme », c'est-à-dire une vision du monde dans laquelle l'intérêt du plus grand nombre prime sur celui de tel ou tel individu particulier.

Et c'est dans cette optique aussi qu'il se prête parfaitement à une fusion avec la pensée néodarwinienne.

Le néodarwinisme ou « l'éthique évolutionniste »

Comme pour l'utilitarisme, des précautions s'imposent lorsqu'on évoque le darwinisme. Lui non plus n'est nullement réductible à l'image qu'on s'en fait d'ordinaire dans la tradition philosophique française : une apologie néolibérale du « laisser faire, laisser passer », voire une incitation fascisante à l'eugénisme et à la sélection naturelle organisée par des « élites » autoproclamées. Cette vision des choses a sans doute existé, mais elle est aujourd'hui caricaturale et fallacieuse : il existe des néodarwiniens « de gauche », qui se veulent résolument progressistes, écologistes et démocrates, et il est aussi inadéquat que vain, face à eux, de faire comme si leur référence à Darwin était *a priori* politiquement suspecte et moralement douteuse.

C'est dans cette optique que je vous propose de lire ou de relire l'article de Ruse, afin de le soumettre, non à une réfutation polémique, mais à une critique aussi argumentée que possible.

Comme le montre du reste Ruse d'entrée de jeu, on peut donner du darwinisme et de sa théorie de la sélection naturelle au moins trois interprétations « politiques » tout à fait différentes, voire radicalement opposées entre elles.

D'abord une lecture néolibérale, que Ruse rejette de manière explicite : la sélection naturelle étant le moyen le plus sûr de faire surgir les « meilleurs », il faudrait en toute circonstance la laisser agir, sans jamais chercher à l'entraver. On perçoit sans peine les analogies, au moins superficielles, qu'une telle vision du monde peut entretenir avec un libéralisme pur et dur : le marché serait, en tant que lieu d'une compétition organisée, l'analogue de la nature brute et de même que, dans cette dernière, il faudrait laisser agir la loi de la sélection, l'État devrait se garder de toute intervention dans la concurrence que se livrent entre elles les entreprises. Le thème est assez connu pour qu'on puisse ne pas y insister et, de fait, cette interprétation des doctrines évolutionnistes a réellement existé, notamment chez les disciples de Spencer.

Mais on peut imaginer aussi bien une lecture « communiste » de ce même évolutionnisme. Il suffit pour cela de supposer, comme le fait par exemple l'anarchisme de Kropotkine, que la compétition n'oppose pas tant les éléments d'une même société que les sociétés entre elles. On doit dès lors en déduire qu'il existe, entre membres d'une même communauté, un intérêt partagé à la solidarité. Dans cette perspective, l'altruisme, voire le communisme, doivent devenir la règle entre citoyens, afin que l'agressivité et les dispositions au conflit soient tout entières orientées vers l'extérieur.

Enfin, rien n'interdit de rejeter ces deux lectures opposées du darwinisme social, pour préférer une vision écologiste de nos rapports avec la nature : cette dernière apparaît en effet comme un partenaire indispensable d'une espèce humaine qui est elle-même, comme toutes les autres formes du vivant, soumise à la loi de la sélection naturelle. Elle aurait donc, si elle comprend convenablement ses propres intérêts, toutes les raisons d'en venir à organiser la protection d'un univers dont elle n'est nullement « maître et possesseur », mais au contraire une partie intégrante.

On pourrait encore ajouter à ces trois interprétations évoquées par Ruse une quatrième, souvent présente dans le dispositif idéologique de l'extrême droite : nos États-providence ayant faussé depuis longtemps déjà le jeu normal et naturel de la sélection, il faudrait reprendre en main très activement la tâche que la nature ne peut plus accomplir à elle seule dans les sociétés prétendument « civilisées » : l'élimination des faibles et des « tarés » de tous ordres deviendrait ainsi l'affaire de l'humanité elle-même, et ce qui ne peut plus s'effectuer par les simples effets de la nature devrait être relayé par la volonté consciente et organisée des élites.

Par où l'on voit, à tout le moins, combien le darwinisme social est une expression confuse et plus complexe qu'il y paraît à première vue. Comme son collègue E. O. Wilson, le père fondateur de la « sociobiologie », Ruse propose bien entendu de choisir la troisième voie : celle d'une écologie progressiste. C'est son droit, et il faut au moins lui reconnaître, simple question d'honnêteté intellectuelle, une claire conscience du caractère dangereux, voire moralement et politiquement irrecevable, des autres interprétations du darwinisme auquel il serait à l'évidence injuste de réduire son propos.

C'est donc à partir de ces distinctions et de ce choix assumé, que Ruse développe une série d'arguments en faveur d'une éthique évolutionniste.

Un plaidoyer pour l'éthique évolutionniste

On rappellera d'abord la thèse centrale de toute éthique évolutionniste : celle selon laquelle « la morale humaine est un produit de l'évolution ». Ruse y insiste tout particulièrement : il ne s'agit pas simplement d'affirmer, ce qui serait moins audacieux, ou plus banal, que la « socialité » en général est un tel produit, mais bien de « soutenir une thèse plus forte, selon laquelle la morale, c'est-à-dire le sens du bien, du mal et de l'obligation, est en fait un fruit de l'évolution. Je veux dire par là qu'elle est un produit final de la sélection naturelle et de son action sur les mutations aléatoires » (p. 44).

Sans prétendre ici résumer tous les arguments apportés en faveur de cette thèse, on peut les regrouper selon deux axes principaux. Ruse propose, en effet, d'effectuer une distinction, à ses yeux cruciale, entre l'« éthique normative » et la « méta-éthique ». De quoi s'agit-il au juste ? À première vue, d'une distinction légitime et même de simple bon sens (on verra qu'en vérité, elle est plus que problématique) entre deux niveaux de réflexion sur l'éthique :

— À un premier niveau, l'éthique normative, ce serait tout simplement l'ensemble des normes morales prescrivant tel ou tel type de comportement. Pour dire les choses clairement, elle correspondrait au *contenu* de l'éthique évolutionniste, aux recommandations concrètes qu'elle retient pour chacun d'entre nous : protéger la nature, pratiquer plutôt la bienveillance et la solidarité que la malveillance et la guerre, travailler chaque fois que possible au bien commun, à l'harmonie sociale, rechercher l'égalité, éviter la violence dans le règlement des différends, etc. Ici, Ruse ne prétend évidemment pas à l'originalité. C'est normal et on ne saurait le lui reprocher dès lors qu'il part de la conviction que la plupart des grandes visions morales, de quelque origine culturelle qu'elles proviennent, se rejoignent finalement sur l'essentiel quant au contenu des préceptes qu'elles prétendent imposer aux êtres humains. Pour résumer : le contenu de l'éthique normative évolutionniste réside dans une certaine conception de *l'altruisme* dont Ruse voit l'illustration la meilleure dans la *Théorie de la justice* de Rawls [2] – une doctrine, donc, qui entend respecter tout à la fois les

2. À condition qu'on en donne, comme le fait Ruse, une interprétation compatible avec l'utilitarisme.

droits formels de l'homme (liberté, égalité) mais accorder également sa place à une exigence bien comprise de solidarité sociale. Notre débat ne portera pas ici sur le contenu de cette éthique, mais sur l'idée qu'il ne serait pas un idéal prescrit par des impératifs (comme le pensent les morales « déontologiques »), mais déjà une réalité « sélectionnée » par l'histoire de la nature.

— À un second niveau, la méta-éthique prétend résoudre, fût-ce en la déclarant insoluble, la question ultime du fondement des normes : il ne s'agit pas de savoir quelles sont les lois morales prescrites par une éthique normative de type évolutionniste, mais de rechercher si elles sont justifiées et pourquoi. C'est donc ici dans une sphère purement réflexive et philosophique que se retrouve le moraliste. Pourquoi, par exemple, faudrait-il favoriser le bien-être de l'espèce humaine tout entière plutôt que l'inverse, si du moins tel semble être mon intérêt ? Pourquoi choisir des politiques égalitaires si j'ai la possibilité de tirer des profits personnels supérieurs d'un monde où régnerait l'inégalité ? Pourquoi viser la paix et l'harmonie si, à la manière des intellectuels nazis influencés par un nietzschéisme dégradé, je pense que les élites aristocratiques doivent se former dans la guerre ? etc. C'est le problème de la légitimité ou de la justification des contenus moraux qui est ici visé.

Sur ces deux versants de la réflexion morale, l'éthique évolutionniste prétend nous apporter des réponses convaincantes. C'est par conséquent aussi sur ces deux plans, bien distincts en apparence sinon en réalité, que je situerai mes objections.

Truisme ou altruisme ?
Éléments pour une critique factuelle
et empirique de « l'éthique normative » évolutionniste

Comme je l'ai déjà suggéré, la thèse principale de l'éthique normative de type évolutionniste, c'est que l'altruisme aurait été sélectionné par l'histoire naturelle de notre espèce. Bien entendu, Ruse prend la précaution de distinguer, au moins dans un premier temps (on verra qu'en son fond, cette distinction ne tient pas vraiment à ses propres yeux), deux formes d'altruisme : l'altruisme « biologique » et l'altruisme « éthique ». Le premier ne suppose aucune prise de conscience des valeurs morales. Il est, pourrait-on dire, guidé purement et simplement par l'instinct ou les « câblages » naturels : afin d'expliquer qu'une fourmi ouvrière, par exemple, se « dévoue » pour apporter de la nourriture aux larves ou à la reine, point n'est besoin de supposer qu'elle ait pris connaissance de l'Évangile ou de la *Critique de la raison pratique* de Kant. Tout porte à croire au contraire qu'elle le fait sans réfléchir, « instinctivement », parce que c'est la loi naturelle de son espèce. Objectivement, cependant, son comportement n'en reste pas moins, en un sens analogique, « altruiste ». L'altruisme éthique, au contraire, suppose, comme on le voit par exemple dans les activités caritatives d'une Mère Teresa (c'est l'exemple pris par Ruse), que l'individu ait conscience des valeurs qu'il a choisies pour guider son action. Ce qu'affirme au fond l'éthique évolutionniste, c'est deux choses : la première, que ces deux formes d'altruisme ne sont pas aussi éloignées qu'il y paraît à première vue. Car malgré l'idéologie du dévouement sacrificiel qui anime le second altruisme, il s'avère, « en dernière instance », tout à fait utile à la survie d'une espèce, qui, en l'absence de toute coopération, aurait sans doute déjà disparu. En clair, comme l'avoue lui-même Ruse, « ce que je veux suggérer, c'est que pour nous rendre "biologiquement" altruistes, la nature nous a remplis de pensées littéralement altruistes. Mon idée est que nous avons des dispositions innées, non pas simplement à être sociaux, mais aussi à être authentiquement moraux » (p. 52). La morale ne serait donc qu'une « ruse de la nature », un moyen dont elle se sert à notre insu pour assurer notre survie. D'où la seconde affirmation : les morales altruistes auraient été finalement sélectionnées par l'évolution comme une forme parmi d'autres d'adaptation réussie.

Ce qui est toujours étonnant, dans l'éthique évolutionniste, c'est qu'elle prétend avec insistance appuyer ce type d'assertion, non sur des réflexions ou des hypothèses philosophiques, mais sur des observations empiriques factuelles, sur des données plus ou moins « incontestables » : « J'entends affirmer avec force, déclare Ruse, que tout ce qui est avancé dans cette partie (sur l'altruisme)... est fondé sur la réalité empirique » et nullement sur des « spéculations abstraites ». La finalité de ce genre de déclaration est assez claire : il s'agit bien sûr de suggérer au lecteur l'idée que cette nouvelle morale aurait en quelque façon, sinon un fondement, du moins une légitimité scientifique.

Rien, pourtant, n'est moins clair. On pourra sans doute discuter à perte de vue, choisir l'optimisme ou le pessimisme, mais il me semble que rien ne prouve sérieusement, en cette fin de millénaire, que l'altruisme ait été sélectionné par l'histoire. Sincèrement, je pense que si, au lieu de vivre dans un milieu paisible (celui des professeurs d'université) dans un pays lui-même hautement pacifié, Ruse avait été un malheureux Tutsi pendant les récents massacres perpétrés au Rwanda, il lui serait tout simplement impossible de soutenir une thèse semblable. Je ne dis pas que le point de vue des victimes soit plus juste, je prétends seulement que les affirmations de Ruse me paraissent biaisées, et par conséquent discutables. À dire vrai, elles reposent davantage sur un parti pris idéologique d'origine « romantique », fondamental d'ailleurs dans l'écologie contemporaine car essentiel à son dispositif métaphysique, que sur l'observation objective des faits historiques, moraux et politiques : je pense, bien sûr, à la conviction irénique selon laquelle la nature serait plutôt bonne et harmonieuse que mauvaise et conflictuelle. C'est là, en un sens, ce qu'avoue parfois Ruse lui-même : « En d'autres temps, il y a seulement deux ou trois décennies, la croyance générale était que la nature n'est guère plus qu'une sanglante bataille pour l'existence, règne féroce de la griffe et de la dent. On reconnaît maintenant avec quel degré de profondeur et de pénétration le comportement social est répandu dans le monde organique, et que le phénomène s'explique par de très bonnes raisons. Dans la nature on obtient souvent beaucoup plus par la coopération que par le conflit » (p. 46).

La « croyance générale » : l'expression est presque amusante tant elle est naïve. De quelle croyance générale Ruse parle-t-il ? Celle des scientifiques, voire, plus étroitement encore, de certains sociobiologistes anglo-saxons ou d'une croyance *vraiment* générale ? Si l'on interrogeait sur le même sujet un paysan somalien, un général serbe, un industriel japonais ou un militant néonazi européen par exemple, aurions-nous vraiment les mêmes réponses ? Je n'en sais rien, bien sûr, mais cette « croyance générale » qui aurait évolué « dans le bon sens » me paraît trop controuvée pour être plausible... À vrai dire, je ne vois rien dans les arguments de Ruse qui infirme vraiment l'idée que la morale altruiste et les politiques pacifistes soient, non pas un produit de la nature, mais bien plutôt une lente, difficile et incertaine conquête de la culture démocratique sur une naturalité qui, hors de nous comme en nous, n'a rien ou presque rien *a priori* d'altruiste. Je ne dis pas que cette deuxième hypothèse, tout à fait contraire à celle de Ruse, soit à l'évidence plus certaine, mais je ne vois pas non plus que l'on puisse, à regarder ce XXe siècle finissant, avec son incroyable lot de génocides et de massacres, trancher « factuellement » ce débat en faveur d'un optimisme naturaliste.

D'autant que, sur le plan factuel encore, ces convictions évolutionnistes se heurtent à une seconde objection, plus simple et pourtant plus difficile à mes yeux encore à éluder : si l'altruisme avait réellement été sélectionné par l'histoire naturelle de notre espèce, comment interpréter encore les conflits éthiques, ce que Max Weber nommait « la guerre des Dieux », en termes d'évolution, alors qu'ils peuvent s'instaurer à une même époque et jusqu'au sein d'une même communauté ? Comment comprendre, par exemple, comme ce fut parfois le cas dans la réalité, qu'un membre d'une famille choisisse d'être pacifiste, non violent, tandis qu'un autre entre dans la Résistance et un troisième dans la collaboration ? L'un peut être bouddhiste zen, le deuxième républicain partisan de l'égalité, de la liberté et de la paix, mais pas à tout prix, le troisième national-socialiste convaincu des vertus de la guerre et de la hiérarchie : dira-t-on sérieusement que ces différences éthiques sont liées à l'histoire de l'évolution ? Et comment prétendre qu'elles n'ont aucune influence sur la diffusion de l'altruisme ? On a de sérieuses raisons de penser, il me semble, que le bien et le mal, disons, pour suivre Ruse et ne pas compliquer les choses, l'altruisme et son contraire, sont des possibilités en permanence ouvertes à l'être humain – ce qui ne devrait plus être le cas si l'évolution avait réellement tranché en faveur d'un des deux termes comme le prétend l'éthique évolutionniste.

Mais admettons même sa thèse « empirique », et supposons, pour les besoins du dialogue, que les catastrophes humaines qui ont si massivement émaillé notre siècle ne soient que des accidents de parcours et que, *globalement* (?), l'évolution nous conduise vers une sélection de la morale altruiste : il ne s'agirait pourtant que d'une observation factuelle, nullement encore d'une valeur ou d'une norme qui puisse nous inciter à *prescrire* l'altruisme en question. Et du reste, pourquoi *faudrait-il* le prescrire s'il avait été réellement sélectionné ? Ce dernier point nous fait bien sûr quitter le terrain de la simple observation pour celui de la fondation des normes.

Une critique méta-éthique : la confusion du fait et du droit, du descriptif et du normatif

On notera, d'entrée de jeu, que dans l'exposé même de son côté simplement normatif, l'éthique évolutionniste ne peut maintenir la distinction prétendument cruciale qu'elle opérait avec la méta-éthique. Elle ne peut en effet s'empêcher, dès l'énoncé de ses choix fondamentaux, d'empiéter immédiatement sur cette méta-éthique en essayant sans cesse de *justifier* de manière subreptice sa conception de l'altruisme par des considérations qui se veulent « scientifiques » : en l'occurrence directement fondées sur un certains nombre de faits empruntés aux divers domaines de la zoologie, de l'écologie et des sciences de la vie. Sans même s'en rendre compte, elle tend donc à fonder le droit sur le fait, la norme sur la nécessité. C'est pourquoi aussi elle ne peut, à un moment ou à un autre, faire l'économie de sa confrontation avec le vieux problème humien de la « fallace naturaliste ».

On connaît, en effet, l'argument introduit dès le XVIIIe siècle par Hume, puis repris et développé par Moore : de la simple considération de ce qui *est*, il est impossible d'inférer ce qui *doit être*. En clair : une théorie scientifique peut bien nous décrire aussi adéquatement que possible la réalité, et anticiper de façon aussi plausible qu'on voudra sur les conséquences éventuelles de nos actions, nous ne pourrons jamais rien en tirer pour autant de normatif pour la pratique. Même si les services de médecine ont déterminé de façon tout à fait convaincante que la consommation de tabac était nuisible pour notre santé (ce qui est le cas), il convient d'ajouter un maillon intermédiaire pour en tirer une quelconque conclusion prescriptive : il faut en effet que nous fassions au préalable de notre bonne condition physique une valeur, pour que les résultats du travail scientifique prennent la forme d'un « il ne faut pas ! ». Cela paraît aller de soi parce que, presque toujours, c'est ce qui advient. Mais cette évidence nous fait oublier qu'en vérité c'est toujours *la subjectivité* (un « je » ou un « nous ») qui décide en dernière instance de valoriser ou de dévaloriser telle ou telle attitude. Faute d'une telle *décision*, les impératifs qu'on prétend tirer des sciences demeurent toujours « hypothétiques », puisqu'ils ne peuvent jamais dépasser le cadre d'une formulation du type : « *Si* tu ne veux pas porter atteinte à ta santé, *alors* cesse de fumer. » Mais après tout, il reste possible, du moins dans ce genre d'exemple touchant le bien-être individuel, d'avoir d'autres valeurs que celles de la conservation de soi, de préférer par exemple une vie courte, mais bonne, à une existence longue et ennuyeuse.

L'argument de Hume vaut bien sûr pour tout projet de fondation scientifique de l'éthique : affirmer que la science contemporaine nous enseigne que l'altruisme aurait été « sélectionné » par l'évolution, en admettant même que ce soit vrai, ne revient nullement à le légitimer d'un point de vue moral. On pourrait, par exemple, observer le fait en question (en admettant toujours que c'en soit un), et le déplorer au nom de valeurs différentes ou encore, plus simplement et plus logiquement, en tirer une conclusion tout à fait neutre, sans aucune prétention à la normativité morale, du type suivant : les êtres humains sont une espèce qui a eu besoin de recourir à la solidarité pour survivre. Cette nécessité, vitale pour eux, leur donne l'illusion qu'il s'agit de « morale normative », de « bien » et de « mal », alors qu'il s'agit en vérité tout simplement d'utile et d'inutile, de vie ou de mort. Ce qu'ils prennent pour de la morale haute et noble n'a en réalité pas plus de valeur « normative » que n'importe quel autre mode d'adaptation chez les calmars, les éléphants ou les crapauds.

Ruse connaît parfaitement l'objection. Il a bien lu et compris Hume. Il a d'ailleurs le mérite de poser lui-même, et fort clairement, la question centrale de la méta-éthique, la question sans laquelle au demeurant, l'éthique normative ne saurait réellement s'imposer comme telle, sinon à titre de croyance illusoire :

« Pourquoi devrait-on favoriser le bien-être de l'espèce humaine ? Ici, la réponse du théoricien de l'éthique évolutionniste est simplement qu'on *doit* le faire parce que l'homme est le produit de l'évolution et, attendu que nous sommes les produits de l'évolution, c'est une *bonne chose* de le faire » (p. 39).

Magnifique tautologie ! J'en souligne, pour tout lecteur de bonne foi, les glissements significatifs : pourquoi parler de « devoir » et de « bonne chose », s'il s'agit d'une nécessité et d'un fait ? Encore une fois : si l'évolution avait vraiment sélectionné l'altruisme, pourquoi *faudrait-il* se représenter sa mise en pratique comme un impératif ? Il serait une donnée de fait, commune à tous les êtres « normaux » de la même espèce, voilà tout, et la morale des êtres humains ressemblerait en tout point aux mœurs des animaux.

Admettons même que l'on interprète, comme sont sans doute obligés de le faire les théoriciens de l'éthique évolutionniste, nos divergences morales (on ne peut en effet nier qu'elles existent) comme des survivances en voie de résolution. Supposons que l'altruisme, l'universalisme, et l'égalitarisme à la Rawls soient l'horizon ultime de notre histoire naturelle. Comme je l'ai déjà suggéré, rien ne le prouve, tout au contraire à mes yeux, mais enfin rien n'interdit non plus absolument de le penser. En toute hypothèse, il ne s'agirait dans le meilleur des cas que d'un constat, incapable en tant que tel et à lui seul de fonder des « devoirs » impératifs.

Si Ruse était ici plus rigoureux, s'il n'était pas, en vérité, gêné par les faiblesses de son propre discours méta-éthique, il aurait dû écrire à peu près ceci :

« Pourquoi devrait-on favoriser le bien-être de l'espèce humaine ? Ici, notre réponse est simplement que les comportements altruistes ont été ou seront bientôt définitivement sélectionnés par l'évolution parce que la survie de cette espèce de vivants particuliers que sont les humains est mieux assurée ainsi qu'autrement. » Point final.

Si Ruse éprouve néanmoins le besoin, contre toute logique, de parler de « devoir », donc d'emprunter au vocabulaire des morales « déontologiques » auquel il ne devrait en toute rigueur jamais recourir *autrement que de manière purement descriptive* (la notion même de devoir n'étant alors que la façon illusoire dont les humains se représentent le bien, mais nullement une vérité), c'est parce qu'il pressent qu'il est impossible de réduire le normatif au descriptif... sans dissoudre *ipso facto* l'idée même de normativité ! Au fond, il refuse de choisir entre les deux termes suivants :

— Ou bien on réduit le normatif au descriptif, le droit au fait, la morale à l'histoire et à la nature qui la déterminent, mais dans ce cas, il faut aussi renoncer à l'idée d'éthique normative et se borner à décrire les comportements moraux de manière neutre, comme on le fait des mœurs des animaux. Alors il n'y a plus d'éthique, mais seulement une

« éthologie » qui, sans jugement de valeur aucun, se borne à montrer pourquoi et comment les animaux, humains ou non humains, conduisent leur vie...

— Ou bien on pense que le normatif, l'idée d'impératif chère aux morales déontologiques n'est pas une illusion, mais alors il faut le fonder autrement que sur de simples faits, fussent-ils scientifiques.

Qu'on me comprenne bien : il me paraît, à la limite, légitime de choisir l'une ou l'autre de ces deux hypothèses – bien que je choisisse la seconde et que, je l'avoue, je n'ai jamais rencontré dans la réalité un matérialiste assez rigoureux pour toujours s'en tenir, comme il le devrait pourtant, à la première. Mais ce qui, à tout le moins, est certain, c'est qu'on ne peut pas jouer, et encore moins gagner, sur les deux tableaux comme le fait l'éthique évolutionniste en prétendant tout à la fois que l'altruisme est le résultat de l'évolution (par où il fait de la nature et de l'histoire notre code), et qu'il est en même temps un devoir moral qu'il *faudrait* mettre autant que possible en œuvre [3].

Cette incohérence manifeste m'autorise à faire une hypothèse pour en rendre raison – puisqu'on ne peut le faire par les simples arguments qui la sous-tendent : si nul être humain, pas même le philosophe matérialiste, ne parvient à

3. On peut, bien sûr, comme le fait par exemple André Comte-Sponville pour mettre le matérialisme en cohérence avec lui-même, répondre que la norme ne devient pas illusoire du fait qu'elle ne serait pas fondée : car elle continue bien de faire partie, fondée ou non, de la réalité. Mais c'est, il me semble, jouer sur les mots et, sur le fond, refuser de choisir : car nul ne nie que l'illusion soit un moment du réel, mais ce que conteste le partisan d'une morale déontologique (comme celle de Kant, par exemple) c'est que le normatif puisse rester normatif dès lors que son caractère simplement factuel, donc *en tant que normatif illusoire*, serait clairement et rigoureusement avéré. Un matérialisme cohérent, comme un utilitarisme cohérent, doit finir par renoncer, non seulement à la méta-éthique, mais à l'idée même d'éthique normative au profit de la conviction que les *normes et les valeurs sont des faits comme les autres, ni plus ni moins*.

renoncer au point de vue normatif, à la simple idée que notre représentation du devoir n'est pas une illusion, c'est parce qu'il lui faut toujours, pour agir, porter des jugements de valeur : comment, par exemple, militer en faveur de la protection de l'environnement si l'on pense par ailleurs que cette lutte elle-même n'est qu'un fragment parmi d'autres d'une histoire sociale tout entière déterminée par un passé immémorial et immaîtrisable par les hommes ?

Ce qui est singulier, chez Ruse, c'est qu'il a tellement conscience de cette difficulté, qu'il ne cesse lui-même d'hésiter entre les deux options possibles. Mais, comme il l'avoue lui-même avec une belle honnêteté, à la question de la justification des normes, « en fait, je n'ai rien à offrir du tout » : « au niveau méta-éthique, nous nous acheminons vers l'idée qu'il n'y a pas de fondement pour l'éthique normative ». On pourrait penser que ce n'est pas grave, qu'une morale sans fondement est possible, que les normes et les valeurs subsistent en tant que telles même si elles ne sont pas « fondées ». Mais Ruse, ici, est plus rigoureux que la plupart de ses collègues matérialistes. Il comprend parfaitement qu'en l'absence de justification, les normes deviennent illusoires. Une illusion réelle, certes, et nécessaire à la survie de l'espèce, mais néanmoins une illusion en ce sens que nous sommes convaincus que ce que nous prenons pour le bien est objectivement le bien, alors qu'il ne s'agit que d'une adaptation aléatoire parmi d'autres possibles. Comme il le voit très bien, « l'essentiel pour la morale, la morale normative s'entend, c'est qu'elle ne fonctionne qu'à la condition que nous ayons en elle une croyance absolue » (p. 62). Or l'évolutionnisme en fait *explicitement* une illusion des gènes : « Une fois que l'on voit que l'éthique normative est simplement une adaptation mise en place par la sélection naturelle pour faire de nous des êtres sociaux, on peut voir aussi toute la naïveté qu'il y aurait à penser que la morale (c'est-à-dire la morale normative) possède un fondement. La morale est plutôt une illusion collective des gènes, mise en place pour nous rendre "altruistes". La moralité en tant que telle, n'a pas un statut plus justificateur que n'importe qu'elle adaptation comme les yeux, les mains, ou les dents. Il s'agit simplement de quelque chose qui a une valeur biologique, et rien de plus. Rien de moins non plus, bien évidemment » (p. 59). Ruse doit donc concéder que la conclusion ultime de son évolutionnisme est le « scepticisme éthique » : « Nous pensons que les normes de l'éthique sont objectivement vraies parce que notre biologie nous fait penser très précisément cela. Mais de ce que notre biologie nous fait penser précisément cela, on ne peut pas en déduire qu'il en est vraiment ainsi » (p. 62).

Le problème, malheureusement, c'est que la morale se veut intrinsèquement normative – en quoi elle est, selon l'évolutionnisme, et plus généralement le matérialisme cohérent, dans l'illusion. On dira à nouveau que peu importe, que l'essentiel est que cette illusion soit réelle, qu'elle « marche ». Fort bien : mais de quel point de vue serait-ce là « l'essentiel » ? De la survie de l'espèce ? Mais en quoi cette survie serait-elle plus « morale » que son contraire ? Qu'elle soit plus « utile » pour nous, je le conçois fort bien, mais depuis quand serions-nous devenus assez stupides pour confondre l'utilité et la morale ? L'homosexualité, par exemple, généralisée à toute l'espèce, serait sans doute nuisible puisqu'elle pourrait lui être fatale : en quoi serait-ce là une objection « morale » contre elle ? Et à l'inverse, n'existe-t-il pas une infinité de comportements que je puis juger, au moins de mon point de vue subjectif, « utiles », et qui pourtant n'ont rien de « moraux » ?

Tout cela, Ruse le sait, mais il n'ose pas tirer franchement toutes les conclusions de l'assertion fondamentale selon laquelle la morale n'est qu'un fait parmi d'autres, et rien de plus. La même gêne s'observe chez lui lorsqu'il s'agit d'évoquer la question du déterminisme, et pour les mêmes raisons : tout conduit l'éthique évolutionniste à la conclusion que nous sommes ce que la biologie nous fait être, donc, déterminés de part en part, jusque dans nos apparentes marges de liberté, par la nature et l'histoire. Mais reconnaître cela est gênant, car contraire à toutes nos

« intuitions » les mieux réfléchies. D'où la nécessité, la encore, d'un discours ambigu...

On peut en donner un exemple patent, touchant le thème central de l'altruisme. Tantôt Ruse affirme que la distinction entre « l'altruisme biologique » et « l'altruisme éthique » est cruciale, ce qui tend à laisser penser que les êtres humains peuvent, à la différence des animaux, « choisir » certaines valeurs plutôt que d'autres indépendamment de leur nature biologique. Tantôt au contraire, comme on l'a déjà suggéré, il réduit sans hésiter le second altruisme au premier. Pourquoi ? Parce qu'en vérité, il part de la conviction naturaliste et matérialiste que « l'évolution a fait de nous ces êtres physiques *déterminés* que nous sommes, comme elle a fait de nous ces êtres sociaux *déterminés* que nous sommes, et il y a eu clairement une rétroaction entre ces deux évolutions – qui à la vérité n'en faisaient qu'une » (p. 48). Car, « de plus en plus, les spécialistes des sciences sociales et les biologistes découvrent des preuves solides suggérant que les humains sont fortement motivés par des tendances biologiques dont le champ s'étend jusqu'à la socialité » (p. 53). Voilà pourquoi, en évoquant le « contrat social » imaginé par Rawls (son modèle en matière d'éthique normative), Ruse peut déclarer tranquillement qu'il ne s'agit pas vraiment d'un contrat librement choisi, mais « plutôt d'un contrat qui nous est imposé par nos gènes. Nous sommes dans cette situation de moralité parce que, en étant dans cette situation, notre sort est meilleur que si nous essayions de nous tirer d'affaire tout seuls » (p. 54). Bien entendu, comme tous les matérialistes intelligents, Ruse insiste sur le fait que ce déterminisme naturaliste ne doit pas être conçu de façon étroite et rigide : il y a une marge d'indétermination dans les conduites humaines. Mais, s'empresse-t-il aussitôt d'ajouter, cette marge est elle-même pour ainsi dire prévue et déterminée par la nature elle-même.

Là encore, qu'on me comprenne bien : il va de soi que je ne dénie nullement le droit à quiconque d'adopter une philosophie matérialiste et déterministe. Simplement, ce que j'affirme à nouveau, c'est qu'on ne peut pas jouer sur tous les tableaux et qu'il faut avoir conscience, lorsqu'on se veut matérialiste cohérent, d'une part que cette position philosophique est incompatible avec l'idée d'une éthique normative non illusoire, d'autre part que le déterminisme n'est nullement une position *scientifique*, mais bien un parti pris métaphysique, comme tel contestable.

C'est ce que nous allons examiner maintenant.

Les limites du déterminisme matérialiste classique

Il ne s'agira pas ici d'entrer dans la querelle du déterminisme telle que l'envisagent aujourd'hui les physiciens. Car, pour l'essentiel, dans les sciences sociales et la sociobiologie contemporaines, c'est encore sous sa forme classique que resurgit le déterminisme. Qu'est-ce que cela signifie ? Un peu d'histoire est peut-être utile pour le rappeler.

On chercherait vainement dans la philosophie grecque les traces du conflit qui va traverser toute la philosophie moderne : celui du déterminisme et du libre arbitre. Lorsque Descartes entreprend de rédiger les principes d'une nouvelle physique contre l'animisme du Moyen Âge, il peut encore légitimement avoir le sentiment de se heurter à des cosmologies qui voient dans l'univers, non un matériau brut et sans âme, mais au contraire une sorte de grand être vivant (« hylozoïsme ») traversé par des forces invisibles et mystérieuses dont l'alchimie tente désespérément de se rendre maîtresse. La révolution cartésienne, celle du mécanisme, va consister à rejeter catégoriquement l'idée que la nature est traversée par des forces occultes et animée par des *causes finales*, au profit d'une réduction de toutes les formes de causalité aux seules causes efficientes. C'est là ce qui advient lorsqu'il énonce pour la première fois, au paragraphe 37 du Livre II de ses *Principes de la philosophie* [4], le

4. R. Descartes, *Les Principes de la philosophie*, Paris, Vrin, 1999.

fameux « principe d'inertie » selon lequel « chaque chose demeure en l'état qu'elle est pendant que rien ne la change ». Pour nous, aujourd'hui, la proposition semble d'une affligeante banalité, d'une évidence quasi tautologique. Pourtant, elle représente une véritable révolution dans notre regard sur la nature et sur la science. On ne mesure plus aujourd'hui l'incroyable séisme représenté par ce changement de perspective. Il signifie, tout simplement, l'avènement du rationalisme moderne, avec le potentiel de sécularisation du monde qu'il implique. Car si tout événement possède sa raison d'être, il doit pouvoir être scientifiquement expliqué. C'est dire qu'il n'est plus rien, au moins en droit sinon en fait, de mystérieux dans la nature. Tout doit pouvoir y trouver son explication causale, ou, comme le dira finalement Leibniz en formulant pour la première fois le fameux principe de raison suffisante : « rien n'est sans raison », *nihil est sine ratione*, le travail de la science consistant désormais, justement, à rendre raison *(rationem dare)* de ce qui apparaît dans la nature ou, comme on dit encore à l'époque, à « sauver les phénomènes ». Plus de mystère, donc, dans cet univers désormais sans âme, plus de lieux qualitativement différents les uns des autres, comme chez Aristote, mais seulement des corps matériels et des mouvements régis par un principe fondamental : le principe d'inertie, selon lequel aucun mouvement ne subit de modification sans l'intervention d'une cause extérieure.

C'est dans ce contexte nouveau, celui du mécanisme – de l'universalisation du principe de raison suffisante – que le problème moderne de la liberté comprise comme « libre arbitre », comme faculté de dévier le cours du monde en choisissant entre des possibles différents, va prendre enfin toute son ampleur. Jadis, chez Aristote ou chez les stoïciens par exemple, la vraie liberté n'avait rien à voir avec ce libre arbitre moderne. Elle se confondait avec la sagesse, et la sagesse elle-même, avec la compréhension et l'amour de l'ordre du monde. C'est encore cette conception ancienne de la liberté que Spinoza tentera de réhabiliter en parlant d'une « intelligence de la nécessité ». Mais le problème que pose l'extension absolue du mécanisme est tout différent. Il tient à ceci : si tous les événements qui adviennent en ce monde sont déterminés par des causes efficientes, elles-mêmes déterminées par des causes antérieures, comment puis-je être libre de mes choix ? Comment puis-je, en d'autres termes, prétendre avoir la possibilité, en choisissant A plutôt que B, de faire en quelque sorte bifurquer l'histoire ? Et si je n'ai pas cette possibilité, il me faut bien admettre que, dans ces conditions, je perds toute responsabilité face à mes actes, puisque ceux-ci ne sont plus que le résultat de séries causales qui m'échappent totalement, déterminées qu'elles sont, non par ma volonté, mais par la lignée complète des causes antécédentes. Il semble ainsi que les exigences du rationalisme scientifique soient contraires à celles d'une morale « déontologique », d'une éthique fondée sur l'idée d'un devoir de choisir entre le bien et le mal.

Mais mon propos n'est pas, pour l'instant, de développer plus avant les enjeux de ce conflit. J'essaie simplement de vous faire bien comprendre qu'il est lié à la figure moderne de la causalité ou si l'on veut, car cela revient au même, à la naissance d'une science moderne pour laquelle la nature n'est plus un être mystérieux, animé, mais bien un matériau brut, en lui-même dénué de sens, et tout entier justiciable d'explications causales. Et il faudra attendre le XXe siècle pour que cette conception mécaniste et déterministe de la nature soit remise en question par la science elle-même. En attendant, et c'est cela qui m'intéresse ici et maintenant, elle ne l'est toujours pas dans les sciences sociales et la biologie telles que les mobilise l'éthique évolutionniste.

Or sous cette forme, on peut lui faire quatre objections.

- Que le déterminisme n'est pas une position scientifique, mais un parti pris métaphysique

On remarquera d'abord, avec Karl Popper, qu'à l'encontre d'une idée trop souvent reçue chez ceux qui se croient obligés d'y souscrire en tant que « rationalistes », le déterminisme n'est nullement lui-même une position

« scientifique », mais un parti pris métaphysique. C'est là le sens de la citation de Popper que j'ai mise en exergue au début de ce cours. La proposition selon laquelle toutes nos actions seraient déterminées par des causes efficientes échappant le cas échéant à notre volonté consciente, par des intérêts avoués ou inavouables, est par définition « non falsifiable », impossible à tester par quelque expérimentation que ce soit. Nous reviendrons dans notre prochain et dernier cours sur la signification profonde de ce critère de démarcation entre science et métaphysique. Mais on peut déjà, à ce niveau, le comprendre intuitivement. Il en va du déterminisme comme de Dieu : il est impossible de prouver qu'il n'existe pas car on pourra toujours, derrière toute action même la plus désintéressée en apparence, postuler l'existence d'une motivation inconsciente et secrète. Il est donc rigoureusement impossible de prouver empiriquement l'illégitimité du déterminisme. Mais justement, en un paradoxe mis en évidence par Popper, c'est parce qu'il échappe à toute réfutation empirique imaginable qu'il manifeste son caractère de parti pris métaphysique et non scientifique. L'hypothèse du déterminisme, comme celle de l'existence de Dieu, se meut dans une sphère qui échappe à tout contrôle par les faits et c'est seulement à ce prix qu'elle parvient à échapper à toute mise en cause expérimentale. Cela ne l'empêche pas d'ailleurs d'être, d'un point de vue simplement logique, tout à la fois indémontrable et intenable, comme Kant l'avait déjà parfaitement montré dans la *Critique de la raison pure*.

• Que le déterminisme est à la fois intenable et indémontrable

Sous sa forme classique, en effet, le déterminisme consiste, comme on l'a dit, à poser que tout effet possède une cause située dans la nature. Cette cause est elle-même nécessairement l'effet d'une autre cause, située elle aussi dans la nature, qui, par conséquent, est à son tour l'effet d'une autre cause, et ainsi de suite à l'infini. Ce qui fait que le déterminisme est une pensée intenable : soit il arrête la chaîne des causalités, comme le fait Leibniz, en posant une cause première (Dieu, la Nature, l'Histoire ou ce que vous voudrez d'autre), mais au moment même où on veut enfin fonder le déterminisme, on le nie, puisque cette cause première, n'ayant pas de cause, l'enfreint dès l'instant où on la pose (puisque le déterminisme pose que toute cause a une cause, il ne peut que rejeter l'idée de cause première) ; soit on laisse ouverte la régression à l'infini, auquel cas l'effet n'est précisément jamais déterminé ni expliqué, puisqu'on ne peut pas considérer qu'une explication qui se perd dans l'infini soit vraiment une explication. Le déterminisme s'avère donc paradoxalement tout aussi indémontrable, tout aussi impensable que son contraire (l'hypothèse d'une liberté de choix permettant d'inaugurer des séries d'actions dans le monde). Le raisonnement kantien confirme comme par avance la thèse poppérienne selon laquelle nous nous mouvons ici dans la sphère de l'« infalsifiable », du non scientifique, et l'hypothèse du déterminisme matérialiste n'est pas plus rationnelle, pas plus rationaliste que l'hypothèse de la liberté. Cette dernière n'est d'ailleurs pas incompatible avec un certain déterminisme qui suffit à fonder un authentique rationalisme, puisqu'on peut toujours poursuivre l'explication aussi loin qu'on voudra, elle ne parviendra jamais à être complète. C'est d'ailleurs un réel problème pour les historiens. Chaque fois qu'ils choisissent une période, ils sont obligés de le faire de façon arbitraire, ou plutôt d'essayer de trouver des critères qui rendent cet arbitraire un peu moins visible : quand vous commencez à réfléchir sur les causes de la guerre de 14, il faut bien avoir conscience qu'en principe l'explication devrait vous entraîner jusqu'à la préhistoire... pour le moins !

Si l'on veut être vraiment rationaliste, il faut, me semble-t-il, maintenir le déterminisme sur le plan théorique – scientifique –, non comme une vérité ontologique qui vaudrait pour les choses en soi, mais comme un principe méthodologique indéfiniment applicable, et conserver par ailleurs l'idée de liberté comme un postulat, certes lui aussi indémontrable et infalsifiable, mais dont il n'est ni nécessaire, ni souhaitable d'un point de vue éthique, de faire l'économie.

Car il est clair, à tout le moins, que l'idée d'éthique normative est tout à fait incompatible avec l'hypothèse d'un déterminisme ontologique généralisé.

- Que le déterminisme est incompatible avec l'idée d'éthique normative

Point besoin, ici, d'un long raisonnement pour le saisir. Il suffit pour cela d'avoir une fois dans sa vie compris ce que signifiait la célèbre formule selon laquelle « il n'est pas d'éloge flatteur sans liberté de blâmer ». Car c'est pour les mêmes raisons, très exactement, qu'il n'est pas non plus de distinction sensée entre le bien et le mal moral sans liberté tout court. Pourquoi devrais-je être tenu pour responsable de mes actes et blâmé en tant que tel s'ils ne sont que le produit d'un double déterminisme, naturel et culturel ?

Je ne dis pas ici que toute attitude matérialiste soit incohérente : je prétends seulement qu'il est incohérent de se dire matérialiste et d'envisager la moralité des actes humains comme si elle pouvait dépendre d'une liberté qu'on déclare par ailleurs tout à fait illusoire. Par où il me semble qu'un matérialisme conséquent devrait toujours se borner à une « éthologie », sans jamais parler de morale autrement que comme d'une illusion plus ou moins nécessaire, partie prenante du réel, certes, mais néanmoins trompeuse.

Allons plus loin encore : le matérialisme peut, bien entendu, être un universalisme et se rapprocher ainsi, au moins en apparence, des morales déontologiques de type kantien. C'est même chez lui une pente naturelle : après tout, si la pensée et les valeurs sont l'effet de structures matérielles, et si ces structures sont plus ou moins communes à tous les êtres humains, on ne voit pas pourquoi ils ne tendraient pas à partager les mêmes opinions, y compris sur le plan moral. C'est de cette manière, d'ailleurs, que Hume, pourtant *a priori* relativiste et sceptique, rejoignait volontiers les thèmes universalistes des classiques français. Mais, là encore, dans une perspective matérialiste, l'universel reste une simple question de fait et non de droit : c'est parce que les hommes ont les mêmes caractéristiques matérielles, factuelles, qu'ils pensent la même chose. Ce consensus ne prouve en rien la vérité ou la validité de ce qu'ils pensent et si, au lieu de consulter les hommes sur la morale, on consultait les chevaux ou les fourmis, on aurait à coup sûr une autre vision du monde, tout aussi légitime cependant...

Impossible, donc, de passer dans cette optique du fait au droit, du descriptif au normatif, de l'éthologie à la morale, cette dernière n'étant au fond rien de plus que la façon illusoire de comprendre la première...

Cela, j'y insiste, ne prouve nullement par contrecoup la validité de l'hypothèse inverse qui postule la liberté de choix et en fait le fondement des jugements de valeur. On évoque souvent, pour la justifier, deux expériences, en effet difficiles à contester : celle de l'homme d'action qui ne saurait jamais penser que ses choix ne comptent pas, et celle du reproche, qui est universelle et n'aurait aucune signification si l'on ne postulait pas la liberté. Quel sens y aurait-il, en effet, à reprocher quelque chose à quelqu'un ou à soi-même si l'on ne pensait pas qu'il était possible de faire autrement ?

Si j'évoque ces deux expériences comme des « évidences », ce n'est pas pour plaider en faveur de ma thèse. Car ce n'est pas sur des exemples ou sur des expériences qu'elle peut, à vrai dire, s'appuyer, ni par eux qu'elle peut être infirmée : rien n'interdit en effet de les déclarer illusoires, même si cette déclaration, à son tour, n'est pas falsifiable. Mais c'est là, justement, où je voulais en venir : le déterminisme et la liberté sont tous deux, au final, également incompréhensibles. Simplement, il faut être en cohérence avec ses choix et le matérialisme implique deux choses : que l'on renonce à la morale au profit d'une réconciliation avec le monde (l'*amor fati* de Spinoza), que l'on renonce aussi au point de vue de la conscience commune au profit de celui de la conscience philosophique qui tient toujours la première pour illusoire. Comme je ne puis ni l'un ni l'autre, je préfère, tout simplement, parier sur la liberté.

• Qu'un authentique rationalisme doit poser qu'il y a de l'inconnaissable non seulement pour nous, mais bien aussi en soi

Après la publication de *L'Homme-Dieu* [5], je reçus de Jean-Pierre Changeux une longue lettre dans laquelle il me faisait part d'un certain nombre d'objections fortes touchant notamment l'utilisation de concepts tels que celui de « transcendance » ou de « mystère ». Il m'expliquait, en substance, que pour un scientifique, et d'une façon plus générale, pour un rationaliste, de tels concepts sont irrecevables parce que rien ne saurait être tenu pour inconnaissable. Il y a certes de l'inconnu *pour nous*, parce que nos connaissances ne sont ni achevées ni parfaites, mais *en soi*, rien ne peut prétendre résister indéfiniment au pouvoir des explications rationnelles. Dans *La Sagesse des modernes* [6], André Comte-Sponville me fit, à peu de chose près dans les mêmes termes, des objections similaires. Je dois les en remercier tous les deux car ils m'ont permis de mesurer ce que l'affirmation des limites du rationalisme pouvait avoir parfois d'ambigu et de préciser ainsi de façon plus rigoureuse en quel sens il convient de les entendre.

Voici, d'abord, en quoi les objections provenant d'un rationalisme matérialiste me semblent justes : il n'y a rien en effet *dans le monde*, parmi les phénomènes de la nature, dont on puisse décréter *a priori* qu'il serait à jamais mystérieux et inconnaissable. Si c'est ainsi que mes collègues ont compris mes propos sur la liberté, la transcendance et le mystère, je ne puis que leur donner entièrement raison : quelqu'un qui déclarerait que certains *événements* sont définitivement inaccessibles à la raison verserait assurément dans l'irrationalisme et la superstition. Et contre ce type de thèse, il est toujours salutaire, en effet, de réaffirmer les

5. L. Ferry, *L'Homme-Dieu ou le sens de la vie*, Paris, LGF, 1997.
6. A. Comte-Sponville, L. Ferry, *La Sagesse des modernes*, Paris, Robert Laffont, 1998.

vertus de la science et du rationalisme. Nous en sommes bien d'accord.

Mais ce n'est pas là ce qui était visé dans mes propos, et notamment dans l'affirmation qu'il y a de l'inconnaissable, non seulement pour nous, c'est-à-dire relativement à nos ignorances, mais bien en soi – affirmation que non seulement je maintiens, mais qui me paraît seule compatible avec un authentique rationalisme (ou si l'on préfère ces autres expressions : avec un rationalisme « critique » et « non métaphysique »). Il me semble clair, en effet, que, sous sa forme classique, la volonté de chercher toujours des raisons ou des causes pour expliquer un événement quel qu'il soit est *tout à la fois pleinement légitime comme méthode de travail, mais toujours vouée en quelque façon à l'échec si on en fait un principe ontologique absolu*. En clair, comme nous l'avons montré plus haut en rappelant les arguments kantiens contre le déterminisme absolu, *aucune explication scientifique ne peut jamais se clore par la mise en évidence d'une causalité ultime*. Car de deux choses l'une : ou bien l'on arrête la série des causes de manière arbitraire, et l'explication n'est pas achevée ; ou bien on prétend découvrir une « cause première », et l'on verse par définition même dans la métaphysique puisque d'évidence, il n'existe pas de telles causes dans le monde naturel. Qu'il s'agisse du travail de l'historien ou du biologiste, la série des causes, des raisons et des origines est toujours illimitée, comme le temps dans lequel elle se situe, de sorte qu'il n'existe jamais en science que des explications *limitées de phénomènes eux-mêmes limités*. C'est en ce sens, et en ce sens seulement, qu'il est non seulement légitime, mais même raisonnable et rationnel de poser qu'il y a de l'irrationnel, de l'inconnaissable en soi et non seulement pour nous. Affirmer le contraire, ce n'est pas être rationaliste, c'est céder aux illusions théologico-métaphysiques du « savoir absolu » – que mes collègues matérialistes sont certainement d'accord avec moi pour rejeter.

Un authentique rationaliste doit donc admettre, il me semble, que le déterminisme absolu n'est ni vraiment scientifique ni vraiment rationnel, qu'il n'est qu'un postulat métaphysique plutôt moins cohérent qu'un autre. Que cela ne prouve nullement, *a contrario*, la validité de l'hypothèse de la liberté, j'en suis évidemment d'accord. Mais cela lui permet du moins de subsister à titre d'hypothèse pratique, indispensable à notre compréhension de l'éthique sans laquelle le règne humain et le règne de la nature, y compris animale, ne feraient qu'un. Ce qui, il faut y revenir encore un instant, est contraire à toutes nos intuitions même les mieux réfléchies.

À nouveau : de la différence entre animalité et humanité. De la spécificité de l'amour et de la haine comme passions proprement humaines

Les assertions auxquelles nous sommes parvenus sur la distinction entre animalité et humanité coïncident-elles concrètement avec ce que nous savons des animaux ? Il nous faut être ici plus précis et entrer un peu plus avant dans la considération de l'éthologie contemporaine.

Dans *La Sagesse des modernes*, au fil de la discussion avec mon interlocuteur matérialiste qui plaidait pour une continuité entre le monde humain et le monde animal, j'ai tenté d'établir une distinction entre la question du *critère* définissant l'appartenance au monde moral de l'humanité d'un côté, et, de l'autre, celle de *l'application* de ce critère. Le premier, ai-je alors écrit, « est très défini : c'est le critère de la liberté, d'une capacité de distance d'avec la nature qui est le signe, à mes yeux, d'une transcendance sans laquelle la culture et la moralité seraient impossibles. C'est donc la capacité à s'arracher aux caractéristiques habituelles du cycle de la vie. Et cela n'a rien d'illogique ou d'irrationnel, au contraire : sans cette distance, comment pourrions-nous *juger moralement* le réel ? [...] Le deuxième problème que l'on pose est de savoir où passe la frontière : qui bénéficie de cette caractéristique ? Je redis clairement qu'il faut avoir sur ce point une grande humilité devant la science. Je ne peux pas *a priori* déduire où s'applique ce critère. Si les scientifiques qui ont travaillé sur les chimpanzés les plus intelligents, les bonobos, me disent : ce bonobo s'exprime avec son ordinateur, il possède la double articulation du langage, il maîtrise mille mots, il fait des phrases, il est capable de se sacrifier pour sauver ses petits... L'élève-t-on comme un de ses enfants (car ils l'ont fait aussi), il meurt de tristesse quand on le relâche dans la nature. Si le bonobo a ces caractéristiques-là, il faut arrêter de lui faire du mal, c'est tout ».

C'était là une prudence qui doit, il me semble, rester de rigueur dès lors qu'on traite de questions empiriques. Au demeurant, et quelle que soit l'issue de ce débat, j'ai la conviction qu'il faudrait enfin cesser d'infliger aux animaux toute forme de souffrance inutile. Pourtant, même en restant sur le plan de la simple observation factuelle, rien n'indique en toute certitude que les grands singes possèdent réellement les caractéristiques que j'évoquais dans ce dialogue. Le grand public, regardant de très loin certains travaux d'éthologie hypermédiatisés avant que d'être analysés avec soin, serait volontiers enclin à les leur attribuer. Mais ce qui frappe, en particulier, dans les recherches portant sur l'intelligence et le langage des bonobos, c'est le fait que les meilleurs spécialistes – et ce malgré la sympathie inévitable et légitime que leur inspirent ces animaux – soulignent une différence cruciale, elle-même directement liée à la liberté et à la « gratuité » qu'elle permet dans certains de nos comportements, entre le chimpanzé et l'enfant : à la différence du second, le premier « n'éprouve pas le besoin de partager avec vous sa découverte du monde. Un jeune enfant, avant même de savoir parler, va traîner sa mère vers la fenêtre pour lui montrer tel ou tel objet – pas parce qu'il veut cet objet : simplement pour partager l'excitation de sa découverte avec elle. Cela, je ne l'ai jamais vu faire à un chimpanzé [7] ». Comme le souligne, dans le même sens, Jacques Vauclair, le langage des singes même les plus doués

7. David Premack, *Le Cerveau et la pensée*, Paris, Éditions Sciences humaines, 1999, p. 147.

pour cet apprentissage, comme la fameuse Kanzi, ne s'évade pratiquement jamais du contexte des demandes adressées au « maître », à *l'exclusion de toute forme de partage désintéressé et réciproque d'une expérience avec autrui* : au contraire, « chez l'homme, selon Vauclair, en plus de cette modalité "impérative", les mots sont aussi dotés d'une fonction déclarative qui a pour finalité de commenter le monde et de partager ses connaissances avec autrui [8] ». Cette limitation dans l'expression est sans doute liée au fait que « contrairement aux humains, il semble que les singes rencontrent en fait de sérieuses difficultés à doter les autres d'intentions ». Bref, quelles que soient leur intelligence et leur capacité, parfois remarquable, à communiquer par un langage abstrait (Kanzi connaît de nombreux symboles graphiques et comprend environ 150 mots !), les bonobos ne maîtrisent pas cette relation au *sens* qui permet, non seulement de se faire comprendre, mais surtout de comprendre *autrui*, de saisir ce qu'il *veut dire, de se distancier de soi afin de s'intéresser à lui suffisamment en profondeur pour lui imputer des intentions et prendre plaisir à partager des expériences ou des connaissances avec lui*. En clair : faute de décentrement suffisant (faute de *cette liberté entendue comme faculté de s'écarter pour ainsi dire de soi en même temps que du monde dans lequel on est englué*), le sens de la *réciprocité* lui fait défaut. Or pouvoir s'émanciper de la tyrannie du particulier, c'est aussi, d'un même mouvement, se frayer un accès vers l'universel sans lequel on voit mal comment l'idée de moralité, de « bien commun » ou de *respect mutuel* aurait un sens.

On objectera évidemment à cette définition implicite de l'être moral qu'il n'est pas besoin d'être « respectant » pour être « respecté », autrement dit, qu'on peut être un être moral au sens passif du terme (une sorte de « citoyen passif », en somme) sans l'être au sens actif (capable de respecter les autres). Voire... C'est tout le problème ! Le respect peut-il, au sens plein, se passer tout à fait de la notion de réciprocité, d'intersubjectivité ? Rien n'est moins

8. *Ibid.*, p. 157.

sûr. On citera sans doute le cas des nourrissons ou des personnes handicapées mentalement : pourquoi les respecter plus qu'un bonobo adulte en bonne santé ? Sont-ils plus « actifs », plus intelligents et plus libres ? Pas nécessairement, en effet. Mais la grande différence, c'est justement qu' ils cesseront d'être (ou pourraient cesser, ou auraient pu ne pas devenir, etc.) un jour de simples « citoyens passifs ». Tandis que le bonobo, nul espoir qu'il entre jamais dans la sphère d'une réelle réciprocité éthique.

Allons plus loin : l'idée des droits de l'homme, nous avons déjà suggéré en quoi, est inséparable de la définition de la liberté entendue comme faculté d'arrachement aux contextes déterminants particuliers. C'est là toute la problématique de l'humanisme abstrait (totalement négligée par l'utilitarisme) qui veut qu'un être humain soit respectable indépendamment de ses appartenances communautaires à une langue, une nation, une race, une religion, etc. Élevé en Chine, un petit Européen devient chinois, par son langage, ses coutumes, ses goûts même et, réciproquement, le petit Chinois adopté devient aisément allemand, italien ou français. Partout, le bonobo ne reste-t-il pas, *pour l'essentiel*, un bonobo, *comme si la nature et non la culture* dictait la quasi-totalité de ses comportements ?

Lorsque nous parlons de droits de l'homme, nous incluons dans cet ensemble un certain nombre de devoirs d'assistance envers les autres. Ainsi voit-on, au-delà même de l'action humanitaire, des humains aider les grands singes à survivre lorsque, par exemple, leurs parents ont été tués. Où a-t-on jamais vu la réciproque sinon dans les mythes d'enfants élevés par des bêtes, dont nous savons aujourd'hui qu'ils relèvent du pur fantasme [9] ? Y a-t-il sur terre un seul grand singe pour se soucier du sort des Kurdes ou des Kosovars, voire de l'humanité en général ? Tout nous invite à en douter. Voilà pourquoi notamment (mais pas seulement : ce serait oublier la dimension de l'histoire et de la

---

9. Voir, sur ce point, les travaux de Bruno Bettelheim sur le mythe des enfants-loups, notamment dans *La Forteresse vide*, Paris, Gallimard, 1998.

politique), il me semble que parler de « droits de l'homme » à propos des animaux est une absurdité dans les termes comme sur le fond. Contentons-nous, plutôt que de vouloir à tout prix dramatiser les formules, de parler de « devoirs » envers eux, à commencer par celui de ne pas les faire souffrir inutilement, et ce sera déjà un progrès considérable ! Car ils ne pourront jamais être plus, et encore s'exprime-t-on là par simple analogie, que des « citoyens passifs » à la différence des enfants qui ne le resteront pas, des handicapés mentaux sévères, qui pourraient ou auraient pu ne pas l'être, et des vieillards séniles qui ne l'ont pas toujours été. S'ils avaient réellement des droits subjectifs, ils auraient aussi des devoirs, ce qui n'a guère de sens. Ils ont tout au plus des droits « objectifs », comme les monuments naturels ou historiques, par exemple, que l'on protège du vandalisme. C'est donc nous, en vérité, qui avons des devoirs envers eux et non pas eux qui posséderaient des droits, entendus au sens des droits de l'homme.

Par où il me semble à nouveau pertinent et légitime de situer le propre de l'humain dans cet écart par rapport à tous les enracinements historico-naturels que j'appelle liberté. Du reste, l'idée, assez fréquente chez certains scientifiques, selon laquelle une telle définition de l'homme appartient au contexte, déjà ancien ou « dépassé », de la philosophie du XVIIIe siècle, est tout à fait fausse. Car les philosophies de la liberté n'ont cessé de cheminer, jusques et y compris au cœur de ce XXe siècle qui, pourtant, en fut parfois si éloigné. C'est là ce dont témoigne notamment toute la tradition de l'existentialisme et de la phénoménologie dont certains représentants, Husserl en particulier, ne pouvaient pourtant pas être soupçonnés de ne pas s'intéresser au développement de la science moderne. C'est là ce que Sartre, qui ne fut sans doute pas sur ce point un penseur original, a fort bien exprimé dans sa conférence de philosophie populaire intitulée *L'Existentialisme est un humanisme*. Il a su, dans ce petit texte sans prétention, rassembler les principaux thèmes de l'existentialisme et de la phénoménologie touchant la notion de liberté, montrant ainsi, souvent sans même le savoir, combien la tradition ouverte par Rousseau et Kant était restée vivante en cette fin de XXe siècle. C'est dans cette perspective que je voudrais vous dire encore, pour conclure, quelques mots sur cette conférence.

La reprise de l'idée kantienne de liberté dans l'existentialisme contemporain : la définition de l'homme comme « néant »

Contrairement aux idées reçues, Sartre ne fut pas seulement un « intellectuel engagé ». On se souvient, bien sûr, du compagnon de route intransigeant, déclarant sans rire que « tous les anticommunistes sont des chiens ». La formule visait Raymond Aron et elle était absurde. On revoit parfois l'image funeste du vieillard ravi par la démagogie qui vendait sur son tonneau de Billancourt le journal des jeunes maos devant quelques ouvriers médusés. On évoque encore le souvenir peu reluisant de l'écrivain disputant sérieusement avec Michel Foucault de la meilleure façon d'exterminer le notaire de Bruay-en-Artois (dont l'histoire montra, mais c'était à l'époque un détail au regard de ses « positions de classe », qu'il était innocent du crime dont on l'accusait). Ce qu'on oublie derrière ces clichés, malheureusement réalistes, c'est que Sartre fut *aussi* un philosophe de premier plan, à vrai dire le dernier en France à posséder encore l'ambition de construire un « système du monde » à la façon des grands métaphysiciens du XIXe siècle. Sans doute le projet était-il déjà vain. Jusque dans les moindres détails de son jargon, Sartre ne cessa de parodier les phénoménologues allemands, Hegel, Husserl, Heidegger, alors mal connus en France, sans jamais parvenir à les égaler. Mais contrairement à eux, Sartre était un authentique écrivain qui sut, parfois de manière admirable, donner chair aux idées les plus abstraites qu'il traduisait en français. Dans *L'Être et le néant* (1943), son maître livre, puis dans sa conférence intitulée *L'Existentialisme est un humanisme* (1946), il réactualisa, contre le marxisme et les dérives scientistes d'une psychanalyse devenue dogmatique, les grands principes qui furent, depuis la fin du XVIIIe siècle, ceux des philosophies modernes de la liberté. Il parvint aussi à en déduire certaines conséquences plus contemporaines, touchant le féminisme et l'antiracisme notamment, dont il est toujours intéressant aujourd'hui, dans le contexte de nos débats sur le matérialisme biologique, de ressaisir la logique d'ensemble à travers quelques points particulièrement forts.

« L'existence précède l'essence »

Commençons par le commencement : qu'est-ce que l'existentialisme ? Tout simplement, selon Sartre, la philosophie qui fait sienne la conviction que « l'existence précède l'essence ». La formule peut sembler abrupte et peu parlante à première vue. Elle est pourtant plus simple et plus profonde qu'il y paraît. Elle signifie d'abord ceci : dans toute la philosophie classique d'inspiration platonicienne et, plus encore, peut-être, dans la religion chrétienne, on est parti de l'idée que pour l'être humain, « l'essence précédait l'existence ». En clair : Dieu conçoit d'abord l'homme et la femme, puis vient, dans un second temps, la création qui les fait exister. Il est en quelque sorte un « Dieu artisan » qui, tel un ouvrier ayant à fabriquer un coupe-papier ou une horloge, tracerait d'abord un plan, puis le réaliserait. Selon cette vision théologique du monde, l'essence (le plan) vient donc avant l'existence (sa réalisation), de sorte qu'il faut supposer au préalable une *finalité* de l'être créé d'où se peut déduire une réflexion sur sa destination – en ce qui concerne l'homme, une morale. En effet, de même que le coupe-papier est « fait pour » ouvrir des livres ou l'horloge pour donner l'heure, on doit imaginer que l'être humain, lui aussi, dans la perspective où il est « fabriqué » par Dieu, doit répondre à un objectif et remplir une certaine mission (par exemple, le servir et lui obéir). C'est ce schéma classique, avec toutes ses implications éthiques, que l'existentialisme sartrien propose de renverser : si l'être humain n'est pas une créature, aucun « plan », aucune « essence », ne précède son existence. Aucune finalité particulière ne s'attache par conséquent à son être – comme il en existe pour tous les objets fabriqués. L'être humain est en ce sens le seul qui soit pleinement libre, le seul qui échappe *a priori* à toute définition préalable. Il lui revient, non point de suivre des commandements divins qui s'attacheraient à son statut de créature, mais au contraire d'« inventer » le Bien et le Mal.

Qu'il n'y a pas de « nature humaine » : l'antisexisme et l'antiracisme comme figures de l'antibiologisme

De cette simple approche de l'existentialisme se déduit déjà une thèse cruciale : il n'y a pas de « nature humaine » intangible, de destination de l'homme inscrite *a priori* dans une essence. L'homme est l'être qui fait pour ainsi dire « exploser » toutes les catégories, toutes les définitions dans lesquelles on prétendrait l'emprisonner – en quoi réside, à nouveau, sa liberté. Or qu'est-ce que le sexisme et le racisme sinon l'idée qu'il existe une *essence* de la femme, de l'Arabe, du Noir, du Jaune ou du Juif d'où se déduiraient des caractéristiques nécessaires et communes à « l'espèce » ? Il serait ainsi dans la « nature » de « la » femme (comme s'il n'y en avait qu'une seule !) d'avoir des enfants, de ne point participer à la vie publique pour s'enfermer dans la domesticité, d'être douce et sensible, intuitive plus qu'intellectuelle, etc., comme il serait, selon les clichés habituels du racisme, dans la nature « du » Noir d'être paresseux, de « l' »Arabe d'être fourbe, « du » Juif d'aimer l'argent, et autres balivernes du même acabit. Mais s'il n'existe aucune « nature » de l'être humain en général, il n'en est pas davantage de tel sexe ou de telle « race ». C'est sur cette conviction que l'existentialisme eut pour vocation de fonder un féminisme et un antiracisme de type *universaliste* : ce qui donne sa dignité à l'être humain en général, c'est le fait qu'il est, à la différence des objets ou des animaux, un être fondamentalement libre, transcendant toutes les étiquettes qu'on prétend lui accoler. Ce qui fait sa valeur, ce n'est pas son appartenance à une communauté sexuelle, ethnique, nationale, linguistique ou culturelle, mais au contraire le fait qu'il est capable de s'élever au-dessus de tous ces enracinements possibles pour participer de l'humanité *en général*.

La critique du déterminisme dans la biologie, la psychanalyse et le marxisme : la nature et l'histoire ne sont pas nos « codes »

Pour les mêmes raisons, ni l'histoire ni la nature ne sauraient être tenues pour des « codes » déterminants. Certes l'être humain est en situation : il a un sexe, une nation, une famille, etc. Bref, il *possède* une nature et une histoire. Mais justement, il n'*est* pas cette nature et cette histoire ni ne saurait s'y réduire. Il les *a* et peut les mettre en perspective, voire, dans une certaine mesure, s'en abstraire pour jeter sur elles un regard critique. Pour être femme, on n'en est pas moins Homme. Malgré leurs prétentions à s'affranchir de toute forme de religion, le biologisme, mais aussi les interprétations dogmatiques de la psychanalyse et du marxisme apparaissent à cet égard comme les nouvelles « théologies » de notre temps. Sans même s'en rendre compte, en effet, ils reconduisent l'idée que l'être humain serait déterminé à son insu par des « essences » préalables à son existence : son sexe, son infrastructure génétique ou neurale, son milieu familial, sa classe sociale fonctionneraient comme des catégories déterminantes, comme des codes puissants qui commanderaient inconsciemment le moindre de ses actes. C'est ce nouveau déterminisme que l'existentialisme rejette – d'où sa célèbre critique de l'idée d'inconscient et, à l'époque où il est encore une philosophie de la liberté, ses polémiques contre les marxistes orthodoxes. C'est dans cette optique qu'au cours d'un débat resté célèbre, Sartre reprochera à Naville de vouloir enfermer l'être humain dans une science de l'histoire qui, annonçant la Révolution comme une fatalité mécanique, nie sa liberté.

Les cinq concepts clefs de l'existentialisme sartrien : la mauvaise foi, la réification, l'être et le néant, la nausée

La mauvaise foi, c'est au fond l'inverse de la liberté assumée, c'est la réaffirmation des catégories qui, soi-disant, nous déterminent. La mauvaise foi consiste en pratique à s'identifier à un rôle psychologique ou social, à une image empruntée au regard des autres de telle sorte que ce rôle et cette image vont bientôt fonctionner comme une « essence » qui déterminerait de part en part nos attitudes. On connaît les célèbres pages consacrées par Sartre à la description du garçon de café qui joue à être garçon de café, qui fait tout pour être conforme à son essence : ses formules sont alors figées (« et pour monsieur ce sera ? ») et ses moindres gestes sont prédéterminés (la position du plateau, ses oscillations savamment maîtrisées, le négligé de la serviette blanche qui pend sur l'avant-bras, etc.). Ce qu'il faut ajouter c'est qu'il ne s'agit bien sûr que d'un exemple parmi mille autres possibles et qu'il existe, dans notre vie, une infinité de façons de céder à la mauvaise foi en nous identifiant à des rôles « bien connus » : le bon père de famille, le savant cosinus toujours distrait, le militaire rigide, la femme enfant, la petite fille modèle, etc. Bref, tout nous est bon pour nier notre propre liberté et nous couler dans des « essences » toutes faites qu'il ne nous reste plus qu'à jouer comme des personnages de théâtre.

En quoi la mauvaise foi conduit toujours à la *réification* de l'humain, au sens propre, étymologique : sa transformation en une chose, un objet dont l'essence précède, en effet, l'existence et la détermine. Tout objet est ce qu'il est. Il coïncide pleinement avec lui-même et c'est à cette coïncidence parfaite que vise l'homme de mauvaise foi lorsqu'il entend s'identifier à son rôle au point de ne faire qu'un avec lui. Aussi étrange que cela puisse paraître à première vue, l'être humain authentique, à la différence de tous les autres êtres, n'est pas ce qu'il est. Et il n'y a rien là de contradictoire ni d'illogique. Il suffit pour s'en convaincre de s'arrêter un instant au phénomène de la « conscience de soi » : quand je pense à moi et que je dis de moi que je suis ceci ou cela, gourmand ou menteur, je suis à l'évidence en quelque façon au-delà de moi-même. Il s'opère pour ainsi dire un dédoublement du moi, entre un moi objet, dont je dis qu'il est gourmand ou menteur, et un moi sujet qui réfléchit et juge son *alter ego*. Bref, si les objets matériels et les animaux *sont* ce qu'ils sont, s'ils sont « pleins d'être », l'être humain, à travers cette expérience unique et mystérieuse de la conscience, fait l'épreuve de la dualité : dès qu'il commence à se regarder lui-même, il n'est plus tout à fait ce qu'il est. C'est ce « ne pas », cette distance à soi, ce « trou dans l'être », que Sartre nomme le « néant ». On pourrait dire du biologisme, de la psychanalyse dogmatique et du marxisme qu'ils sont les instruments théoriques de la plus grande « mauvaise foi » en ce qu'ils nient la présence du néant dans l'homme et, ainsi, travaillent à sa réification.

La vérité, si l'existence n'est pas déterminée et s'il n'est aucun Dieu pour avoir créé l'univers, c'est que le monde tout entier baigne, si l'on peut dire, dans « l'indéterminisme ». Non seulement l'existence humaine n'a pas de sens déterminé *a priori* (de sorte que l'être humain doit donner par et pour lui-même un sens à sa vie), mais le monde dans lequel nous vivons est de part en part contingent au sens où il aurait aussi bien pu ne pas être tout autant qu'il pourrait aujourd'hui basculer dans le néant. C'est le sentiment de cette contingence de l'être que Heidegger nommait l'angoisse et que Sartre désigne sous le nom de « nausée ». Dans le livre qui porte ce titre, le personnage principal la définit en ces termes : « Tout est gratuit, le jardin, cette ville et moi-même. Quand il arrive qu'on s'en rende compte, ça vous tourne le cœur et tout se met à flotter. Voilà la nausée. »

On comprend aisément que ces thèmes sartriens aient pu donner le sentiment à certains, parmi les chrétiens et les marxistes orthodoxes notamment, que l'existentialisme était un immoralisme ou pire, un nihilisme. On aurait pu tout aussi bien y voir une critique radicale des deux grandes figures de la métaphysique : la théologie dogmatique et le matérialisme, qui cherchent toujours la raison du comportement des hommes en dehors d'eux. Il est dommage que Sartre lui-même ne soit pas resté fidèle aux idées de sa jeunesse, qu'il les ait reniées pour laisser finalement l'image malheureuse du vieux compagnon de route des idéologies antihumanistes et totalitaires. Car il avait su traduire, comme aucun autre avant lui peut-être, ce que la phénoménologie de Husserl et de Heidegger avait conservé et développé d'esprit de liberté. Arendt et Lévinas sont, à cet égard, plus proches de lui qu'on ne l'imagine encore.

En prétendant refaire de la nature le fondement de nos comportements humains, le biologisme renoue avec une métaphysique dogmatique dont les philosophies de la liberté avaient pourtant fait la critique la mieux argumentée. L'étrange est qu'il le fasse au nom de la science. Il y a là une confusion redoutable. C'est pourquoi j'aimerais conclure ces cours par quelques considérations touchant la différence entre science, métaphysique et philosophie.

III

Science et « non-science » : la question du critère de démarcation Le rationalisme critique de Kant et Popper

Comment distinguer la science authentique des autres discours qui prétendent, eux aussi, donner accès à la vérité ? Telle est la question qui servira de fil conducteur à notre conclusion. Je n'aurai pas la prétention, bien sûr, de la traiter ici de manière exhaustive. Mais je voudrais évoquer quelques jalons, à partir de Popper et de Kant, deux philosophes qui, chacun à sa façon, se sont vraiment intéressés aux découvertes scientifiques de leur temps. Et comme vous allez le voir, leur apport sur ce sujet possède une signification décisive pour notre débat sur le « biologisme ».

Reformulons encore notre interrogation. De la théologie à l'astrologie, de la psychanalyse à la philosophie en passant par les sciences dures ou « humaines », il est presque une infinie variété de discours pour prétendre à la vérité. Comment distinguer, parmi eux, entre ceux qui peuvent légitimement se réclamer d'une scientificité authentique et ceux qui n'en relèvent à coup sûr pas ? Les grandes religions, par exemple, entendent nous conduire dans les parages du vrai absolu. Chacun s'accorde pourtant à reconnaître qu'elles ne le font pas, ou du moins pas principalement, par les voies de la science, mais plutôt dans l'élément de la *révélation et de la foi*. Même si nombre de croyants [1] sont

1. À commencer par le pape lui-même. Cf. son encyclique *Fides et ratio*.

convaincus qu'il n'y a pas incompatibilité, mais au contraire complémentarité entre science et religion, ils n'en acceptent pas moins, ne fût-ce qu'intuitivement, l'idée d'une différence fondamentale entre les deux types de discours. Mais comment définir cette ligne de démarcation ? Cela n'a rien d'évident. D'autant que le critère recherché ne passe pas seulement entre science et religion, mais plus généralement, entre la science et tous les discours qui, par d'autres voies que celle de la démarche scientifique, recherchent néanmoins la connaissance.

Il faut donc distinguer la science des religions, mais aussi de la philosophie, de la métaphysique et, plus encore, de toutes les idéologies, fausses sciences et vraies superstitions qui ont cherché et cherchent encore à découvrir le sens du présent et les signes de l'avenir dans le Cosmos, les astres, les cartes, les lignes de la main, les entrailles des animaux ou tout ce que vous voudrez d'autre...

Tâche considérable, on le voit, mais qu'il est essentiel pour notre propos de défricher un tant soit peu : il est clair en effet, que le biologisme et, plus généralement, le matérialisme scientiste, est l'archétype d'une fausse science qui se pare des prestiges de la vraie. Il est donc crucial de pouvoir, au sens propre, le remettre à sa place car il porte tout à la fois atteinte à la philosophie et à la science authentiques.

Popper : science et fausses sciences. Le critère de la « falsifiabilité »

La pensée de Popper, parce qu'elle est très systématique, est plus difficile à interpréter qu'il y paraît. Elle a d'ailleurs donné lieu à de nombreuses controverses, ainsi qu'à des lectures parfois fort divergentes. Popper lui-même a souvent éprouvé le sentiment d'avoir été mal compris, voire trahi par certains de ses plus proches disciples. Ici, je n'aspire qu'à vous donner une idée du principe fondamental de sa philosophie. Mais il faudra aller plus loin en lisant Popper lui-même, à commencer par *Conjectures et Réfutations*, peut-être son maître livre, mais aussi quelques-uns de ses meilleurs commentateurs [2].

Tâchons donc d'aller à l'essentiel qui réside, sans aucun doute, aux yeux de Popper lui-même, dans la fameuse notion de « falsifiabilité ». De quoi s'agit-il ? Pour le bien comprendre, le mieux est sans doute de partir des représentations communes de la science auxquelles Popper va radicalement s'opposer.

D'ordinaire en effet, savants et philosophes ont une propension quasi naturelle à considérer que la science est l'ensemble des propositions vraies, parce que démontrées de façon logico-mathématique ou expérimentale. Au fond, nous pensons spontanément que le but de l'activité scientifique est de *prouver des théorèmes ou des hypothèses* afin de parvenir à des certitudes ou du moins à des probabilités quasi certaines. C'est là une conviction que Popper va critiquer vigoureusement sous le nom de « vérificationnisme [3] ».

Car, en un paradoxe amusant, le premier risque de ce « vérificationnisme » est de conduire au contraire de ce qu'il vise, à savoir au scepticisme. En effet, selon la perspective empiriste, qui est si souvent la « philosophie spontanée des savants », l'essentiel de la méthode scientifique reposerait sur ce qu'on appelle traditionnellement le raisonnement par « induction ». L'activité scientifique, du moins du côté des sciences expérimentales, procéderait selon quatre grandes étapes :

---

2. On lira notamment avec le plus grand profit l'*Introduction à la lecture de Karl Popper*, par Alain Boyer, Presses de l'ENS, 1994, ainsi que l'excellent article du même Alain Boyer paru dans la revue *Esprit*, mai 1981.

3. « Le vérificationnisme se fait en gros l'idée suivante de la science : elle est, idéalement, la totalité des énoncés vrais. Comme nous ne connaissons pas tous ces énoncés, la science doit au moins englober la totalité des énoncés que nous avons vérifiés (ou, éventuellement, la totalité de ceux que nous avons "confirmés", ou encore de ceux dont nous avons démontré la probabilité) ». *Le Réalisme et la science*, Paris, Hermann, p. 202.

— En premier lieu viendrait l'observation, l'enregistrement neutre, pour ne pas dire passif, d'informations fournies par les sens.

— En deuxième lieu, cette observation conduirait le scientifique à penser qu'il existe un ordre de l'univers ou, à tout le moins, des séquences ordonnées : lorsqu'on fait chauffer de l'eau, elle finit toujours par bouillir, le jour succède à la nuit, la chaleur dilate certains matériaux, etc.

— C'est alors qu'interviendraient les hypothèses explicatives destinées à « rendre raison » des phénomènes observés. La méthode expérimentale consisterait dès lors à essayer de vérifier ces hypothèses afin de les transformer en lois scientifiques définitivement établies.

— En conclusion de ce processus, c'est donc toujours à partir de l'induction que seraient obtenues les grandes lois scientifiques : c'est en observant régulièrement la répétition d'une même séquence de faits (l'eau se met à bouillir aux environs de cent degrés) qu'on en tirerait une loi générale (sur les effets de la chaleur).

Le problème, bien entendu, comme Hume l'avait bien vu dès le XVIIIe siècle, c'est que ce type de « vérificationnisme » se retourne en son contraire et vire au scepticisme. Car le raisonnement par induction ne nous permettra jamais de parvenir à des conclusions certaines. Je puis avoir observé mille fois que le jour succède à la nuit, rien ne me prouve en toute rigueur qu'il en sera de même demain matin ! Voilà pourquoi d'ailleurs, en philosophe conséquent, Hume se voulait lui-même sceptique et tenait la science, selon ses propres termes, pour une « croyance » parmi d'autres : c'est en effet grâce à la croyance que je passe du probable au certain, du général à l'universel, de la conviction intime que le jour va se lever à une certitude absolue... mais illégitime en toute rigueur, qu'il se lèvera bel et bien. En réalité, rien ne me le prouve absolument, pas plus que je puis être certain à partir de la seule induction que l'eau recommencera toujours à bouillir aux environs de cent degrés. La science fondée sur l'observation ne serait ainsi qu'une croyance, une

« attente » en quelque sorte, et nullement un corpus de vérités certaines.

Si la première conclusion logique de l'empirisme est le scepticisme, la seconde est le « psychologisme », c'est-à-dire l'idée que la science n'est qu'un *sentiment*, un « état psychique » parmi d'autres, de sorte qu'il n'y aurait pas de critère de démarcation net et légitime entre la science et les autres opinions, préjugés ou croyances.

C'est ici que Popper va intervenir. Bien entendu, il ne peut qu'être d'accord avec la conclusion des empiristes : si l'activité scientifique repose tout entière sur l'observation et l'induction, le scepticisme et le psychologisme s'imposent : l'expérience pourra bien montrer mille fois qu'une loi est « vérifiée », rien ne permettra jamais dans ces conditions de prouver qu'elle le sera une nouvelle fois encore. Mais ce que Popper conteste, ce sont les prémisses de cette épistémologie. Ce qui est faux, à ses yeux, c'est que la science procède par induction et vérification. Ses deux moments clef sont au contraire la *conjecture et la réfutation* : la conjecture, parce que l'esprit scientifique n'est nullement passif et neutre, mais actif et même, le cas échéant, passionné. La réfutation, parce que, à l'encontre de l'opinion dominante, et c'est là que Popper introduit sa véritable « révolution épistémologique », la science n'a pas pour but de « vérifier » des hypothèses (des « conjectures »), mais tout au contraire de faire son maximum pour tenter de les réfuter ou, les deux termes sont ici synonymes, de les « falsifier ».

Nous allons voir combien cette inversion des points de vue, apparemment presque triviale, va s'avérer en vérité d'une exceptionnelle richesse. Mais d'abord, essayons de la rendre pour ainsi dire plus « sensible » grâce à un exemple simple auquel Popper lui-même recourt souvent dans son œuvre. Soit la proposition : « Tous les corbeaux sont noirs. » Pour les raisons que nous venons d'examiner, il est impossible de prouver, comme le voudrait le « vérificationnisme », la vérité d'une telle proposition. J'aurais beau accumuler mille, dix mille, cent mille observations allant dans son sens, elles ne prouveront jamais que tous les corbeaux sont noirs : il est toujours possible, en effet, qu'une nouvelle observation aille dans le sens inverse, et il faudrait que je connaisse tous les corbeaux, non seulement existants, mais aussi passés, à venir et même « possibles » pour pouvoir conclure valablement, ce qui est par définition impossible. En revanche, il est parfaitement possible de réfuter ou de falsifier cette proposition : pour cela, il suffit que j'exhibe *un seul corbeau blanc* (ou rouge ou vert, peu importe), et alors nous serons *certains* que la proposition est fausse.

D'où la première conclusion que Popper peut tirer de la notion de falsifiabilité : c'est qu'il y a asymétrie entre la vérité et la fausseté. En clair, s'il est impossible de prouver empiriquement qu'une proposition est vraie, il est possible en revanche de prouver en toute rigueur qu'elle est fausse. Ou, dit autrement : nos certitudes ne peuvent jamais porter sur la vérité, mais en revanche, on peut quand même échapper au scepticisme, car il est certain, et même absolument, que certaines propositions sont fausses. C'est à partir de ce fil directeur qu'il va s'avérer enfin possible de tracer une ligne de démarcation entre discours scientifiques et non scientifiques : en un mot, sur lequel on va revenir dans un instant, une proposition qui ne se prête à aucune réfutation possible (par exemple : Dieu existe, ce que nul ne peut à proprement parler réfuter expérimentalement) n'est pas, par définition même, une proposition scientifique. Cela ne signifie nullement pour autant qu'elle soit fausse, mais simplement qu'elle relève d'une autre logique que celle de la science. Mais avant même d'en venir à ce point crucial, j'aimerais lever très brièvement deux objections qui sont si souvent faites au critère de falsifiabilité qu'elles pourraient perturber la poursuite de notre réflexion.

La première objection touche le statut du critère de falsifiabilité : ce critère est-il lui-même scientifique, auquel cas il devrait pouvoir s'exprimer dans des énoncés falsifiables, ou bien relève-t-il lui aussi d'une autre logique que celle de la science et, dans ce cas, pourquoi devrait-on lui accorder quelque crédit ? La réponse de Popper est très claire sur ce point : son fameux critère est lui-même « non falsifiable », il appartient, non à la science, mais à la philosophie des science (à l'épistémologie). Pour autant, cela ne l'empêche nullement d'être très probablement juste, car susceptible d'une argumentation plausible. On perçoit ici toute l'importance qu'il y a à ne pas confondre science et vérité : il est sans aucun doute des vérités non scientifiques qui se fondent sur d'excellentes argumentations. Simplement, elles ne sont pas des propositions soumises au verdict d'une réfutation expérimentale.

La seconde objection que je voulais évoquer concerne la question de l'asymétrie entre l'erreur et la vérité. Pour qu'on puisse être plus certain de la première que de la seconde, comme le prétend Popper, il faudrait en effet que nous puissions au moins être sûrs de la vérité des énoncés de base. Dans notre exemple, pour avoir la certitude que la proposition selon laquelle tous les corbeaux sont noirs est fausse, il faudrait déjà savoir si l'énoncé « il y a un corbeau blanc » est lui-même vrai. Là encore, la réponse de Popper est très claire : quoi qu'il en soit de cette question, l'asymétrie entre erreur et vérité reste entière et légitime. Car, d'un côté, celui de la vérité, rien ne permet de prouver qu'une proposition est vraie, tandis que de l'autre, celui de l'erreur, il existe au moins une condition qui nous permet de démontrer la fausseté d'un énoncé. S'il est vrai qu'il y a un corbeau blanc, alors il est absolument certain que la proposition « tous les corbeaux sont noirs » est fausse. Comme le dit fort clairement Popper : « L'asymétrie consiste donc en ceci : un ensemble fini d'énoncés de base permettent, *s'ils sont vrais*, de falsifier une loi universelle, alors qu'ils ne peuvent en aucun cas vérifier cette même loi ; il existe donc une condition qui rend la falsification possible, il n'en existe pas qui permette la vérification [4]. »

Cela étant précisé, revenons à la notion de falsifiabilité comprise comme critère de démarcation entre science et

4. *Ibid.*, p. 203.

non-science. Pour en comprendre toute la portée, il n'est pas inutile de rappeler une anecdote très significative touchant les rapports de Popper avec des discours qu'il a toujours considérés, malgré leurs prétentions, comme non scientifiques, en l'occurrence, la psychanalyse et le marxisme.

Au tout début des années 1920, Popper s'intéresse de près aux travaux d'Einstein sur la relativité. Ils sont alors très contestés. En parallèle, il continue d'étudier le marxisme auquel il n'est pas *a priori* hostile. Lui-même a été tenté par le communisme et, social-démocrate, il est proche des courants « austro-marxistes ». Enfin, il s'intéresse aussi à la psychanalyse et travaille notamment, avec Alfred Adler, sur des groupes d'enfants. Pourtant, il ne peut, dès cette époque, qu'être frappé par la différence fondamentale d'attitude qui sépare le physicien des autres intellectuels.

D'un côté, marxistes et psychanalystes adoptent sans cesse et jusque dans les moindres détails, une attitude vérificationniste. Il ne s'agit pas de nier que certaines de leurs hypothèses soient plausibles, intelligentes ou séduisantes... et peut-être même « pleines de vérité » ! Simplement, l'expérience est toujours convoquée pour les confirmer, jamais pour tenter de les infirmer. Quel que soit le cas qui se présente, il vient conforter la théorie de sorte que pour les marxistes notamment, la lecture des journaux, depuis les titres de la une jusqu'aux petites annonces, fonctionne comme une longue suite de preuves en faveur de leurs convictions. Et si par hasard un événement semble s'opposer aux principes fondamentaux de la doctrine, on invente aussitôt une « hypothèse ad hoc » pour, comme le dit joliment Popper, « immuniser la théorie », la vacciner pour ainsi dire contre toutes les atteintes possibles du réel. Par exemple, il est assez clair que, selon Marx et Engels, la révolution prolétarienne devait, pour des raisons de fond, advenir dans les pays les plus industrialisés, parce que le capitalisme y aurait déployé toutes ses contradictions. Pas de chance, c'est dans un pays, la Russie, où le capitalisme est encore peu développé que la fameuse révolution explose. Mais plutôt que de reconsidérer, au moins en partie, la théorie, d'admettre qu'elle est en quelque façon « falsifiée » par les faits, on préfère l'immuniser en inventant la fameuse doctrine du « maillon le plus faible » : dans une chaîne, c'est, comme on sait, toujours lui qui cède le premier. La Russie sera donc ce maillon faible qui explique pourquoi c'est en elle que se produit une rupture qui, « normalement » aurait dû plutôt advenir en France ou en Angleterre...

Pourquoi pas ? Le problème, c'est qu'ainsi immunisée, la théorie marxiste *ne peut plus être réfutée par rien ni par personne.* Que la révolution advienne ici ou là, peu lui importe, elle peut rendre raison de tout, de A comme de non-A, avec la même facilité et en recourant aux mêmes principes. Dès lors, elle devient à proprement parler *indiscutable*... ce qui lui donne déjà de fortes potentialités totalitaires.

D'autant qu'à cette immunisation qui rend imperméable à tous les faits, s'ajoute une analyse et un rejet de toutes les objections en termes de « résistance » ou d'« idéologie » : quoi que l'on oppose aux disciples de Freud ou de Marx, on se voit immédiatement suspecté de n'exprimer qu'un refoulement, une « résistance » inavouable à une « vérité qui fait mal », ou, pire encore, de manifester des « positions ou des intérêts » de classe, forcément hostiles au prolétariat. La vraie question n'est plus « que dis tu ? Expose-le et discutons en tenant compte de la réalité empirique », mais « d'où parles-tu », à partir de quels présupposés inconscients inavoués ou inavouables ? Bref, comme le dit fort justement Popper, dans *Conjectures et Réfutations* : « Ce n'était pas un doute sur la vérité de ces théories qui me préoccupait, mais au contraire, ce qui me préoccupait, c'est que rien ne puisse les réfuter ! »

Dans le même temps, l'attitude d'Einstein offre une image rigoureusement inverse, celle de la vraie science selon Popper. L'un des aspects de ses découvertes le conduit à supposer que les rayons lumineux décrivent une courbe lorsqu'ils sont dans le champ de gravitation d'un corps massif. Mais au lieu d'immuniser cette hypothèse contre toute atteinte possible du réel, il imagine lui-même les moyens qui pourraient au contraire la réfuter. Afin de la tester, en effet, il faudrait pouvoir observer le rayon lumineux d'une étoile située dans le champ de gravitation du soleil. Mais pour cela, on doit attendre une éclipse. Le 29 mai 1919, l'occasion se présente. Une éclipse de soleil peut être observée depuis l'Afrique et Einstein prédit précisément que, sur les photos, les étoiles proches du soleil devraient apparaître décalées de leur position habituelle dans le ciel et il calcule également l'ampleur de ce décalage. Ce faisant, *il prend le risque incontestable d'être réfuté par les faits sans qu'aucune immunisation ne soit désormais possible*. Bien que réfutables empiriquement, à la différence des thèses de Freud ou de Marx, les conjectures d'Einstein, audacieuses, contestées et risquées, vont résister à l'épreuve des faits. Cette victoire, sans doute, n'est pas acquise une fois pour toutes, mais elle nous met sur la voie de ce qu'est la science authentique : un ensemble de propositions falsifiables qui ont, jusqu'à preuve du contraire, surmonté des tests de falsifications *risqués pour elles*.

De ce simple critère de démarcation, découlent déjà toute une série de conséquences importantes sur la différence entre la science et les autres discours. On en retiendra ici deux, particulièrement significatives dans le contexte de notre discussion du biologisme comme fausse science, mais vraie métaphysique dogmatique se parant d'une légitimité scientifique usurpée.

La première, c'est que si la science est d'abord et avant tout un corps de propositions falsifiables, la qualité première d'une conjecture scientifique est d'être risquée, et non *a priori* immunisée contre toute réfutation et toute discussion possible. Or un énoncé ne saurait être réfuté que s'il exclut « courageusement » la possibilité de certains événements dans le monde. C'est en faisant cela qu'il prend le risque d'être contredit par les faits – là où nous avons vu au contraire, avec l'exemple de la théorie marxiste des révolutions, que, n'excluant aucune éventualité, elle pouvait expliquer aussi bien un événement que son contraire, échappant ainsi à toute possibilité d'être mise en cause par le réel. Cela ne signifie bien sûr pas, Popper n'a cessé de le répéter, que les discours non réfutables soient faux : comment pourrait-on d'ailleurs le prouver puisque, justement, ils sont non falsifiables ! Il est même possible qu'ils comprennent beaucoup d'éléments en quelque façon « vrais », décrivant correctement certaines réalités. Simplement, ils ne peuvent pas faire l'objet d'une discussion *objective*, susceptible d'être arbitrée au final par des tests faisant appel à l'expérience. De plus, ils finissent, à force d'immunisation, par ne plus rien nous apprendre sur le réel : une doctrine qui peut tout vous expliquer n'explique en vérité plus rien. Si la révolution prolétarienne peut advenir n'importe où et n'importe quand, aussi bien au Japon que dans les pays du sub-Sahel, à quoi peut bien me servir une théorie qui prétend pouvoir en prédire, au moins de manière approximative, le lieu et le moment ? Si tous mes rêves sont la réalisation de désirs, mais que ces désirs sont si obscurs et si contradictoires que leur interprète peut formuler, sans aucun risque d'être contredit, toutes les hypothèses possibles et imaginables, le risque est grand que je finisse par me lasser de ses interprétations, même si je les trouve parfois plausibles, parce que je ne puis me départir du sentiment qu'un autre analyste, sans doute, aurait à partir de son propre inconscient, émis d'autres interprétations encore... On peut bien sûr discuter en théologie, en psychanalyse, dans le marxisme, comme d'ailleurs en morale ou en esthétique. Mais la plupart du temps, sinon toujours, on ne peut le faire objectivement, en ayant recours à la réalité pour trancher nos débats. À la limite, il appartient à chacun de décider s'il s'agit d'un avantage ou d'un inconvénient. Ce qui est certain, en tout cas, c'est qu'il n'en va pas ainsi dans les sciences authentiques.

Afin de rendre le critère de démarcation plus sensible encore, examinons brièvement deux exemples (on pourrait bien entendu les multiplier à l'infini) de propositions non scientifiques parce que manifestement non falsifiables :

— « Dieu existe » : c'est peut-être vrai, mais on ne peut imaginer aucune expérience, aucun test, qui vienne contredire cette hypothèse. On a essayé souvent, bien entendu. On se souvient par exemple de la fameuse *Lettre sur les aveugles* rédigée par Diderot contre la théodicée de Leibniz : s'il existe du mal qui frappe injustement ceux qui n'ont pas péché, c'est qu'il n'y a pas un Dieu juste. Or il existe des aveugles de naissance, donc Dieu n'existe pas... Mais, outre que le raisonnement ne vaut que contre un Dieu juste, même à l'encontre de ce dernier, il ne prouve rien du tout aux yeux du croyant qui peut toujours supposer que les « voies du Seigneur lui sont impénétrables » !

— « Toute action humaine est déterminée par des intérêts conscients ou inconscients. Il n'y a donc pas d'acte gratuit ni de libre arbitre » : ce thème commun à l'utilitarisme et au matérialisme, thème omniprésent dans les éthiques néodarwiniennes où on le présente volontiers comme un fait scientifique, est à l'évidence tout le contraire : un postulat lourdement et platement métaphysique, à jamais non falsifiable. Comment prouver en effet qu'un acte n'aurait pas été déterminé secrètement par des intérêts inconscients puisque, par définition même, ils sont invisibles et impalpables ?

Ni la théologie, ni le matérialisme pseudo-scientifique ou philosophique ne sont des théories falsifiables. Cela devrait aller de soi, mais le critère poppérien permet de le penser de façon rigoureuse. Est-ce inutile ? Rien n'est moins certain, car la légitimité du discours scientifique est si grande, si tentante, que souvent, d'un côté comme de l'autre, on refuse de s'en passer tout à fait : la sociologie de la connaissance d'inspiration marxienne se veut toujours « scientifique », la psychanalyse également, quoi qu'à un moindre degré, mais les pires délires néodarwiniens se parent eux aussi des prestiges de la « vraie science » tandis que nombre de chrétiens n'ont pas renoncé à l'espoir de voir un jour, pour parodier la dernière encyclique de Jean Paul II, la raison confirmer leur foi – comme si cette dernière avait en quelque façon besoin du secours de la première.

La seconde conséquence du critère de démarcation poppérien porte sur la conception de l'objectivité mise en œuvre dans les sciences. Elle mérite aussi tout notre intérêt.

Dans le marxisme et la psychanalyse c'est souvent, de manière explicite ou implicite, l'idée d'une maîtrise des intérêts inconscients qui sous-tend la théorie de l'objectivité. C'est là, par exemple, l'une des significations du fait que, pour être psychanalyste, il faut en principe avoir été soi-même en analyse. De même, le sociologue marxiste est celui qui a, du moins est-ce là une de ses prétentions les plus constantes, « objectivé » son inconscient social, pris conscience, donc, des déterminations et des intérêts qui pèsent sur son travail, sur ses choix, ses engagements, etc. L'objectivité, en ce sens, ne serait pas une propriété intrinsèque de tel ou tel jugement ou proposition, mais le résultat d'un long parcours, d'un travail sur soi, sur son histoire, sa famille, son milieu, ses conditions sociales d'existence, etc.

Il est bien possible que, sur un plan personnel, un tel travail soit utile, et même nécessaire. Ce que prétend Popper, cependant, c'est qu'il n'a rigoureusement aucun rapport avec l'activité scientifique et ce, au moins pour deux raisons.

La première est que si l'objectivité scientifique devait dépendre d'un tel travail sur soi du savant, nous devrions conclure immédiatement au scepticisme : car un tel travail est, par définition, une tâche infinie, et même le sociologue ou l'analyste le plus chevronné ne saurait sérieusement prétendre avoir tiré au clair la totalité de son inconscient social ou personnel. Nul ne peut jamais savoir ce qui risque de le déterminer à son insu. C'est même là une simple tautologie. Dans cette perspective, donc, l'objectivité parfaite ne saurait être qu'un idéal, jamais une réalité.

La seconde raison, c'est que, de toute façon, cela n'a aucune importance d'un point de vue scientifique. Car le problème n'est nullement de savoir « d'où parle le savant », d'analyser comment et pourquoi il est parvenu à telle ou telle hypothèse, mais de pouvoir soumettre l'hypothèse en question à la discussion *commune et critique*. L'objectivité d'un énoncé scientifique ne dépend pas de la façon dont il est produit, mais uniquement de sa « discutabilité ». Le critère de l'objectivité ne se situe pas dans une *généalogie plus ou moins soupçonneuse, mais dans une « épistémologie sans sujet* » où l'on se soucie comme d'une guigne de l'inconscient des chercheurs. On pourrait certes s'y intéresser d'un autre point de vue : par exemple si l'on se met à réfléchir aux politiques scientifiques, si l'on se demande pourquoi on travaille sur tel objet, dans telle direction plutôt que telle autre, etc. Toutes ses questions sont légitimes et intéressantes. Mais elles ne touchent en rien au problème de l'objectivité scientifique que Popper, dans *Conjectures et Réfutations* définit en ces termes :

« Si on me demandait : comment savez vous ? Quelle est la source ou la base de votre information ? [...] Je répondrais : je ne sais pas, mon affirmation était une simple conjecture. Peu importe la ou les sources d'où elle a pu sortir – il y en a plusieurs possibles et il se peut que je n'en sois pas conscient. Les questions d'origine ou de généalogie ont de toute façon peu à voir avec les questions de vérité. Mais si le problème que j'ai essayé de résoudre par mon hypothèse vous intéresse, vous pouvez m'aider en la critiquant aussi sévèrement que vous pourrez et si vous pouvez désigner un test expérimental dont vous pensez qu'il pourrait la réfuter, c'est avec joie que je vous y aiderai [5]. »

Où l'on voit que le scientifique n'est ni un métaphysicien, ni un philosophe du soupçon, mais quelqu'un qui, en principe, ne peut pas ne pas être ouvert à la discussion publique. C'est là sans doute un des aspects les plus profonds de la pensée poppérienne : comme Kant, il inscrit l'intersubjectivité, l'éthique de la discussion dirions-nous aujourd'hui, au cœur de l'objectivité. Dans son « épistémologie sans sujet », on s'intéresse aux énoncés, aux idées et aux conjectures, pas au sexe, à l'origine sociale, ethnique, religieuse ou culturelle de ceux qui les défendent. C'est pourquoi aussi on peut y « tuer les idées sans tuer les hommes », réfuter une hypothèse sans jeter aussitôt l'anathème sur celui qui l'a émise. D'où le double lien qu'entretiennent science et démocratie : non seulement tout le monde est, au moins en principe, à égalité devant la science en ce sens que nul n'est exclu de la

5. Cité par A. Boyer, *loc. cit.*, *Esprit*, mai 1981, p. 74.

discussion par « nature », en raison de sa classe sociale ou de quelque autre appartenance communautaire que l'on voudra. Mais en outre, dans la science comme dans une vraie démocratie, rien n'échappe non plus, sauf la sphère privée du « sujet », justement, à la discussion publique...

Il n'est pas inutile de montrer maintenant, afin de lui donner toute sa profondeur, en quoi ce « rationalisme critique » de Popper est largement l'héritier de la déconstruction kantienne des illusions de la métaphysique.

Kant : de la connaissance scientifique aux illusions métaphysiques

On pourrait dire très simplement les choses : dans la perspective kantienne, *la science*, même mathématique, est toujours liée à une expérience possible, elle est une connaissance des événements et des objets situés dans le monde ou, comme dit Kant, « des phénomènes situés dans l'espace et dans le temps », et non point hors d'eux. Au contraire, la *métaphysique* ne cesse de s'illusionner en pensant qu'elle peut connaître des objets situés hors de toute expérience possible, tels que Dieu, l'âme, les origines du monde, etc. Bien plus, elle croit pouvoir tenir sur de telles entités des discours non seulement cohérents, mais vrais : sur les preuves de l'existence d'un être suprême, sur l'immortalité individuelle, sur le commencement premier de l'univers, etc. *La philosophie*, elle, consiste à séparer ces différents domaines de l'activité intellectuelle, à en définir la légitimité ou l'illégitimité, bref à en fixer les limites. En quoi elle n'est, comme on le voit, ni scientifique ni métaphysique mais seulement, pour l'essentiel, réflexive.

On pourrait presque s'arrêter là, en soulignant simplement que, comme la plupart des autres philosophes du XVIIIe siècle, Kant rejette la métaphysique et admire les « Lumières » de la science authentique. Il fut d'ailleurs, comparé à son temps, un remarquable géographe, un bon physicien et un honnête mathématicien, ce qui, pour un philosophe, n'est déjà pas si mal.

On peut aussi aller un peu plus loin... C'est même nécessaire si l'on veut saisir ce qui justifie cette admiration pour la science et cette critique résolue des illusions métaphysiques – double attitude qui mérite qu'on s'y arrête tant elle va s'avérer fondatrice de ce que nous vivons encore aujourd'hui. La pensée de Kant est difficile, peut-être une des plus difficiles de toutes à aborder pour un lecteur non préparé. Il doit donc en être averti : ce qui va suivre supposera de sa part un « travail », une participation plus active et il lui sera sans doute nécessaire de regarder parfois le texte de Kant par lui-même. À partir d'un certain niveau, l'apprentissage de la philosophie ne peut plus se faire de manière passive ni même en comptant sur les forces de sa seule réflexion. Il suppose un peu, et même parfois beaucoup d'humilité : celle qui convient au détour que l'on consent de faire par les grandes pensées du passé.

Pour bien saisir ce qui sépare radicalement science et métaphysique, il faut assurément partir de la distinction que Kant opère dans la *Critique de la raison pure* entre le *concept* (acte de l'*entendement* qu'étudie l'*Analytique transcendantale*), l'*intuition* (qui est le fait de la *sensibilité* qu'analyse l'*Esthétique transcendantale*) et l'*Idée* (opération de la *Raison* métaphysicienne dont la critique est faite dans la *Dialectique transcendantale*). Une simple définition de ces trois termes nous conduira directement au cœur de notre propos.

Le concept est décrit classiquement par Kant comme doué de deux traits caractéristiques : la « compréhension » et l'« extension ». On pourrait le comparer à un « ensemble » au sens mathématique du terme. La « compréhension » est en effet la propriété de classement ou, si l'on veut, la *définition* autour de laquelle se regroupent les éléments, et l'extension correspond aux éléments eux-mêmes. Soit le concept de table : sa compréhension, c'est tout simplement la définition de la table, son extension, les tables réellement existantes dans le monde. Si le concept énonce une propriété commune à une pluralité d'éléments, on perçoit aisément qu'il ne nous fait jamais saisir véritablement le *particulier* ou *l'existence réelle* mais seulement le *général*, c'est-à-dire ce qui relie cette multiplicité réelle lorsque l'on fait abstraction des différences non signifiantes par rapport à la compréhension. En d'autres termes – dont nous verrons que, malgré l'apparence, ils ne sont pas seulement triviaux – la compréhension du concept ne nous donne pas accès à son extension, la définition d'une classe d'objets ne nous « donne » pas, si parfaite soit-elle, les objets eux-mêmes, les *individus*. Je peux bien définir aussi précisément qu'on voudra la notion de table, cela ne fera jamais exister aucune table réelle. Bref, il nous faut autre chose que de simples concepts pour avoir accès aux « choses mêmes », à l'existence singulière.

C'est là, justement, le rôle de ce que Kant nomme l'*intuition* – ou dirions-nous plutôt dans le langage courant, « perception ». Nous n'avons plus ici affaire à une représentation générale, mais à une conscience « singulière » qui relève non de l'entendement, mais des sens, de la « sensibilité ». L'intuition est en effet pour Kant toujours *sensible*, et pour saisir une existence particulière, il faut toujours recourir à une *perception* empirique réelle, c'est-à-dire à une perception *hic et nunc*, située de façon parfaitement singulière dans l'Espace et le Temps (ce pourquoi la doctrine de la sensibilité, « l'esthétique transcendantale », se consacre pour l'essentiel à l'analyse de l'espace et du temps). L'enjeu de ces affirmations – en apparence évidentes – n'a pourtant rien de trivial : sans nous attarder pour l'instant à l'argumentation qui les sous-tend, il s'agit pour Kant, dès l'étude de la sensibilité, *de rejeter* la première et principale illusion de la métaphysique, celle qu'on désigne traditionnellement sous le nom d'« *argument ontologique* ». On se souvient en effet de la façon dont cette fameuse « preuve » de l'existence de Dieu entendait déduire son existence de son concept même : j'ai l'idée d'un être parfait, c'est-à-dire, possédant toutes les qualités ; or l'existence est une qualité parmi d'autres ; donc Dieu doit exister. Contre cette pseudo-démonstration, qui sous-tend toutes les illusions de la métaphysique, Kant affirme que la *tentative de déduire l'existence de la pensée* est vouée par essence à l'échec, même quand il s'agit de Dieu. Il y a en effet une grande différence entre *l'idée* d'un Être nécessaire et parfait... et l'existence de cet Être lui-même. Le réel ne saurait jamais être que *donné* et non *déduit* d'une Idée ou d'un concept qui, selon une formule bien connue, sans intuition reste « vide ». Il y a donc – tel est le sens profond de ces affirmations – du « non-conceptuel », du « hors-concept » ou, si l'on veut, du « non-rationnel », et c'est l'existence même. C'est ainsi dès la théorie de la sensibilité que se manifeste ce que l'on pourrait nommer l'« anti-idéalisme » de Kant : l'existence matérielle n'est ni réductible à la pensée ni déductible d'elle.

C'est justement là ce que conteste *l'Idée* qui constitue l'opération métaphysique par excellence, celle qui vise à déduire le particulier du concept (du général), à le saisir par la Raison et non par l'intuition. L'Idée, qui correspond à la façon dont Dieu percevrait le monde, serait en quelque sorte le concept devenu capable (nous verrons par quels artifices) de déduire réellement son *extension* de sa *compréhension*. Nous aurions à proprement parler une Idée si nous pouvions, à partir d'une propriété générale, en tirer les individus réels qui lui correspondent. Si une telle opération était possible nous pourrions alors *connaître* directement l'existence individuelle au lieu d'être contraints de la *percevoir* (de l'*intuitionner*) seulement, et nous pourrions faire ainsi l'économie de ce que Kant nomme sensibilité. On a déjà vu que c'est ce qui se passe dans l'argument ontologique où l'on prétend déduire l'existence de Dieu à partir de sa simple Idée comme être parfait, ayant toutes les qualités, etc. À cet égard, on pourrait dire que l'*intuition* et l'*Idée* sont concurrentes, qu'elles visent un même but, mais par des moyens différents : toutes deux en effet cherchent à saisir cette existence singulière que le concept laisse hors de lui comme son extension, mais la première atteint ce but par la perception sensible tandis que la seconde prétend pouvoir y parvenir par la seule force de la Raison. Si nous pouvions avoir une Idée, il n'y aurait donc plus d'intuition et *tout serait intégralement pensable ou rationnel.* Nous serions pour ainsi dire dans l'idéalisme achevé. Inversement, s'il s'avérait, comme le pense déjà la « conscience commune », que *l'intuition est irremplaçable* pour saisir l'existence spatio-temporelle, l'Idée ne serait qu'une illusion métaphysique dont il faudrait dès lors opérer la critique et préciser le statut exact.

À vrai dire, la concurrence entre l'Idée et l'intuition *semble* presque « déloyale » tant la visée propre à l'Idée *paraît* absurde : on ne voit guère en effet, comment, en définissant même avec le plus grand soin une table ou un arbre, il serait possible de faire exister la table ou l'arbre eux-mêmes, pas plus qu'on ne comprend à première vue quel sens pourrait bien revêtir ce projet d'une déduction du réel à partir de la Raison.

On aurait tort, pourtant, de sous-estimer l'adversaire : en prétendant posséder ces Idées, le métaphysicien ne veut pas signifier qu'il détient une mystérieuse faculté de produire ou déduire le réel de sa propre raison (ainsi Krug, un célèbre critique contemporain de Hegel, avait sans doute tort d'exiger de ce dernier qu'il déduisît la plume du stylo avec lequel il affirmait la rationalité du réel). Il veut plus subtilement signifier que si *pour nous*, le réel se donne à percevoir dans des représentations sensibles situées en un espace et un temps, il *existe* un point de vue, celui de Dieu chez les croyants, ou de la science achevée chez les matérialistes, à partir duquel ce réel qui semble sensible est *en soi* ou en vérité rationnel.

Il nous est maintenant possible de comprendre pourquoi la critique kantienne de la métaphysique (du projet représenté par l'Idée) doit nécessairement passer par quatre moments fondamentaux. Il s'agit en effet : *a)* dans un premier temps, d'élaborer une théorie de la finitude afin de trancher, en faveur de l'une ou de l'autre, le conflit qui oppose l'intuition et l'Idée. Pourquoi une théorie de la finitude ? Parce que, à l'évidence, il nous faut savoir si le fait que *pour nous* l'existence soit *donnée de l'extérieur* dans l'espace et le temps par une intuition (ce qui signifie bien une *finitude*, une *limitation* si l'on veut) est le signe d'une *imperfection* (par rapport à l'entendement infini d'un Dieu) ou si, au contraire, c'est l'affirmation de l'existence réelle d'un point de vue infini (le point de vue de l'Idée) qui est illusoire : tel est l'enjeu essentiel de la première partie de la *Critique de la raison pure*, « l'esthétique transcendantale » ; *b)* une fois résolue cette question, il convient encore d'analyser par quels mécanismes est produite *l'Idée* selon laquelle, par définition, le réel est rationnel, *c)* de conduire la critique de cette Idée/illusion, avant *d)* de s'interroger sur le statut qu'elle peut éventuellement posséder *après sa critique*.

- La théorie kantienne de la finitude et la non-rationalité a priori *du réel*

Pour mieux comprendre la portée de la doctrine de la finitude mise en place par Kant dans l'*Esthétique transcendantale*, il convient de rappeler, au moins brièvement, en quoi elle vise à s'écarter radicalement de la conception traditionnelle.

Dans la métaphysique cartésienne en effet, la finitude de l'homme – le fait qu'il soit limité, c'est-à-dire reçoive de *l'extérieur* les objets qui l'affectent, et soit par là même un être sensible – est toujours pensée *relativement* à un absolu dont on a posé au préalable l'existence et face auquel l'homme se perçoit comme un être borné. Cet absolu est celui de l'entendement divin – entendement infini puisque du point de vue de Dieu (ou de l'omniscience), le réel et le rationnel ne faisant qu'un, la pensée n'est pas limitée par un objet qui lui ferait face. La finitude est alors vécue comme une imperfection essentielle à l'homme, comme un manque, et la sensibilité (le fait d'être *passif, réceptif* à l'égard d'objets qui nous sont seulement *donnés* dans l'espace et le temps) est, en tant que marque de cette finitude, dévalorisée (du point de vue de Dieu, rien n'est sensible mais tout est intelligible).

Or, c'est au renversement complet de cette pensée métaphysique de la finitude que l'on assiste dès l'*Esthétique transcendantale* : c'est la passivité ou la réceptivité du sujet qui est posée d'abord, *a priori*, comme condition de possibilité de toute connaissance, de toute représentation, et c'est au contraire par rapport à cette affirmation *première qui élève la sensibilité = la passivité (la réceptivité spatio-temporelle) au rang d'une caractéristique incontournable (sans elle, point d'objet)*, que l'absolu va être lui-même *relativisé*, c'est-à-dire pensé comme un simple point de vue subjectif et non comme une réalité en soi.

Ce renversement possède une conséquence qui intéresse directement notre propos : c'est qu'en posant la réceptivité (la finitude) comme une nécessité ontologique, c'est-à-dire comme un élément indispensable à l'appréhension des objets, et en faisant par là même de l'idée de science achevée ou de « savoir absolu » renfermée dans la notion d'un entendement divin infini, un simple idéal subjectif, une pure pensée et non une réalité en soi, *Kant ouvre un espace au non-conceptuel, au non-rationnel* : la science ne parviendra jamais, pas plus que la métaphysique, à rationaliser intégralement le monde, puisque toute connaissance objective implique toujours une donation sensible, donc, un moment de non-conceptualité. L'idéal de rationalisation du réel visé par la science prendra nécessairement la forme d'un processus infini que rien ne vient par avance garantir, puisque le réel n'est plus pensé comme en soi et *a priori* rationnel.

Mais nous n'en sommes encore, dans l'élaboration de la critique de la métaphysique, qu'au stade des premières affirmations. Pour les confirmer, il faut bien évidemment poursuivre la déconstruction et commencer l'analyse des mécanismes par lesquels se met en place l'illusion de la rationalité parfaite du réel.

- Les mécanismes de production des idées métaphysiques comme illusions de la rationalité du réel

Ici encore, je me limiterai à l'essentiel : la métaphysique se définit assez bien par le rationalisme absolu, la volonté de réduire l'existence à la rationalité, de parvenir, si l'on veut, à la science achevée ou à l'omniscience. Elle s'exprime donc par un choix en faveur d'une extension *illimitée* du principe de raison. Ce choix, nous l'avons vu au chapitre précédent, conduit à des contradictions. Pourtant, il est intéressant de comprendre pourquoi il est si tentant, comment, en d'autres termes, il s'impose presque naturellement à l'esprit scientifique de telle sorte que les illusions métaphysiques en paraissent être le prolongement presque inévitable. Il faut en effet souligner que le principe de raison suffisante, dont on voit mal qui parviendrait à s'en passer, renferme en lui-même son propre devenir métaphysique : chercher à rendre raison d'un événement ou d'un fait, c'est déjà, qu'on le veuille ou non, *virtuellement* viser l'idéal d'une explication de la totalité de ce qui est : car le principe de raison n'a, si l'on ose dire, aucune raison de cesser de fonctionner, et lorsqu'on a trouvé la raison d'être d'un événement ou d'un fait, ce principe nous incite de nouveau à rechercher la raison de cette raison, la cause de cette cause, jusqu'à trouver si possible une cause ultime. C'est précisément cette virtualité métaphysique du principe de raison qui le rend si difficile à *limiter* et qui explique si bien le passage subreptice de la science authentique à la métaphysique illusoire – pour reprendre notre exemple, de la biologie (qui constate de façon légitime que l'homme est aussi un animal immergé dans la nature) au biologisme (qui ne voit plus en lui qu'un animal de part en part déterminé par la nature).

Dans la *Dialectique transcendantale*, Kant a décrit minutieusement le mécanisme par lequel cette répétition indéfinie du principe de raison devait inévitablement susciter *l'Idée* d'une science achevée *en soi, maîtrisant les origines et les causes premières elles-mêmes*, c'est-à-dire l'idée d'une soumission parfaite de la totalité du réel à ce puissant principe logique. Sans prétendre ici analyser le détail de ce mécanisme, on peut indiquer qu'il présente au fond trois aspects principaux.

Tout d'abord, la visée d'une rationalité parfaite prend nécessairement la forme d'une quête de l'*inconditionné, de la cause première, de l'origine absolue* : s'engager à rechercher indéfiniment la raison de la raison, la cause de la cause, c'est en dernière instance rechercher une cause ultime, une cause qui ne serait plus elle-même conditionnée par une autre cause antécédente, bref, un *commencement inconditionné* : c'est seulement si nous possédions un tel fondement ultime que nous pourrions enfin affirmer la rationalité parfaite de la *tctalité* du réel. Appliquée à l'histoire, par exemple, cette visée métaphysique conduira à poser un *commencement* et une fin des temps, ces deux termes extrêmes embrassant la *totalité* du devenir historique.

On observera *ensuite* que cette quête de l'inconditionné doit nécessairement s'effectuer dans trois directions ou, si l'on veut, donner lieu à trois Idées métaphysiques, à trois formes d'illusion de rationalité parfaite du réel : elle peut en premier lieu s'engager dans la voie du *sujet* et chercher à penser ce que serait un sujet transparent à lui-même, qui serait parfaitement *auto-fondé*. Elle peut ensuite s'engager du côté de l'*objet*, du Monde, et chercher à penser ce que serait un univers dont la science serait totalement et dans les moindres détails achevée. Elle peut enfin, faisant la synthèse de ces deux premiers moments, du sujet absolu et du monde rationnel, tenter de découvrir le point de vue, celui de Dieu, d'où ces deux réalités, *sujet et objet*, ne feraient plus qu'un au sein d'une rationalité parfaite. La première enquête est celle de la psychologie rationnelle, la deuxième celle de la cosmologie rationnelle et la troisième, celle de la théologie rationnelle, point culminant de ces trois moments de la « métaphysique spéciale ».

Enfin, il faut encore indiquer que le fonctionnement indéfiniment redoublé du principe de raison, mécanisme qui culmine dans l'idée d'un Dieu pour lequel réalité et rationalité, objectivité et subjectivité, ne feraient plus qu'un, dévoile l'articulation qui unit dans la métaphysique le principe de raison et l'argument ontologique entendu en son sens le plus général, c'est-à-dire comme déduction de l'existence à partir de la pensée : c'est en effet grâce au principe de raison que nous parvenons à l'idée d'une cause première – d'une cause de soi –, donc à l'idée d'un point de vue pour lequel, tout étant rationnel, le concept et l'intuition, la pensée et l'existence deviennent identiques. Dans les métaphysiques rationalistes de l'histoire, par exemple, l'usage inconditionné du principe de raison aboutit à une forme sécularisée d'argument ontologique : c'est ainsi que le matérialisme marxiste prétendra penser l'avenir comme prévisible, comme déductible du concept (des lois de l'histoire), au moins en soi ou, ce qui revient au même, du point de vue du « guide génial » qui, à l'instar du Dieu de la métaphysique, possède la science parfaite de l'économie politique.

Si le principe de raison contient en germe ces trois implications métaphysiques, quelle critique convient-il d'en faire pour revenir à son usage scientifique authentique sans verser dans l'irrationalisme ?

- La critique des illusions de la métaphysique

Pour l'essentiel, la métaphysique est rejetée au sein de la philosophie critique sur trois chefs d'accusation : parce qu'elle est *sophistique, non vraie* et *dénuée de sens*.

1) *Sophistique*, la métaphysique l'est pour une raison fondamentale : parce qu'elle passe indûment de la pensée à l'existence réelle de l'idée d'inconditionné (obtenue par la répétition indéfinie du principe de raison). C'est ce qui a lieu, on l'a vu, dans l'argument ontologique lui-même où l'on passe de notre pensée de Dieu comme parfait à son existence réelle comme si l'on pouvait déduire l'être d'un simple

concept. C'est donc par un usage simplement logique d'un principe lui-même simplement formel, le principe de raison, que l'on parvient, en cherchant sans cesse la raison de la raison, la cause de la cause, à l'Idée d'une cause ultime ; et le fait que cette Idée apparaisse ainsi comme *nécessaire*, c'est-à-dire comme automatiquement produite par la logique interne du fonctionnement du principe de raison, ne justifie nullement (là est la « dialectique », la « sophistique ») le fait qu'on la réifie en lui accordant un contenu réel, bref, qu'on en déduise l'existence effective d'un Dieu (ou d'une science en soi achevée de l'histoire ou de la nature comme le font les deux grands matérialismes modernes). Telle est donc la première illusion métaphysique, illusion qui consiste à confondre une Idée logiquement ou subjectivement nécessaire avec une Idée objective, possédant effectivement un corrélat réel. La métaphysique peut ainsi être décrite comme une forme de « *fétichisme* » intellectuel puisqu'elle oublie *l'activité* mentale qui conduit à l'Idée d'inconditionné, au profit du *produit*, du contenu (faussement) objectif de cette Idée.

2) *Sophistique*, le rationalisme dogmatique est également *dénué de toute vérité scientifique*, puisqu'il en vient à énoncer des propositions qui ne sont plus susceptibles d'être vérifiées ou infirmées par l'expérience. En termes poppériens, il est clair que les énoncés métaphysiques (et, notamment, leur principe suprême, à savoir l'affirmation de la rationalité parfaite du réel) sont tous « infalsifiables », qu'ils se meuvent dans un domaine qui, situé au-delà de l'espace et du temps, échappe à tout contrôle de l'expérience.

3) La métaphysique s'avère en outre privée *de sens*. Dans un précédent chapitre en effet, nous avons dit comment, avec la théorie du schématisme, Kant en venait à caractériser la métaphysique comme un discours non *représentable* par la conscience empirique humaine et, par conséquent, au final dénué de signification : je puis bien, par exemple, définir l'omniscience d'un Dieu en disant qu'elle consiste dans le fait de « tout savoir », je puis encore affirmer que, de

son point de vue, la totalité du réel est rationnelle, mais je ne puis cependant attribuer aucun *sens* à de tels énoncés, car je ne peux jamais me les représenter concrètement : pour moi, être fini, le réel reste toujours au moins partiellement opaque, sensible, donc en quelque façon mystérieux, et l'idée d'omniscience ne peut jamais être *présentée* dans ma conscience. Le discours métaphysique apparaît ainsi comme un discours qui, *bien que cohérent conceptuellement, se déploie dans une sphère d'où je suis exclu en tant qu'être fini. En d'autres termes, il n'est tenable que par quelqu'un qui, par mysticisme ou par dogmatisme, renonce au sens humain des mots, qui renonce à se représenter ce qu'il dit, et s'efface ainsi derrière ses propres énoncés*.

- Le statut des idées après leur critique : l'idéal de la science authentique

Si la critique consiste à rappeler par quels mécanismes intellectuels se produit l'Idée d'une rationalité parfaite du réel (du sujet, du Monde, et de leur unité en Dieu ou en une science achevée, systématique) et comment, une fois cette Idée engendrée, elle est réifiée dans un discours qui échappe au sujet qui le tient (un discours qui n'est plus schématisable ou représentable), il reste à nous demander ce qui subsiste d'elle, une fois opérée cette critique.

Le point culminant du discours métaphysique est l'Idée de Dieu, entendue à la fois comme le terme ultime auquel la quête des causes et des raisons ne peut que s'arrêter, mais aussi comme le point de vue à partir duquel la totalité de l'univers constituerait un ensemble cohérent, transparent et rationnel, bref, un *système*.

Cette Idée du système présente, abstraction faite de la question de sa vérité ou de sa signification, certaines propriétés remarquables : contemplé du point de vue de ce Dieu dont l'Idée est mécaniquement produite par la répétition du principe de raison, le Monde (c'est-à-dire la nature tout entière, mais aussi l'histoire de ce Monde et des hommes qui l'habitent) devrait offrir plusieurs caractéristiques qui le constitueraient proprement comme *système*. Il devrait en effet : *1)* regrouper sous une loi unique, *2)* la plus grande pluralité possible d'êtres différents, *3)* sans que pour autant il y ait entre ces êtres un vide, un hiatus par quoi la rationalité systématique serait brisée (principe de continuité) ; ainsi, *4)* cette unité systématique de la totalité du divers pourrait apparaître, sous l'œil du détenteur de la science achevée, comme pleinement rationnelle de sorte qu'intuition et concept, existence et pensée ne feraient qu'un [6].

On a déjà suggéré comment cette Idée métaphysique de système sous sa forme fétichisée, réifiée – en tant qu'on la posait comme objective et valable en soi – n'avait ni vérité ni signification. Elle n'en demeure pas moins une Idée *nécessaire* de la raison, inévitablement produite qu'elle est par le fonctionnement même d'un principe logique (le principe de raison) dont il est impossible de faire l'économie. De là le projet de « défétichiser » cette Idée pour lui redonner, sinon une vérité, du moins une signification :

— *défétichiser la notion de système* revient au fond à lui restituer son statut d'*Idée*, c'est-à-dire d'*exigence subjective*, mais nécessaire, de la raison humaine ;

— *lui redonner sens* : c'est, si on se réfère à la théorie de la signification qu'on vient d'exposer, tenter de la schématiser, de la faire tomber dans la conscience.

Bien que non schématisable, non représentable, dans sa forme fétichisée, l'Idée de système peut en effet fort bien se laisser schématiser, donc posséder une signification, à titre d'*exigence* : si schématiser un concept, c'est le transformer en un ensemble de règles destinées à construire dans le temps un objet, schématiser l'Idée de système reviendra à la penser comme un impératif adressé à l'entendement humain de travailler à constituer autant que faire se peut nos connaissances scientifiques en système. En d'autres

---

6. Sur ces traits caractéristiques, cf. *Critique de la raison pure*, Appendice à la dialectique transcendantale.

termes : en tant qu'idée métaphysique réifiée, la notion de système *affirme* en soi la rationalité du réel ; en tant que *schème*, elle ne fait qu'*exiger* que l'on *cherche* à produire le maximum de systématicité dans nos connaissances. Défétichisée, transformée en exigence, en horizon d'attente, et non plus posée comme affirmation dogmatique, l'Idée de système peut ainsi trouver à se schématiser, non il est vrai d'un seul coup et en totalité, mais au cours de ce processus partiel et indéfini qui caractérise toute activité véritablement scientifique. Chaque progrès scientifique fonctionnera dès lors comme une illustration de cette Idée, comme une évocation de l'exigence qu'elle nous impose de travailler à la rationalisation du réel, s'il est vrai du moins que « les vérités se groupent en système alors que les erreurs se perdent dans un magma informe [7] ». En ce sens, les Idées de la raison continuent de posséder après leur déconstruction, une certaine légitimité, un « usage régulateur », « celui de diriger l'entendement vers un certain but qui fait converger les lignes de direction que suivent toutes les règles en un point qui, pour n'être, il est vrai, qu'une Idée *(focus imaginarius)*, c'est-à-dire un point d'où les concepts de l'entendement ne partent pas réellement – puisqu'il est entièrement placé hors des bornes de l'expérience possible – sert cependant à leur procurer la plus grande unité avec la plus grande extension [8] ».

De là l'ambiguïté des rapports entre science et métaphysique : d'un côté, c'est, toujours plus ou moins secrètement, les idéaux de la seconde qui animent la première. Comme le dira Nietzsche : pour agir, « il faut toujours que les yeux se voilent d'un bandeau d'illusion ». En l'occurrence, ce sont bien les illusions de la métaphysique, notamment celle de la science achevée et d'un monde enfin sans mystère, qui mettent toute activité de connaissance en route. Quel savant ne rêverait d'un savoir achevé qui permettrait, au moins en

---

7. G. Bachelard, *Le Rationalisme appliqué*, Paris, PUF, 1975, p. 58-59.

8. E. Kant, *Critique de la raison pure*, trad. Tremesaygnes et Pacaud, Paris, PUF, 1997, p. 453-454.

droit, de mettre fin à l'idée qu'il pourrait subsister quelque obscur irrationnel dans l'univers ? D'un autre côté, cependant, la métaphysique est bien aussi le contraire de la science, sa déviation la plus funeste... et néanmoins, comme on le voit avec le biologisme, sa tentation la plus constante.

Par où l'on voit aussi combien Popper et Kant convergent, malgré la distance qui les sépare à bien des égards, vers un diagnostic commun, ou du moins complémentaire dans ce qu'il a, il me semble, de parfaitement juste : la métaphysique est un discours illusoire, qui se développe hors de toute expérience possible, infalsifiable et indiscutable, donc dogmatique. Que le biologisme, en tant que matérialisme scientiste, cumule à lui seul tous ces défauts au moment même où il se croit authentiquement scientifique, c'est là ce que j'ai tenté de vous faire comprendre tout au long de ces cours. Cela ne doit toutefois nullement nous inciter, comme on le fait parfois du côté des sciences humaines et de la psychanalyse, à méconnaître les apports cruciaux de la biologie en tant que science authentique. Tout au contraire. Car c'est sans aucun doute dans un dialogue avec les sciences « dures » que la philosophie, mais aussi les sciences humaines, trouvent l'occasion d'une réflexion plus féconde sur la vérité et sur l'éthique. C'est du reste l'exemple que donnèrent les plus grands, d'Aristote à Pascal, Leibniz ou Kant. Que la pensée contemporaine ait rompu ce lien ou qu'elle l'ait tourné en dérision sous forme d'« impostures intellectuelles » est précisément ce qui a permis aux scientifiques de céder aux illusions d'une « nouvelle philosophie », le biologisme, qui se fonderait enfin sur les résultats des sciences positives.

Il faut le dire et le redire clairement : quelle que soit la nécessité de prendre en compte, pour philosopher, les résultats des sciences positives, il reste néanmoins tout à fait impossible de *fonder une nouvelle philosophie sur la science*. C'est par excellence l'illusion du scientisme et, malheureusement, il fait aujourd'hui encore des ravages chez les scientifiques qui, en toute bonne foi, s'imaginent souvent la fable suivante : après la religion, après la philosophie, voici venu le temps de la science qui va trancher de façon enfin solide et expérimentale les vieilles questions de la métaphysique – celles, par exemple, de l'origine du monde ou de la liberté, des critères de l'éthique ou du beau. Si j'ai évoqué assez longuement ici la critique kantienne de la métaphysique, c'est justement pour attirer votre attention sur le fait que cette vision des choses est totalement erronée, et ce en son principe même : il est des questions, celles qui touchent aux origines, à l'inconditionné, dans l'ordre de la connaissance comme dans celui des valeurs, qui ne peuvent se décider scientifiquement parce qu'elles échappent par essence même à la sphère empirique. S'imaginer qu'il y a des fondements naturels de l'éthique peut avoir deux sens : si l'on veut dire qu'il existe certaines dispositions naturelles qui rendent possible une éthique, cela n'est pas douteux. Entreprendre de le montrer est une tâche utile et justifiée. Mais si l'on veut dépasser les limites de la science et dire qu'on parviendra un jour à fonder ou justifier scientifiquement certains *choix* éthiques plutôt que d'autres, non seulement on s'illusionne sur les compétences de la science, mais on cède à une option intellectuelle dangereuse. Si l'adoption de certaines valeurs devait, comme jadis dans le marxisme, se fonder sur un nouveau matérialisme, celui des sciences de la nature, il prétendrait bientôt à son tour devenir indiscutable, sauf par les méchants ou les ignorants. C'est en quoi aussi la question du propre de l'homme, c'est-à-dire la question de la liberté ou de sa rupture avec le règne de la nature, n'est pas simplement théorique : sa négation intellectuelle emporte toujours avec elle certaines conséquences pratiques auxquelles il est plus que jamais nécessaire de rester vigilant en des temps où il est à nouveau de bon ton de faire l'apologie des pensées antihumanistes.

INITIATION DE LA PHILOSOPHIE

I

Fabrique de l'homme

On ne connaît qu'un homme. Ses droits sont inscrits dans une Déclaration universelle. Cet homme a une histoire qu'il partage avec ses semblables : les hommes. Que ce passé débute en un lieu ou un autre d'Afrique, il y a deux cent mille ou deux millions d'années ne change rien à la seule affirmation qui importe : en matière d'homme, l'à-peu-près ne tient pas, être humain c'est tout un – les autres espèces vivantes [1], toutes les autres, se retrouvent de ce fait rejetées dans l'in-humain. L'espèce humaine, marque déposée, seule en son genre, a remplacé tous les modèles qui ont précédé ou accompagné son installation.

Et cependant, confrontée à cet absolu de l'homme, la monstrueuse vérité est là, inavouable : nous descendons d'un singe. Comment ce passage de l'animal à l'homme s'est-il fait ? Par petites touches successives en trois millions d'années jusqu'à la version définitive ou, plus brutalement, par une sorte de contingence forcée qui conduit à une poignée d'individus fondateurs, le résultat est là : l'« Unique », *Homo sapiens*.

Comme l'aube rend la nuit incertaine, l'apparition de l'humanité au grand jour de l'histoire renvoie dans les ténèbres, l'animalité qui l'a précédée. Mais, pour un

---

1. On appelle espèce une collection d'individus plus ou moins dispersés dans l'espace géographique qui partagent la capacité de se reproduire entre eux (interfécondité).

biologiste le doute n'existe pas : *l'homme est un animal*[2]. Il se fonde sur des preuves empruntées à l'étude de l'évolution qui montrent que l'homme est, au même titre que tous les êtres vivants, un produit de la sélection naturelle, qu'il appartient au groupe des primates et s'y situe selon un certain ordre de parenté parmi d'autres espèces plus ou moins proches. Il n'y a pas phylogénétiquement[3] parlant de « règne humain ».

Le philosophe l'entend différemment : *l'homme n'est pas un animal*. Il met le plus souvent en avant le phénomène humain qui introduirait dans le vivant une rupture comparable à celle qui sépare le règne animal et le règne végétal. De la même façon que le premier s'oppose au second par le fait que le végétal utilise directement l'énergie lumineuse et des molécules élémentaires pour se construire et se maintenir en vie *(autotrophie)* et que l'animal et le champignon ne peuvent le faire qu'indirectement en consommant de la matière organique *(hétérotrophie)*, on pourrait définir l'homme comme un être tirant sa substance de l'humain *(anthropotrophie)*. Ainsi, serait-on humaniste comme d'autres sont botanistes ou zoologistes.

La question de l'humanisme

Heidegger dans sa *Lettre sur l'humanisme*[4] affirme que la conception humaniste ne saisit pas l'essence de l'homme. Il souligne le fait que l'humanisme partant du problème de l'homme doit, s'il veut avoir une signification philosophique, se fonder sur une anthropologie. Or cette dernière n'est jamais que le *naturalisme de l'homme* et est en cela plus descriptive qu'explicative. Sa mission selon Heidegger

---

2. J'utiliserai le mot homme pour désigner l'individu mâle ou femelle appartenant à l'espèce humaine.

3. Phylogenèse, du grec *phûlon*, tribu, désigne le développement des espèces et *ontogenèse*, du grec *ontos*, être, le développement de l'individu. Le règne correspond à une grande division des corps de la nature, par exemple le règne animal.

4. M. Heidegger, *Lettre sur l'humanisme*, Paris, Aubier, 1983.

consiste en ceci : réfléchir et veiller à ce que l'homme soit humain et non in-humain.

Il est vrai que le biologiste se faisant l'auxiliaire de l'anthropologue met à sa disposition un catalogue de données anatomiques et fonctionnelles dont aucune séparément ne suffit à s'assurer du « propre de l'homme ». L'usage de la raison avec ou sans son support neuronal est réputé toutefois n'appartenir qu'à celui-ci. Par cette exclusivité, l'homme prétend régler son problème : celui d'un étant parmi les autres. Chez cet « animal doué de raison », celle-ci suffirait à effacer le premier terme de la proposition : l'animal. L'humanisme et ce faisant, l'humanisme biologisant, se comporte, toujours selon Heidegger, comme une métaphysique traditionnelle et tourne le dos à la différence qui existe entre le problème des étants et le problème de l'Être (ce que Heidegger appelle la différence ontologique).

Il ne s'agira donc pas pour le biologiste d'emprunter la tunique du philosophe et de « penser l'être de l'étant » en recherchant les caractéristiques de cet « étant parmi les étants », grâce à l'inventaire de tout ce qui tient l'humain à distance de l'in-humain. Aucun élément n'est nécessaire et suffisant. Paralysé, aphasique et déraisonnable, un homme reste un homme.

La seule question qui puisse nous conduire à l'essence de l'humain est celle des origines. Le « d'où venons-nous ? » vient en réponse du « que sommes-nous ? ».

La parole offre le moyen d'expérimenter l'Être. Elle ne peut pas être rationnelle, mais poétique et métaphorique. Elle seule permet d'ouvrir une éclaircie au cœur de la forêt imaginaire dans laquelle l'homme se trouve.

Ce qui fonde l'homme dans l'Être, c'est la parole originelle. Elle met en lumière la formidable contradiction à l'origine de la vie, celle du semblable et de l'opposé qui en est l'essence, comme j'essaierai de le montrer dans la troisième partie.

Si donc, l'homme dans sa prétentieuse quête de l'Être se tourne vers les origines, que trouve-t-il ? Des hommes bien sûr : des millions d'ancêtres parmi lesquels quelques philosophes, des militaires de carrière, des Cro-Magnon et des

Homo erectus. Mais en remontant au-delà de la cent millième génération (2 MA [5]) le doute s'installe : ces ancêtres peuvent-ils encore passer pour des humains ? À la trois cent millième génération (6 MA), l'hésitation n'est plus permise : ce sont des singes. À moins de refuser toute parenté avec ces aïeux infréquentables [6], il faut accepter l'idée d'une ligne généalogique directe entre une espèce d'anthropoïdes dont on ne possède plus de traces et l'espèce humaine dont Heidegger fournit un brillant prototype. Pour illustrer l'insolence de mon propos, deux citations. La première est de Buffon : « Les singes sont tout au plus des gens à talent que nous prenons pour des gens d'esprit. » La seconde est empruntée à Thomas Bernhard [7] : « Heidegger avait une figure ordinaire, pas une figure marquée par l'esprit, [...] c'était un homme tout à fait dépourvu d'esprit, dénué de toute imagination et de toute sensibilité [...] une vache philosophique continuellement pleine [...] qui paissait sur la philosophie allemande et qui pendant des décennies, a lâché sur elle ses bouses coquettes dans la Forêt-Noire. »

Mais quand et comment est-on passé du singe talentueux *(habilis)* à l'homme d'esprit *(sapiens)* ? Lorsque ce dernier tourne son regard très loin en arrière, que trouve-t-il ?

Des traces de pas

Des empreintes vieilles de trois à quatre millions d'années (3,7 millions d'années) laissées dans la boue volcanique pétrifiée à Laetoli en Tanzanie. Trois individus. D'où venaient-ils ? Où allaient-ils ? Avaient-ils entre eux une conversation ? Se posaient-ils la question de l'Être ? Après tout leur pensée n'est peut-être pas plus inaccessible que celle de Heidegger. Qui étaient-ils ? Des bipèdes ! C'est tout ce que la science nous autorise de répondre.

5. MA ou million d'années. Je compte 20 ans par génération.
6. Position créationniste fréquente dans les milieux intégristes.
7. T. Bernhard, *Maîtres anciens*, Paris, Gallimard, 1986.

L'énigme du Sphinx

Qu'est-ce qui se déplace sur quatre jambes le matin, sur deux à midi et trois le soir ? La réponse n'a pas changé depuis Œdipe : l'homme. Mais une nouvelle interprétation est possible. Singe quadrupède le matin, il se dresse fièrement sur ses jambes de bipède au midi de l'humanité. La troisième jambe apportée par le soir ne serait-elle pas ces cannes modernes que sont nos machines informatiques et ces téléphones cellulaires sans lesquels nous ne savons plus nous mouvoir ?

Des premiers pas du bipède, il nous reste un témoignage célèbre.

Un top-modèle

J'ai du mal à comprendre la fascination que Lucy exerce sur nos contemporains. Peut-être, cela tient à son prénom qui évoque la lumière vacillante de l'aurore. Car son charme est rien moins que discutable. Elle est de petite taille (1,30 m) avec un thorax en forme d'entonnoir inversé. Son bassin extraordinairement large et aplati donne naissance à des membres courtaux et graciles reposant sur des pieds plats et préhensiles, difficiles à chausser. Les mains qui regardent en arrière pendent au bout de bras interminables qu'elle balance le long du corps. Pour couronner le tout, une tête sans front et sans menton ; pour tout dire : une tête de singe. Sa démarche surtout n'a rien d'humain, avec d'amples mouvements de rotation du bassin et des épaules autour de l'axe vertical et des pieds rapprochés qui évoqueraient le déplacement d'un mannequin si ce n'étaient la petitesse des enjambées et la propension du tronc à s'incliner vers l'avant. Capturée aujourd'hui au détour d'une savane arborée par un trafiquant d'animaux, notre lointaine cousine finirait plus probablement ses jours dans un zoo que dans une cabine d'essayage. Un dernier trait pour conclure sur sa nature simiesque : Lucy grimpe aux arbres et s'y déplace avec aisance.

Le buisson ardent

Lucy appartient à la grande famille des australopithèques – ce qui signifie littéralement qu'elle est un singe du Sud. Dans la partie orientale du continent africain, entre trois et cinq millions d'années BP [8], se sont épanouis les diverses branches et rameaux de l'arbre des hominidés parmi lesquels *Australopithecus afarensis*, l'espèce à laquelle appartient Lucy.

Tous les australopithèques partagent avec cette dernière des caractères dérivés de ceux d'un ancêtre commun dont les restes sont encore enfouis dans le sol ou définitivement perdus pour nous, ses lointains descendants coiffés du casque colonial.

Comment naît une espèce nouvelle ? La question est trop controversée, trop chargée de science pour être abordée autrement que de façon approximative et succincte. Elle peut apparaître dans la continuité d'une espèce archaïque par accumulation lente et progressive de transformations mineures, grâce à un flux génétique permanent ; comme la sève se répand dans une branche unique dont l'extrémité grêle oublie peu à peu le tronc qui lui a donné naissance.

Mais une espèce peut se former de façon plus soudaine (un instant de quelques milliers d'années ou moins). Un rameau se détache alors d'une branche qui continue sa croissance, donne de nouvelles branches ou s'étiole et disparaît au profit du rameau nouveau qui arboresce à son tour.

Rien n'empêche que les deux modes coexistent au sein du même buisson. Au cœur de celui-ci, une branche est née probablement vers quatre millions d'années BP, celle des pré-hommes qui a conduit au genre humain.

Dire à quelle espèce ou sous-espèce et à quel genre

---

8. BP signifie *before present*, avant le présent, celui-ci étant situé en 1950.

appartiennent ces nouveaux individus est une affaire de spécialiste. Je crois important de souligner qu'au départ le rameau est gracile ; sa prospérité dépend du bon vouloir de la sélection naturelle. L'innovation se répand par brassage génétique dans une population peu nombreuse et forcément localisée. L'intime et le circonscrit sont des conditions nécessaires aux grandes révolutions de l'histoire de la vie ; comme le feu qui prend dans une zone étroite de chaleur intense avant d'embraser la forêt.

Les dimensions réduites du groupe expliquent la difficulté pour le chercheur de trouver les restes d'un ancêtre fondateur. En revanche, ceux des multiples cousins plus ou moins proches, dont la lignée s'est éteinte après avoir abondé, s'offrent généreusement à notre curiosité.

La sélection naturelle taille sans pitié dans le buisson, favorisant ainsi la pousse des rameaux persistants. Mais la comparaison avec le jardinier s'arrête là. Nulle intention ne guide son action. Le cou de la girafe – exemple rabâché parce que très explicite – ne cherche pas en s'allongeant à atteindre les feuilles autrement inaccessibles des arbres. La survie des plus aptes sélectionne à chaque génération les girafes au cou génétiquement plus long. La fonction ne crée pas l'organe, elle le sélectionne sous la pression de contraintes externes (hauteur des arbres, sécheresse du sol) et des contraintes internes (nombre de vertèbres, longueur des pattes, etc.).

La sélection naturelle est assortie de l'idée de gradualisme qui veut que les organes et les systèmes biologiques complexes apparaissent par l'accumulation progressive au cours des générations de mutations génétiques aléatoires favorisant une meilleure adaptation au milieu et finalement une capacité accrue de reproduction. Ce gradualisme – je ne dis pas progressisme, car l'évolution est étrangère à la notion de progrès – peut toutefois être interrompu par des changements plus massifs ; comme des rapides et des chutes qui viennent troubler le cours tranquille d'une rivière.

Ces généralités étant dites, il est temps de retrouver la

branche « *Homo* » et ses rameaux disparus *Homo habilis*, *Homo rudolfensis* et bien d'autres, encore à découvrir.

Le couteau à cran d'arrêt

Depuis quelques millions d'années, le grand singe s'est redressé peu à peu sur ses membres postérieurs qui sont devenus des pieds ; ses bras se sont raccourcis. À la façon d'un couteau à cran d'arrêt qui s'ouvre progressivement puis soudain d'un saut irréversible se met en position rectiligne, la lame dans le prolongement de la poignée, voici l'homme debout : *Homo erectus* [9]. Il est grand (1,70 m et plus). Son bassin est court et étroit, ses jambes longues et ses pieds avec une voûte plantaire arquée ; son buste est en forme de tonneau. Ses épaules larges supportent des bras suffisamment longs pour assurer la stabilité de la marche et de la course. Ce coureur à pied peut en effet se déplacer sur de longues distances et à grande vitesse, grâce à un soufflet ventilatoire puissant. Un bel athlète apte à la chasse du gros gibier et à l'exploration de nouveaux territoires. Il se répand à la surface de l'ancien monde, Afrique et Asie avant l'Europe et inaugure une longue période de stabilité (de 1,5 à 0,5 MA) dans un monde ouvert qui favorise les mélanges génétiques.

Un cerveau de poids

Si l'on idéalise les faits – ce que la science interdit, mais que la poésie recommande – le passage de la marche quadrupède des pré-hommes à la locomotion pédestre de l'homme exprime une série de « libérations successives » : celle de la tête par rapport au tronc – celle-ci tient en équilibre sur le rachis cervical –, celle de la main par rapport à la marche et dans un même élan de verticalité, comme une

9. On tend à réserver aujourd'hui le nom d'*Homo erectus* à la version asiatique de l'*Homo ergaster* dont l'apparition se situe en Afrique entre 1,5 et 2 millions d'années.

cathédrale gothique libérée de ses lourds piliers romans, celle de la voûte crânienne par rapport au massif facial dont s'effacent le bourrelet sus-orbitaire et la lourde mâchoire. Enfin, cerise sur le gâteau, voici le menton, apanage de l'homme, qui affiche sa volonté de conquérir le monde.

Les remaniements crânio-faciaux et le vaste espace ainsi offert, notamment par la levée du verrou frontal, s'associent à l'expansion du cerveau qui trouve à s'y loger. Mais une fois encore, ce n'est pas la cavité ainsi créée qui, comme le vide appelle le plein, entraîne le cerveau, ni ce dernier qui en grossissant repousse les parois du crâne. Il s'agit bien sûr des effets convergents de la sélection naturelle soumise au jeu de contraintes réciproques qui s'exerçent sur l'encéphale et les os l'enveloppant. Il est par ailleurs intéressant de noter que les os faciaux dérivent de cellules provenant de la partie antérieure de la crête neurale et sont sous le contrôle de gènes homéotiques [10] qui guident la formation du cerveau.

L'encéphalisation est sans aucun doute un fait marquant de l'humanisation, un véritable « rubicon ». Valois, qui fut l'inventeur de la formule, proposait un rubicon cérébral à 800 cm^3 de capacité crânienne : en deçà l'animal, au-delà, l'homme. *Homo erectus* possède effectivement un cerveau de plus de 800 cm^3. Mais il faut se garder d'établir une relation trop parfaitement linéaire entre le volume du cerveau et les capacités intellectuelles, en raison, notamment, des variations interindividuelles. On ne cite plus guère aujourd'hui le malheureux Anatole France, merveilleux styliste et prix Nobel de littérature auquel la patrie offrit des funérailles nationales, que pour signaler le maigre volume de son cerveau – à peine 1 000 cm^3. Celui d'Albert Einstein, conservé à Princeton, fait l'objet de disputes entre savants qu'on hésite à prendre au sérieux. Il convient également de rapporter ce volume au poids de l'individu. Néanmoins, l'écart est nettement significatif entre les australopithèques et les pré-hommes d'une part (400 à 650 cm^3) et l'homme

---

10. Il sera question plus loin de ces gènes dits homéotiques qui gouvernent notamment le développement du cerveau.

debout, *Homo erectus*, *Homo ergaster* et *Homo sapiens* (800 à 1 300 cm^3) d'autre part.

Mais le volume du cerveau n'est pas tout. Les sillons qui partagent le cerveau en lobes et circonvolutions sont plus nombreux et plus profonds chez l'homme et augmentent ainsi la surface dépliée du cortex. Falk a également attiré l'attention sur le bouleversement de la circulation sanguine cérébrale qui s'est produit lors du passage des pré-hommes à l'homme. Ce dernier circule avec son gros cerveau en terrain découvert et exposé aux rayons brûlants du soleil d'Afrique. Le risque d'insolation serait immense à moins de supposer qu'*Homo erectus* ait déjà inventé le chapeau. Plus sûrement, la sélection naturelle a retenu un nouveau mode de répartition des flots sanguins cérébraux, probablement associé aux modifications de pression hydrostatique dues à la station debout. Pour dire les choses de façon imagée, les veines et les sinus se sont organisés à la façon d'un radiateur de voiture permettant de refroidir le cerveau et contribuant ainsi à lever les contraintes thermiques qui limitaient sa croissance chez les premiers hominidés.

Grâce à l'augmentation des capacités intellectuelles de l'individu, l'encéphalisation va entraîner un certain nombre de nouveautés qui sont autant de critères d'humanisation.

L'outil

Longtemps, il a passé pour l'attribut exclusif de l'homme. Là encore, il n'en est rien et le gradualisme s'impose comme dans le développement d'autres fonctions.

On sait depuis les travaux de Goodall que les chimpanzés utilisent des « outils » dans différentes situations : brindilles ou bâtonnets pour « pêcher » des termites, pierres pour casser des noix. En dehors des grands singes, l'utilisation d'outils reste anecdotique : les singes capucins, par exemple, utilisent des bâtons pour dégager de la nourriture.

L'usage de l'outil suppose des capacités cognitives telles que la faculté d'anticiper le but à atteindre, le plus souvent non visible ou éloigné du lieu où l'instrument est préparé.

Pour casser des noix, le chimpanzé sélectionne des pierres dures qu'il utilisera plus tard et ailleurs sur des sites de cassage où des souches font office d'enclumes.

Les premiers hominidés ne font guère mieux et utilisent des outils de pierre non transformée. La taille de la pierre n'est attestée que vers 2,7 MA : fragments de galets éclatés, petits objets de quartz et blocs (nucleus) ayant permis de détacher des éclats. Avec *Homo erectus*, les outils se spécialisent ; ils sont façonnés, retouchés pour finalement se miniaturiser avec les derniers *Homo erectus* et les premiers *sapiens*. Ils sont devenus légers, facilement transportables et accompagnent ces grands voyageurs.

Avec l'outil, l'homme a acquis la capacité d'instrumenter le monde et les objets physiques qui constituent celui-ci. Mais parallèlement se développent ses moyens d'agir sur son environnement social et de manipuler ses congénères. Ces objets « animés » ne sont pas aussi simples que ceux du monde matériel, car à la différence de ces derniers, ils ont de la repartie et interagissent avec le manipulateur. Ces interactions s'insèrent dans des règles, des traditions qui constituent ce qu'on appelle une culture. Comme l'outil façonné, celle-ci est-elle le propre de l'homme ?

Cultures et sociétés

Les trompettes de la science ont sonné récemment pour annoncer les résultats d'une synthèse systématiquement conduite par Andrew Whiten[11] et une dizaine de chercheurs : sept observations de terrain conduites sur l'ensemble du continent africain et représentant au total 150 années d'observations. Cette étude démontre de façon rigoureuse qu'il existe chez les chimpanzés d'Afrique différents « foyers culturels » dont les traditions varient de l'un à l'autre et portent sur une quarantaine de comportements : les types d'outils (tiges souples, bâtonnets, pierres), leur mode d'utilisation, l'usage de feuilles pour s'essuyer la

11. A. Whiten et coll., *Nature*, 1999, *399*, p. 682-685.

bouche, les gestes de mains, les dances, etc. Il s'agit bien d'une transmission sociale indépendante des conditions écologiques (comme par exemple, nids aériens ou au sol selon la présence ou l'absence d'arbres et les risques de prédation) et de facteurs génétiques (la carte culturelle ne recoupe pas celle des sous-espèces).

La transmission sociale d'un comportement n'est pas une nouveauté en éthologie, mais ne concerne en règle qu'un seul trait. Les exemples les plus connus sont les chants d'oiseaux qui varient d'un lieu à l'autre et constituent de véritables dialectes locaux, et le lavage des patates sales chez les macaques japonais de l'île de Koshima, découvert par une jeune guenon [12] et repris par la communauté qui en a conservé la tradition bien après la mort des pionniers. Si on ne peut guère à propos d'un seul comportement parler d'une culture, il semble en revanche indiscutable que ce mot puisse être utilisé pour désigner l'ensemble de traditions comportementales variables d'une communauté à l'autre chez les chimpanzés.

Sans entrer dans les débats sur la définition du mot culture, il convient de remarquer que le concept général qu'il recouvre se déploie sous forme plurielle : « les cultures ». Leur diversité extrême chez l'homme s'extériorise déjà chez *Homo erectus* et répond paradoxalement au caractère universel de la culture.

Les cultures sont des faits, pas des choses toutes faites. Elles sont les produits d'une activité cognitive extraordinairement développée qui implique non seulement la connaissance de l'autre comme un semblable, mais aussi une reconnaissance de soi. Le test du miroir [13] semble indiquer que celle-ci est déjà présente chez les primates humanoïdes.

Si l'outil, produit manufacturé par l'industrie des

---

12. La même guenon, Imo, découvrit quelques années plus tard un procédé pour trier les grains de blé et de sable mélangés par sédimentation en faisant flotter les grains à la surface du lac.

13. Le chimpanzé cherche à effacer la tache de couleur que l'expérimentateur lui a faite sur le front (sous anesthésie) lorsqu'il découvre celle-ci en regardant son image dans une glace.

hommes fournit l'élément de base d'un savoir partagé, il n'est que la seule trace visible des cultures chez les premiers hommes. Celles-ci, comme les parties molles en paléontologie, ne sont pas fossilisables. Ainsi le langage, formidable instrument de culture et outil à instrumenter les autres, ne laisse pas d'empreinte avant l'invention de l'écriture.

L'homme, individu socio-extrême comme le qualifie Alain Prochiantz, est paradoxalement l'animal dont le processus d'individuation est le plus poussé au niveau développemental [14]. Dunbar propose l'hypothèse que la taille des collectivités de singes serait proportionnelle à celle de leur cerveau et à la fréquence de leurs interactions sociales. À ce compte, les collectivités humaines, vu leur taille, devraient passer la majeure partie de leur temps en interactions sociales. Le langage avec son extraordinaire efficacité comble ce besoin. Ainsi, la (les) cultures font-elles le lien entre l'outil et le langage ? Ce dernier offre à l'homme la capacité de « faire » sa propre nature et de fournir à l'*Être* un abri de la même façon que l'outil a permis à l'homme de fabriquer sa demeure.

Certes, Donne a raison : « No man is an island », mais il y a aussi autant de cultures que d'individus et chacun possède une culture à soi. Le paradoxe humain, à nouveau, c'est d'être totalement singulier dans sa dépendance des autres.

Le désir de l'autre

Une conséquence de la bipédie que l'on évite parfois de mentionner parmi les processus d'hominisation concerne le sexe. Chez les anthropoïdes, et probablement encore chez les australopithèques, l'appareil sexuel externe *(genitalia)* de la femelle permet à celle-ci lors de l'œstrus, à l'acmé de son attractivité pour le mâle, une présentation très visible de ses charmes : clairière de peau glabre au milieu de la fourrure révélée par la position du corps inclinée vers l'avant. La bipédie et le redressement du tronc entraînent une

14. Ce paradoxe sera abordé dans la troisième partie.

dissimulation progressive des *genitalia* entre les cuisses de la femelle. Chez la femme avec la perte des signes extérieurs de l'œstrus (ce qu'on appelle parfois « l'ovulation cachée »), le sexe se fait caverne qu'un buisson de poils pubiens achève de dissimuler. Mais parallèlement, il s'affiche sur le corps tout entier : peau nue et lisse comme celle des *genitalia* de la guenon, seins pendulaires et fesses rebondies. Tout se passe comme si la femme offrait le spectacle d'un œstrus permanent. En regard de la femme, l'homme, en revanche, exhibe la présence insistante d'un pénis qu'il ne peut dissimuler.

Voici donc l'homme et la femme face à face dans leur différence – un *dimorphisme sexuel* bien plus affirmé que dans toute autre espèce de singes. Dans cet *autre* si dissemblable, c'est aussi le *même*, celui à qui la parole s'adresse.

Je cite ici pour mémoire l'accouplement de face dans lequel on a voulu voir le propre de l'homme, mais que pratiquent également d'autres espèces de singes. Là encore, il s'agit d'une conséquence de dispositions anatomiques liées à la bipédie (position de l'utérus par rapport au vagin et orientation de ce dernier). Mais n'est-ce pas aussi la façon la plus rapprochée de lire dans le regard de l'autre lors de l'acte sexuel ?

Maurice Godelier voit dans ce face-à-face de l'homme et de la femme et dans l'œstrus permanent affiché par cette dernière à la surface de son corps, un fondement majeur des cultures et de la nécessité de conventions sociales pour réglementer la circulation du désir : interdits sexuels dont le plus connu, l'inceste, n'aurait pas d'autre origine.

L'amour et la mort

Cet homme qui découvre l'amour dans le regard de l'autre, invente aussi la mort. Les premières traces de sépultures remontent à cent mille ans. Mais il n'est pas exclu qu'*Homo erectus* et certains pré-hommes aient pu manifester des inquiétudes vis-à-vis de la mort ou des événements traumatisants de la vie et entrepris de conjurer leur angoisse dans des comportements rituels. Il ne faut pas s'y tromper, il n'y a rien là de spécifiquement humain. Quoi de plus ritualisé que certains comportements décrits par l'éthologie animale. Mais il s'agit exclusivement d'associations signal-réponse qui ne laissent aucune place au « je ». La névrose n'est pas non plus l'apanage de l'homme et beaucoup d'animaux domestiques partagent celle de leur maître.

Ce qui appartient à l'homme, en revanche, c'est une appréhension particulière du temps. Le développement du cortex cérébral et plus particulièrement de certaines régions frontales lui permet en effet de mesurer la durée, d'en concevoir le commencement et la fin et de s'interroger dès lors sur ce qu'il y a avant le début et après la fin. L'homme découvre sa propre mort dans celle de l'autre : cet autre qui lui est désigné par les liens sociaux : parenté et hiérarchie.

La présence d'objets familiers et de nourriture près du mort témoigne chez les néandertaliens de la croyance en une vie outre-tombe. Celle-ci ne relève pas de spéculations philosophiques très avancées. L'idée est la plus simple qui se présente pour porter remède à la mort et se consoler de la perte l'Autre aimé. Mais se trouvait-il déjà quelques individus pour ne croire à rien ? Le concept de néant est autrement difficile à manier pour le cerveau de l'homme !

Le feu

Depuis 1,9 MA, l'homme regarde danser la flamme. À côté de l'outil fabriqué, le feu apprivoisé et créé à la demande est probablement le plus beau produit de l'intelligence créatrice d'*Homo erectus* : feu dérobé à l'incendie de la forêt et entretenu par le groupe avant d'être produit à volonté ; feu défensif contre les prédateurs ; feu qui éclaire la nuit et la caverne ; feu qui apporte la chaleur ; feu, enfin, qui assure la cohésion sociale autour du foyer où cuisent les aliments.

Le fait omnivore

L'homme, le plus omnivore de tous les animaux, trouve là une belle expression de son intelligence. Pour se limiter à un exemple animal, le contraste entre deux espèces de singes illustre bien l'importance du cerveau dans le régime alimentaire. L'espèce *Ateles geoffroyi* se nourrit de fruits. Son intestin est court, car le fruit est très digestible ; mais son cerveau est développé, car la cueillette des fruits exige une bonne mémoire des lieux, une connaissance de la forêt, enfin leur valeur énergétique laisse de longs intervalles entre les repas. Loisirs et intelligence vont de pair. L'espèce *Allonata salliata* qui occupe la même forêt passe tout son temps à manger des feuilles indigestes et à faible valeur énergétique, mais qu'on trouve partout en abondance : son intestin est long et son cerveau réduit [15].

Selon Coppens, l'opportunisme omnivore rompt avec le peuple des singes arboricoles et végétariens. L'hominidé est devenu isodyname, c'est-à-dire que tous les aliments peuvent lui procurer l'énergie dont son corps a besoin et qu'il peut ainsi se dégager des contraintes alimentaires du milieu. L'outil permet l'extraction de racines et tubercules, la viande est fournie par la chasse et le charognage. Là encore, l'outil permet la découpe, la récupération de la viande, le grattage des os et leur cassage qui offre de la moelle. Le feu est le support majeur de la transformation des aliments.

La cuisine et la chasse sont les deux mamelles de la culture humaine avec son extraordinaire variété. On ne chasse et on ne cuisine sûrement pas de la même façon en Asie, en Insulinde et en Afrique aux temps d'*Homo erectus*. Construire un piège, se mettre à l'affût au passage d'un troupeau, fabriquer un leurre, organiser une battue avec des rabatteurs nécessitent un savoir étendu qui n'est pas seulement le fait d'une cognition spatio-temporelle physique, mais celui aussi d'une cognition sociale : la chasse est rarement un exercice solitaire.

Adaptation au fait omnivore, la taille des canines de l'homme s'est raccourcie, celles-ci ont été remplacées

---

15. L.A. Kukstas, *La Forme et la frime*, Paris, Éditions Odile Jacob, 1998.

progressivement par des outils. John Fleagle pense que la réduction des canines est le signe d'une tolérance accrue à l'égard des congénères qui préfèrent occuper leur temps à créer des outils de plus en plus perfectionnés pour acquérir et partager la nourriture plutôt qu'à se mordre les uns les autres. Bel exemple d'optimisme anthropologique, car, parmi les outils, ce sont aussi des armes pour tuer le voisin qu'*Homo erectus* invente.

Marche à pied, bricolage, chasse et cuisine, tout cela est bien trivial, dira l'humaniste, et désigne plutôt un retraité qu'un homme neuf et prêt à conquérir le monde. Ce qui fait l'homme, ajoutera-t-il, c'est la pensée et pour celle-ci, le biologiste s'en remet au cerveau.

Le cerveau et la pensée

La taille de celui-ci ne suffit pas, nous l'avons vu, pour rendre compte de l'intelligence de l'homme. Son gros cerveau ne fait pas du bœuf un penseur exceptionnel. La différence vient chez l'homme du développement des aires cérébrales dites associatives qui occupent plus des deux tiers de la partie superficielle du cerveau, appelée cortex, notamment dans sa région antérieure ou frontale. Les neurones situés à l'intérieur de ces aires associatives possèdent des prolongements qui ne quittent jamais le cortex et connectent entre eux les milliards de neurones du cortex. Ceux-ci ne sont donc jamais isolés et forment entre eux des assemblées. La pensée n'est pas venue se poser sur ces dernières par une opération de l'esprit pas plus d'ailleurs qu'elle n'en est le produit comme si, selon l'expression de Cabanis, le « cerveau la sécrétait ».

La pensée traduit des processus de catégorisation sur le réel dont elle est inséparable quel que soit le niveau d'abstraction où ceux-ci se situent : « Ça pend ; c'est rond ; c'est dur ; c'est rouge ; c'est un fruit ; c'est une pomme : ça se mange ; c'est interdit ; Dieu ne sera pas content si je la croque ! » Il est faux de dire que la pensée est l'opérateur de ces catégorisations. À moins de retomber dans un clivage fatal entre l'esprit et le corps, de séparer la fonction de son substrat et finalement substituer au réel la métaphore de l'ordinateur. Un tel procédé revient à réduire la logique du vivant à la logique informatique.

Ce que l'animal sait du monde est inscrit dans son cerveau sous forme de représentations. L'homme ne se distingue de l'animal que par la richesse extraordinaire et l'abondance de ces dernières. Elles sont réalisées dans des territoires cérébraux plus ou moins spécialisés selon la nature sensorielle des données en provenance du monde : par exemple, les régions occipitales pour les données visuelles et les régions temporales pour les informations auditives. Ces représentations constituent des formes à partir d'ensembles de neurones connectés par des liaisons plastiques plus ou moins stables appelées *synapses*. Ces connexions sont versatiles, elles peuvent s'effacer, réapparaître, se renforcer ou s'estomper, ce que l'on désigne sous le terme général de *mémoire*.

À côté des représentations qui expriment dans le cerveau du sujet les « images » de son monde, des neurones ont en charge l'organisation des commandes motrices du corps depuis les mouvements qui permettent ses déplacements jusqu'aux gestes subtils de la main, les mimiques faciales et les contractions des muscles vocaux.

Le problème majeur consistant à désigner l'observateur qui au sein du cerveau prend connaissance des images formées et contenues ne se pose plus, si l'on admet que le cerveau fonctionne comme une « métaphore agissante », c'est-à-dire dans laquelle la représentation est confondue avec l'action. Les études neurophysiologiques confirment l'interdépendance totale des aires motrices et sensorielles. Le concept d'« image-mouvement » selon Bergson donne une vision singulièrement féconde des résultats de la neurophysiologie : « Au lieu de l'affection dont on ne peut rien dire puisqu'il n'y a aucune raison pour qu'elle soit ce qu'elle est plutôt que tout autre chose, nous partons de l'action, c'est-à-dire de la faculté que nous avons d'opérer des changements dans les choses, faculté attestée par la conscience et vers laquelle paraissent converger toutes les puissances du corps organisé [16]. »

Les représentations du monde ne peuvent donc être considérées indépendamment des actions du sujet sur ce même monde. Je propose pour les désigner le néologisme de *représentactions*.

Celles-ci sont à la fois les *formes* et les *forces* qui produisent et reproduisent le monde du sujet. Elles font du cerveau un chantier permanent qui déborde de la période embryonnaire et infantile sur toute la vie du sujet. Mais l'homme se distingue du singe par la durée prolongée de son enfance [17] et donc par l'étendue du chantier, la complexité et le nombre des représentactions. Si les gènes constituent une mémoire d'espèce et fournissent les plans d'ensemble, l'*épigenèse* – un nom savant pour désigner le rôle du milieu – fournit vraisemblablement le substrat de la mémoire individuelle. Les prodigieuses capacités mnésiques de l'homme sont le corrolaire de la part prépondérante de cette épigenèse dans la construction de son cerveau. Les souvenirs qui s'accumulent, les savoirs et les gestes qu'il apprend ne sont sûrement rien d'autre que le développement de son cerveau qui se poursuit : *l'homme, un être de mémoire*.

Cette capacité particulière de gestion du temps est, peut-être, chez l'homme à l'origine de la *conscience de soi*. Celle-ci vient en effet se superposer à la conscience animale [18] en intégrant les représentactions à un niveau supérieur de catégorisation qui révèle le sujet dans une perspective temporelle et le dote à la fois d'une histoire et d'une identité.

Je ne peux, ayant adopté le point de vue du biologiste, parler des représentactions sans évoquer leur support neuronal. La différence au plan anatomique entre le cerveau du chimpanzé et celui de l'homme tient surtout au nombre plus élevé des cellules nerveuses et à la richesse de leurs

---

16. H. Bergson, « Matière et mémoire », *Œuvres*, Paris, PUF, 1959.
17. Les biologistes appellent *néoténie* cette capacité de certains organismes de prolonger leur développement.
18. Cette conscience animale ou primaire permet de catégoriser et de hiérarchiser les signaux provenant du monde objectal.

interconnexions chez ce dernier. Pris isolément, un neurone humain ne possède pas en effet le supplément d'esprit qui donnerait sa dimension spirituelle à l'homme.

Si un neurone au singulier n'est pas porteur de sens, il n'est guère facile non plus de rendre compte de la complexité de la pensée (conceptuelle, préconceptuelle, modulaire, etc.) par l'activité d'assemblées de neurones interconnectés, grâce à des synapses qui en sont à la fois l'élément de stabilité (les neurones coactivés s'associent par des connexions renforcées [19]) et de dynamisme (les connexions sont plastiques et soumises à l'apprentissage).

Différentes assemblées participent à une même représentaction. Comment dans ces conditions l'activité de ces réseaux dispersés dans des aires cérébrales plus ou moins éloignées peut-elle engendrer une expérience subjective unifiée ? La vision d'une pomme déjà citée produit une perception globale, résultat de l'activation de zones distinctes du cerveau [20] qui traitent séparément la couleur, la forme, l'odeur, etc. Selon une hypothèse récente, l'expérience subjective unifiée serait sous-tendue par une activité électrique rythmique qui assurerait la synchronisation des différentes assemblées neuronales.

Je me garderai bien de réduire l'unité du moi à quelques rythmes cérébraux. Il est possible qu'avec un peu de recul, toutes ces machineries modernes de l'esprit se révèlent aussi farfelues que le sont à nos yeux la glande pinéale, siège de l'âme, et les tuyauteries de l'homme-machine imaginé par Descartes.

Un type de représentactions semble bien toutefois être le propre de l'homme. Ce sont des mouvements de muscles spécialisés de la gorge, ou par défaut des gestes de la main qui forment des signes destinés à l'Autre et permettent de partager avec lui ces représentactions. Cet ensemble de

---

19. Modèle dit de la synapse de Hebb.

20. On peut voir celles-ci « s'allumer » en observant l'augmentation locale de la circulation sanguine grâce à l'imagerie cérébrale (résonance magnétique fonctionnelle par exemple).

représentactions appartenant non plus à un seul, mais à une collectivité d'individus s'appelle le *langage*.

La bête qui parle

Si l'homme est un animal, le langage est-il un instinct qui n'appartient qu'à lui ? Dans ce cas, est-il le produit d'une rupture catastrophique au sein du règne animal ou plus « naturellement » le résultat de la sélection naturelle et d'une évolution graduelle, tout comme la bipédie chez les hominidés ou dans une autre branche de l'arbre phylogénétique, le vol des oiseaux ? L'instinct est une capacité innée d'un animal à acquérir un comportement typique de l'espèce dans des conditions appropriées de milieu et notamment au contact de parents et congénères. L'homme n'apprend pas vraiment à parler, pas plus que l'oiseau n'apprend à voler. Ce savoir est déposé par ses gènes dans son cerveau et c'est le congénère qui lui révèle ce trésor.

Par définition, le langage met en relation un émetteur et un récepteur. L'enfant ne parlera pas s'il n'a personne à qui parler et son interlocuteur devient, par la force des choses et par la force des mots, son instituteur. La même force qui lui a ouvert dans l'enfance les secrets du langage le pousse à les enseigner plus tard au bébé. Il est donc aussi juste de dire que le langage est le résultat d'un apprentissage que d'affirmer sa nature instinctive et héréditaire.

L'innéité du langage n'est pas acceptée par ceux qui tiennent ce talent unique de l'homme pour sa plus belle invention faite il y a une centaine de milliers d'années par des *Homo sapiens* géniaux et transmise à la suite des générations.

À l'appui de la thèse de l'innéité, il y a la capacité de produire spontanément un langage. Des enfants sourds, exposés très tôt au langage des signes, babillent avec leurs mains en produisant un flot de gestes imités systématiques bien que dépourvus au début de signification. Ce « babillage manuel » se produit vers huit à dix mois, âge où le babillage vocal apparaît chez le bébé entendant. Le langage articulé s'est donc par nécessité déplacé du pharynx aux mains. On peut légitimement conclure que l'apprentissage de la parole met en jeu des capacités innées, indépendantes de la modalité vocale ou manuelle.

L'apparition spontanée d'un langage chez l'enfant est également illustrée par le phénomène décrit par le linguiste Bickerton. Au début du siècle, les immigrés à Hawaï venus de pays très différents, coupés de toutes racines culturelles et pressés par la nécessité de communiquer entre eux, adoptèrent spontanément un jargon *pidgin* composé de mots hachés empruntés au langage des patrons, l'anglais, et assemblés de façon anarchique, sans aucune règle qui ressemblât à une syntaxe ; un système de communication, mais en aucun cas une langue, puisque éloigné de toute grammaire. Or, les enfants de première génération, éduqués par des parents parlant pidgin, utilisèrent spontanément une langue bizarre et composite, le créole hawaïen, mais qui n'en obéissait pas moins à une syntaxe stricte. Bickerton en conclut que la capacité de formaliser le langage, selon des règles identifiables par le linguiste, témoigne d'une disposition innée du jeune enfant.

L'usage correct des pronoms n'est pas, semble-t-il, le résultat d'un apprentissage auprès de parents qui ne savent pas s'en servir. Cette disposition naturelle ne peut toutefois s'exprimer pleinement que pendant une période critique de la maturation du cerveau qui correspond à la fenêtre d'âge où l'enfant acquiert un langage fait de sons (ou de signes manuels en cas de surdité). Les membres de certaines familles présentent des troubles spécifiques du langage indiquant une origine génétique. On connaît également les cas très rares d'un retard mental associé à un étonnant talent pour la conversation : c'est le syndrome de Williams, lié à une anomalie sur le chromosome 11. Les enfants qui en sont atteints ressemblent, selon Steven Pinker [21], à Mick Jagger et présentent un QI de 50 (incapacité de trouver leur chemin,

21. S. Pinker, *L'Instinct du langage*, Paris, Éditions Odile Jacob, 1999.

nouer leurs lacets, faire une addition, etc.) avec des aptitudes linguistiques remarquables.

Ces exemples plaident en faveur de la nature instinctive du langage chez l'homme. Ils signifient qu'il existe dans le cerveau de celui-ci des dispositifs anatomiques et des organisations neuronales d'origine génétique qui lui permettent d'apprendre à parler pendant une période critique. Ce constat n'entraîne pas forcément la présence d'un « organe mental » du langage qui exprimerait une grammaire universelle, apanage du genre humain et dépourvu de tout antécédent phylogénétique. Pourquoi faudrait-il, si on en croit Chomsky, qu'un « big bang » fasse brusquement jaillir du cerveau d'un anthropoïde un organe du langage, sorte de champignon atomique mental venant bouleverser le règne animal ?

Le langage articulé est certes d'une fabuleuse complexité, mais n'est-ce pas également le cas des ailes de l'oiseau, de la trompe de l'éléphant ou d'autres merveilles de la vie dont personne ne conteste plus qu'elles sont le produit de la sélection naturelle ? Quand je dis que l'homme est un singe que l'évolution a doté progressivement de la faculté de communiquer avec ses congénères à l'aide de la parole, je n'énonce pas une hypothèse scientifique plus étrange que celle proposée par des paléontologues, selon laquelle les oiseaux sont des dinosaures ayant acquis la capacité de voler, même si on ne sait pas plus comment les ailes sont venues au corps d'un reptile que les mots à la bouche d'un singe.

Mais comme ce fut le cas vraisemblablement pour la bipédie, l'installation graduelle d'un protolangage avant de laisser la place au langage moderne n'exclut pas l'hypothèse de sauts évolutifs.

Les mots, des outils à manipuler les autres

Le problème du langage articulé est inséparable de celui de l'outil et du comportement instrumental, cette autre spécialité de l'homme. La parole est une machine construite avec des pièces réunies entre elles selon une double articulation. La première assemble des unités minimales, mots ou fragments de mots, appelées *monèmes*, ayant à la fois une forme et un sens qu'elles conservent lorsqu'elles sont isolées ; elles sont commutables et ont le pouvoir de modifier la fonction des éléments dont elles sont contiguës et ainsi de proche en proche d'en altérer l'ensemble. La deuxième articulation porte sur la commutation d'unités minimales distinctives ayant une forme phonétique, mais pas de signification : les *phonèmes*.

Devant la machinerie mentale compliquée qui produit le langage, on peut s'attendre à trouver une organisation neuronale complexe qui la sous-tende à l'intérieur du cerveau. Comme pour les autres fonctions cognitives, il existe des aires spécialisées dans la production et la compréhension du langage parlé. Elles sont situées, chez 95 % des individus, sur l'hémisphère gauche et englobent deux territoires principaux correspondant à l'émission et à la réception, localisés respectivement sur les lobes frontaux et temporaux. La région impliquée dans la production, appelée aire de Broca du nom de son découvreur, reçoit des connexions en provenance du cortex préfrontal antérieur ; sa partie supérieure contrôle les aires motrices de la main responsables de la manipulation des objets ; la région principale est en relation avec les aires motrices de la face et du larynx responsables de la production de la parole. Les aires de réception du langage parlé comprennent l'aire de Wernicke située au voisinage immédiat des aires auditives primaires et associées.

Si l'on cherche à pénétrer dans l'intimité cellulaire de ces régions, on trouvera des *représentactions verbales* supportées par des assemblées neuronales associant images et production motrice verbales. Comme dans le cas des assemblées neuronales décrites plus haut, il faut se représenter leur caractère plastique et le fait qu'elles sont le produit d'un apprentissage sur des bases structurelles programmées génétiquement. Si on peut donc parler de *centres* du langage chez l'adulte, les choses sont différentes chez le jeune enfant. Des lésions précoces de l'hémisphère cérébral gauche chez ce dernier n'empêchent pas l'acquisition ultérieure d'un langage sans défaut. La modularité anatomique du langage chez l'adulte n'est pas encore présente dans le cerveau du jeune.

L'observation du bébé renforce encore la notion de parenté entre le langage et les fonctions instrumentales. Différents systèmes d'objets permettent d'étudier, au cours de son développement, l'apparition de stratégies de plus en plus complexes d'appariements et d'assemblages d'objets. La stratégie d'assemblage permet de mettre en évidence une hiérarchisation des actions qui évoque la construction même du langage avec sa double articulation. La manipulation instrumentale montre donc un développement modulaire comparable à celui du langage.

Les études anatomiques et surtout l'utilisation de l'imagerie médicale (résonance magnétique nucléaire, caméra à émission de positons), qui permet de regarder le cerveau et de le couper en tranches sans que le sujet meure ou pâtisse d'interventions sanglantes, montrent qu'une même structure cérébrale sous-tend la fonction langagière et la manipulation d'objets, tout au moins au début du développement de l'enfant. Ce n'est que dans un deuxième temps que s'établit une modularité respective des deux fonctions. Si l'on analyse en détail les « profils cognitifs » des sujets atteints de troubles du langage, on observe que ceux-ci ne sont jamais totalement isolés et que d'autres fonctions, concernant aussi bien la manipulation du monde que sa compréhension, sont presque toujours et de façons très diverses subtilement touchées. On peut raisonnablement conclure que le langage est certes un instinct présent chez tous les hommes, mais que son expression fait appel à un ensemble de systèmes neuronaux qui servent à d'autres prouesses illustrant également l'habileté et l'intelligence de l'homme.

Récapitulation

On connaît la fameuse loi biogénique de Haeckel qui stipule que chaque animal refait en se développant ce que firent ses ancêtres en évoluant. Autrement dit, l'ontogenèse récapitule la phylogenèse. Si cette loi s'applique au langage, on devrait retrouver chez les cousins éloignés de l'homme qui possèdent avec lui des ancêtres communs (autrement dit les singes anthropoïdes) des ébauches du langage correspondant à celles observées dans le développement du bébé. Je préfère le dire tout de suite et sans ambiguïté : il n'existe pas de langage naturel, pas même à l'état d'esquisse chez aucun singe connu.

Par un étrange biais de l'esprit, des chercheurs se sont évertués à essayer d'apprendre un langage à des singes anthropoïdes, des chimpanzés le plus souvent. Que dirait-on d'un biologiste qui essaierait d'apprendre à voler à un crocodile sous prétexte qu'il possède un ancêtre commun avec l'oiseau : un dinosaure.

Il est vrai qu'il existe des structures homologues des aires du langage chez les singes. L'aire de Broca est déjà repérable chez le macaque et un *planum temporale* asymétrique vient d'être observé chez les chimpanzés. Or ce secteur de l'aire de Wernicke constitue, on l'a vu, un secteur stratégique pour le langage humain. On peut en conclure que cette asymétrie du *planum temporale* que l'on croyait spécifique de l'homme existait déjà chez l'ancêtre commun avec les chimpanzés, vers 8 MA. Rien n'indique toutefois que ces structures étaient déjà impliquées dans la communication. Peut-être l'aire de Broca servait-elle à la manipulation d'objets dont j'ai signalé le caractère homologue à l'articulation des éléments verbaux ? Ou bien ces structures étaient-elles tout simplement utilisées autrement, mais prêtes à servir au langage pour autant que la sélection naturelle en décide. Il ne s'agit pas d'adaptation, mais de ce que les paléontologues appellent *exaptation* ou *préadaptation*. Mais même en admettant que ces régions soient homologues, chez le singe, des aires du langage chez l'homme, y a-t-il vraiment un intérêt à forcer la nature de ces animaux ? Sous le prétexte que les nageoires latérales de la baleine et les ailes de l'oiseau sont homologues, doit-on chercher à tout prix à faire voler les baleines ?

Je rapporterai toutefois quelques-unes de ces expériences

qui ont au moins le mérite de faire ressortir *a contrario* la spécificité de l'humain tel qu'il se parle.

Ces tentatives reposent sur l'idée que l'échec des expériences d'apprentissage d'un langage vocal à des singes n'était pas dû à leur trop faible intelligence, mais à leur incapacité mécanique de produire des sons articulés. Lieberman, grâce à des images obtenues par ordinateur, a montré comment le larynx s'est abaissé chez l'homme, ouvrant ainsi le carrefour où se croisent les voies respiratoires et digestives et exposant l'homme aux risques de fausses routes et d'engouement : l'homme ne peut respirer et avaler en même temps comme le font encore les singes et les bébés de moins de cinq mois. En revanche sa langue qui plonge dans sa gorge permet la formation de sons quantiques responsables de la salience acoustique et de la stabilité des émissions sonores. La vitesse de transmission d'une information est ainsi deux à trois fois plus rapide que par tout autre moyen.

Pour contourner cet obstacle, les Gardner ont choisi d'apprendre l'*ameslan* (le système de communication gestuelle des sourds-muets nord-américains) à une jeune guenon, appelée Washoe, alors âgée de huit mois. Après trois années d'apprentissage baignées d'affection et de constante attention, Washoe possédait un « vocabulaire » (on devrait dire un manubulaire) d'une soixantaine de signes, consistant essentiellement en injonctions : viens, encore, dehors – donc tous liés à l'action du moment. Par la suite, Washoe a enrichi son répertoire jusqu'à 150 « mots », pouvant même associer ceux-ci par séquences de trois à quatre éléments qui évoquaient la construction d'une phrase : « toi moi sortir vite ». Celle-ci survenait toujours dans un contexte actuel et finalisé qui impliquait le locuteur et son destinataire.

Tout cela est du cirque, disent les linguistes : du dressage qui repose sur l'imitation et ne ressemble en rien au langage qui, lui, triomphe du lieu et du moment, et repose sur l'arbitrarité radicale des signes et la gratuité de leur utilisation. Pour Terrace, il n'y a aucune trace de syntaxe dans les phrases construites par Washoe, aucune articulation entre les signes qui ne sont pas commutables au sein d'ensembles organisés. Contrairement aux enfants, Washoe ne se sert pas spontanément des signes appris pour attirer l'attention de l'entourage sur tel ou tel objet ou sur un événement. Au total, réponse à l'injonction du maître et imitation paraissent être les caractères de ce langage, finalement décevant, parlé par Washoe et les autres chimpanzés sujets d'expériences comparables.

D'autres chercheurs ont eu recours à des capacités, des techniques résolument artificielles. Je rapporte à ce propos l'excellente analyse qu'en fait Vauclair[22] dans son livre consacré à l'intelligence animale. Premack a dressé une femelle chimpanzé, nommée Sarah, à manipuler sur un tableau magnétique de petits objets aimantés. Sarah a été longuement entraînée à associer ces symboles de formes et de couleurs différentes à des objets, des actions, des caractéristiques d'objets et d'actions, et même à des connecteurs logiques, du type si... alors. Dans l'exemple de la pomme, la guenon associait ainsi trois « mots » (c'est-à-dire trois pièces aimantées) signifiant respectivement « rouge », « rond » et « munie d'une queue ». On lui a présenté ensuite non plus une « pomme » mais le symbole désignant la pomme : une pièce de couleur bleue et de forme triangulaire. Bien que les caractéristiques apparentes du signal fussent opposées à celles du contenu, Sarah a fourni à nouveau une description correcte de la pomme. « Ces performances témoignent de la capacité de l'anthropoïde à se représenter les propriétés physiques d'un objet, à partir d'un signal non seulement arbitraire, mais surtout qui présente des caractéristiques physiques contradictoires. Dans cette situation, le chimpanzé a donc été capable d'associer un substitut arbitraire à un objet et, en plus, d'associer deux substituts entre eux. »

Savage-Rumbaugh a poussé l'expérience plus loin, en utilisant des lexigrammes. Ce sont des figures géométriques abstraites qui apparaissent par simple contact du doigt sur

22. J. Vauclair, *L'Intelligence animale*, Paris, Le Seuil, 1992.

un écran. Deux chimpanzés, Sherman et Austin ont été entraînés à représenter des objets, des personnages, des actions et des situations par les symboles des lexigrammes. Plus tard, ils ont appris à catégoriser les objets : par exemple, alimentaires (pommes, poires) ou instruments (tournevis, pinces). Ce label peut être comparé, non seulement aux objets eux-mêmes, mais encore à leurs substituts lexigraphiques. Là encore une telle symbolisation reste dépendante du contexte : demande de l'objet ou attention à l'objet. Mais si l'on veut montrer que le chimpanzé utilise des signes équivalents à ceux du langage, il faut montrer qu'il dispose d'une représentation individuelle liée à l'état de ses acquisitions, qu'une convention sociale a rendu possible le découpage des substituts et que les signes constituent des valeurs relatives aux autres signes : c'est le propre de la double articulation.

J'insisterai pour achever cette visite chez les singes savants sur le « cas Kanzi », un bonobo, espèce de chimpanzés *(Pan panicus)* qui ont la réputation d'être plus intelligents que les chimpanzés communs *(Pan troglodytes)*.

Avant d'être lui-même un sujet d'étude, Kanzi a appris tout seul le langage des lexigrammes que l'on tentait en vain d'enseigner à sa mère adoptive, une vieille guenon sortie tout droit de la forêt équatoriale et rétive aux études. Kanzi, qui vit au Yerkes Center d'Atlanta, comprend plus de six cents mots et a accès à une syntaxe assez complexe dont je donnerai l'analyse. Il est capable de rectifier des erreurs volontaires de syntaxe du locuteur et d'atteindre des niveaux d'abstraction assez élevés. Par exemple, à l'injonction « mouille orange », en l'absence de point d'eau dans son séjour, il répond en sortant pour présenter l'orange à la pluie. Parallèlement, Kanzi sait construire des phrases avec les symboles des lexigrammes. Tantôt la phrase est construite en imitation de la syntaxe anglaise utilisée autour de lui : sujet, verbe et complément. (Cette régularité grammaticale s'accorde généralement à une préoccupation triviale de notre locuteur.) Tantôt, plus exceptionnellement, il est vrai, l'action précède l'agent, lui-même suivi de l'objet : « mordre Kanzi pomme ». Ce système, appelé *ergatif*, est employé dans des langues naturelles que Kanzi n'a jamais entendues. Le bonobo a donc inventé sa propre syntaxe. Non seulement, il comprend les formes syntaxiques les plus compliquées, mieux que le ferait un enfant de trois ans, mais il peut suivre des règles de grammaire non imitées de son entourage. Encore l'inertie du lexigramme ne facilite-t-elle guère les articulations. Au total, les performances de Kanzi ne dépassent pas celles d'un enfant de trente-huit mois. Est-ce à dire qu'au cours de son développement, le langage de l'enfant passe par le stade où Kanzi s'est arrêté ? Les mêmes aires cérébrales, les mêmes circuits nerveux, comme je l'ai signalé, permettent au tout jeune enfant à la fois de manipuler les objets qui l'entourent et de construire son langage. On serait tenté d'y voir l'illustration de la loi de récapitulation.

En fait, l'exemple de Kanzi rend compte par défaut de l'unicité du langage et avant tout de son caractère récursif. Les mots ne réfèrent pas en effet directement, ni à des entités, ni à des objets du monde réel, mais à d'autres mots ou à d'autres signes organisés en système que l'on peut qualifier de concepts. Les signes ne sont donc pas uniquement des étiquettes fixées aux choses, autrement dit, l'expression d'une *représentativité* par un symbole en absence de l'objet, mais encore d'une arbitrarité radicale, témoin d'une intelligence conceptuelle. Cette relation signifiant-signifié est organisée grâce à une syntaxe qui définit des règles rigoureuses au sein desquelles l'ordre des mots joue un rôle déterminant pour le sens. Mme Rumbaugh [23] prétend que Kanzi a découvert spontanément une syntaxe rudimentaire lui permettant d'associer les signes. La plupart des linguistes pensent qu'il s'agit d'une banale juxtaposition liée à la répétition. S. Pinker citant E.O. Wilson qualifie le langage animal de rabâchage dépourvu de sens : « Les animaux se répètent jusqu'à la niaiserie. »

S'il est une fonction qui caractérise le langage humain, c'est son aspect *déclaratif* qui a pour objet d'apporter une

23. E. Linden, *National Geographic*, 1992, p. 3-53.

information sur le monde qui tranche avec le caractère exclusivement *impératif* de la communication animale. Dans ce dernier cas, les signaux sont toujours utilisés dans un contexte de demande (un objet, une action) : sortir, manger, jouer, une banane, etc.

Il est vrai que le caractère déclaratif est présent dans quelques exemples de communication animale (rien n'est jamais totalement nouveau en matière d'évolution). Les singes Vervet disposent de signaux vocaux différents pour faire connaître à leurs congénères la menace qui se présente (serpent, panthère ou rapace) et entraîner de leur fait la riposte appropriée (refuge dans l'arbre ou fuite au sol). Il s'agit là d'une communication circonscrite qui n'est en rien comparable à un langage.

Dans le langage, explose l'extrême sociabilité de l'homme. L'enfant avant de savoir parler, partage avec son entourage un intérêt conjoint pour les choses comme regarder un objet que sa mère lui désigne. Le partenaire est considéré comme un agent lui-même doué d'intention et une théorie est faite sur son état mental : il est content, il souffre, etc. Le langage permet un partage de la subjectivité et j'insisterai dans un prochain chapitre sur le caractère fondamental de l'affect dans l'origine du langage. Dans le lexigramme proposé à Kanzi, il n'y a pas de symbole pour père, mère ou encore apaisement. Le contenu socio-affectif du pseudo-langage utilisé par l'animal est nul.

Il existe une fonctionnalité du langage qui fait de celui-ci un organe comme le foie, le rein et exposé comme eux aux contraintes du monde et à la sélection naturelle. La fonction globale du langage serait de produire du social. Beaucoup de linguistes sont aujourd'hui convaincus que les aspects les plus mystérieux et les plus opaques de la grammaire sont liés à des motifs purement fonctionnels. Par exemple, l'accord des pluriels ou des genres servirait à aider l'interlocuteur à ne conserver que la trace de références dans la traversée d'un long discours. L'étude de la grammaire peut prétendre à l'analyse de véritables fonctions (expansion, coordination, subordination, etc.), au point qu'il n'est pas plus absurde de parler d'une *physiologie du langage* que d'une génétique de celui-ci. Que les grammaires obéissent ou non à des motifs fonctionnels du point de vue de l'adulte n'enlève rien au fait que le jeune enfant est capable d'acquérir des phénomènes linguistiques qu'il ne comprend pas ou tout au moins pas encore. Il peut mettre en mémoire et reproduire de vastes fragments de discours incompréhensibles pour lui, tout comme il stocke et imite (représente) des activités culturelles dont il ne peut connaître encore la signification. Il prend et met de côté avant de savoir « à quoi ça sert » et sa devise pourrait être : « Prenons toujours, on verra plus tard. »

Devant l'arbitrarité radicale qui caractérise les signes du langage et la complexité des règles de grammaire, des linguistes évoquent une différence radicale avec la communication animale. Ils récusent le gradualisme, car, disent-ils, que signifie pour un « organisme de posséder un demi-symbole ou les trois quarts d'une règle [24] » ? C'est refuser de comprendre comment la sélection naturelle est capable de modifier progressivement une ébauche d'organe, voire un organe servant à d'autres usages, au point d'en faire un organe d'apparence et de fonctions totalement différentes par exemple d'une nageoire, une patte et d'une patte, une aile.

Il est donc tout à fait possible qu'un *protolangage* ait évolué chez les pré-hommes avec un nombre limité de symboles, des règles plus simples et moins systématiques – et non des demi-règles ou des quarts de règles –, une double articulation, enfin, très rudimentaire, mais caractérisée déjà par la juxtaposition d'éléments sonores obéissant à des nécessités fonctionnelles comme sont assemblées les pièces d'un outil ou d'une arme.

L'objection naïve qui consiste à remarquer qu'il ne sert à rien d'inventer une langue s'il n'y a personne pour la comprendre, autrement dit que l'évolution du locuteur doit être parallèle à celle de l'interlocuteur, ne tient évidemment pas. Le locuteur et l'interlocuteur ne sont en effet qu'une

24. Bates cité par Pinker, *op. cit.*, p. 21.

même personne – bel exemple d'une représentation dans laquelle l'action n'est pas séparable de la représentaction. Je remarque au passage que cela implique aussi bien l'existence d'une conscience de soi que celle d'un langage intérieur.

Il n'y a aucune raison pour penser que *Homo erectus* ne possède pas un protolangage qui ferait de lui un homme, certes non achevé, mais humain dans le plein sens du terme. Cette proposition n'exclut pas, j'y insiste à nouveau, la possibilité d'événement évolutif amenant chez des groupes d'individus un essor particulier du langage pouvant ensuite se répandre par flux génétique dans une population plus grande au gré de déplacements géographiques de « beaux parleurs ».

Parmi les facteurs anatomiques qui favoriseraient le développement du langage, on évoque l'élargissement d'un canal osseux de la base du crâne (le canal hypoglosse) qui permet le passage du nerf moteur de la langue. Quelques hommes auraient donc eu la langue mieux pendue que d'autres (il y a quatre cent mille ans environ). Une étude plus récente montre que de nombreux singes possèdent un large canal hypoglosse et que chez l'homme moderne la taille du canal et celle du nerf qui le traverse ne sont pas liées.

Un autre élément limitant pourrait être la position du larynx. D'après Lieberman [25], malgré son cerveau de taille comparable à celui d'*Homo sapiens*, l'homme de Néandertal ne pouvait émettre que des sons nasonnés impropres au langage articulé. Remarquons également que le larynx du nouveau-né par sa position haute ne lui permet pas non plus de parler. L'avantage là encore est de protéger le nourrisson des étouffements par fausses routes qui restent malgré tout une des causes principales de mortalité chez l'enfant.

La langue est un élément majeur de la culture. Celle-ci, par définition même, est diversifiée. Il n'y a donc aucune raison de penser qu'*Homo erectus*, voire *Homo sapiens* aient parlé un même protolangage. Sans entrer dans les débats

---

25. P. Lieberman, *Uniquely Human*, Cambridge, Harvard University Press, 1991.

sur l'existence d'une « langue mère » dont descendraient les quelque six mille langages modernes – ce qu'affirme Merrit Ruhlen en se basant sur l'existence de mots partagés par celles-ci – on ne peut manquer de rapprocher cette hypothèse de données génétiques rapportée par André Langaney en collaboration avec plusieurs équipes de chercheurs européens. Ces observations faites à partir de marqueurs ADN nucléaires et mitochondriaux montrent une étroite corrélation entre les temps de divergence des grandes familles de langues et les distances génétiques entre les groupes de populations qui les parlent actuellement. Autrement dit, tous les hommes modernes descendraient, selon Langaney, d'une même population probablement peu nombreuse « qui aurait même frisé l'extinction stagnant ou passant par un minimum démographique de dix mille reproducteurs ou moins, à une période située entre trente mille et soixante mille années ». Il y avait déjà bien longtemps à cette époque, que la terre était peuplée d'hommes, d'autres hommes, mais des hommes !

Le propre de l'homme

Pour achever cette longue enquête sur la nature de l'homme, je ne peux manquer de signaler une publication récente [26] qui fait état d'une zone du cerveau située à la face interne de l'hémisphère gauche dans la partie antérieure de l'aire dite motrice supplémentaire dont la stimulation électrique déclenche un rire associé à un état joyeux du sujet. Cette structure n'existerait pas chez le singe. Notre revue s'achève donc sur un éclat de rire et « pour peu que le rire soit le propre de l'homme, rions ».

---

26. Fried *et al.*, *Nature*, 1998, *39*, p. 650.

Et les gènes ?

Si l'on compte sur la génétique pour connaître l'essence de l'homme, on risque d'être déçu. Et cependant l'évolution ne peut se faire sans mutation de gènes. On lit un peu partout que les chimpanzés et l'être humain ont 98 à 99 % de leur ADN identiques. Ce qui signifie à la fois beaucoup et rien du tout. L'erreur majeure (souvent faite) consiste à dire que nous sommes à 99 % comparables à des chimpanzés. Affirmation qu'accepte volontiers un Français de souche qui par ailleurs refuse l'idée qu'il est à 100 % semblable au « nègre » qui ramasse ses poubelles. L'ADN qui se modifie au rythme aléatoire d'une horloge moléculaire ne concerne qu'une partie du génome – celle qui ne contient pas de gènes et ne code pas des protéines. Une mutation ponctuelle sur un gène n'a donc pas la même signification (elle peut supprimer ou modifier son action) que celle qui porte sur la partie non codante de l'ADN, sans effet sur les fonctions et les formes de l'organisme. Une différence de 1 % dans l'ADN total ne signifie donc pas que 1 % seulement des gènes de l'homme et du chimpanzé sont différents, mais ne veut pas non plus dire que tous les gènes de l'un et de l'autre diffèrent chacun de 1 %. En bref, une mutation sur un seul gène pourra avoir des conséquences considérables alors que d'autres mutations sur des gènes ou surtout sur l'ADN non codant laisseront l'organisme indifférent.

Pour comprendre ce qui a pu se passer dans l'évolution de la lignée qui a conduit à l'homme, il faut aussi faire intervenir des remaniements chromosomiques qui concernent non les gènes eux-mêmes, mais leur support, c'est-à-dire les chromosomes. Si les gènes du chimpanzé et de l'homme sont presque identiques, il n'en est pas de même de ce que l'on appelle leur caryotype, c'est-à-dire l'aspect physique de leurs chromosomes, au nombre de 48 chez le premier et de 46 chez le second. Certaines espèces de singes peuvent même compter jusqu'à 70 chromosomes.

Ces remaniements sont faits par fusion-accrochage de

deux chromosomes (le 2 et 3 du chimpanzé chez l'homme), par addition de matériel génétique à la suite de duplication et par inversion de fragments. Ces modifications de l'architecture du chromosome peuvent modifier l'expression des gènes qu'il contient. Ceci devient particulièrement important lorsque des gènes de développement ou homéogènes sont concernés.

Nous verrons dans la troisième partie que l'expression d'un gène de développement est sous la dépendance des gènes voisins. Ainsi, un remaniement chromosomique peut-il modifier la chronologie d'un gène ou l'inactiver. L'inactivation d'un gène qui détermine un territoire donné peut parfois favoriser l'expression du gène lié au développement de la région située à côté. Il suffit par exemple que l'ouverture d'un homéogène du cerveau soit retardée pour que se prolonge l'activité du gène voisin et donc le développement de la structure correspondante, le cortex frontal par exemple. On peut faire l'hypothèse qu'à la suite d'un remaniement chromosomique discret, l'expression modifiée d'un ou deux gènes de développement ait suffi à entraîner l'expansion considérable du cerveau et de ses capacités cognitives, celles-là mêmes qui ont permis la naissance du langage.

S. J. Gould a rappelé que l'homme diffère du chimpanzé par un ralentissement de son développement. À la naissance, le jeune chimpanzé ressemble à un jeune humain. Tout se passe ensuite comme si l'homme adulte avait conservé les traits du chimpanzé nouveau-né. Cette néoténie [27] ne concerne parfois que certaines parties du corps (la tête, les pieds, la peau) pour lesquelles elle offre l'occasion d'un nouveau départ et de l'acquisition de propriétés différentes. Avec sa peau glabre, ses arcades sourcilières étroites et son gros orteil parallèle aux doigts du pied, l'homme ressemble à un fœtus de chimpanzé.

L'immaturité prolongée de l'homme ferait donc de celui-ci un bébé singe néoténique qui aurait pris tout son

27. Voir note 17.

temps pour apprendre à parler. En somme, l'homme ne serait qu'un vieux singe resté en enfance. (Peut-être est-ce la raison de sa conduite parfois si déraisonnable.)

Suite et fin de l'histoire ou L'avènement de l'homme unique

L'aventure génétique de notre lignée « s'achève » sur l'apparition de l'« HOMME », espèce unique en son genre après extinction des espèces voisines. Entre un et deux millions d'années BP, un bouleversement génétique peut-être chromosomique donne naissance à un nouveau rameau du buisson des hominidés, celui du grand bipède qui s'apprête à explorer l'ancien monde.

Vers 1 MA, un refroidissement climatique décime le buisson des hominidés dont ne survit probablement, grâce à ses capacités cognitives, qu'*Homo erectus*. Suit une longue période de stabilité et de continuité. Au train régulier et lent de l'horloge moléculaire (0,7 % de substitution de paires de base de l'ADN mitochondrial par million d'années) et grâce à un flux continu d'échange génétique, l'*erectus* se change en *sapiens*. L'œuvre est achevée en Afrique où nous ramène semble-t-il l'ADN mitochondrial vers 100 000 à 200 000 ans. Un peu plus tard, entre 40 000 et 60 000, la population de l'homme moderne est réduite à quelques dizaines de milliers d'individus. Il est vraisemblable que cet homme parle notre « langue mère ».

En Europe, des *Homo erectus* se sont trouvés isolés à partir de cinq cent mille ans par des fluctuations climatiques qui ont installé des barrières géographiques avec le reste du monde. Ils vont alors évoluer pour leur propre compte, constituant une branche indépendante du *sapiens* dérivée de l'*Homo erectus*. Cet homme de Néandertal possède sa culture et, peut-être, une ou plusieurs proto-langues. Son crâne est aussi vaste que celui de l'homme moderne, mais conserve des traits archaïques : face projetée vers l'avant, large orifice nasal, bourrelets osseux sus-orbitaires et calotte étirée en arrière en forme de chignon occipital. L'existence d'un os hyoïde atteste, contrairement à d'anciennes assertions, sa capacité anatomique à parler. Des études récentes sur l'ADN extrait d'un os néandertalien démontrent qu'un processus de spéciation a bien eu lieu effectivement. Cette découverte a deux conséquences. La première est que l'ancêtre commun possédait en grande partie les caractères partagés par les deux espèces : *Homo neandertalis* et *Homo sapiens*, c'est-à-dire même complexe culturel et mêmes capacités langagières. La seconde est que lorsque l'homme moderne sous les traits de Cro-Magnon a envahi l'Europe et le Proche-Orient, il y a environ 100 000 ans, il a rencontré les Néandertaliens sans qu'aucune absorption génétique soit possible, alors que l'archéologie ne décèle entre eux jusqu'à 40 000 ans aucune différence culturelle. Les Néandertaliens disparurent sans qu'on en connaisse les raisons exactes. Il n'y a plus de place dans le monde moderne pour deux espèces d'homme. *Homo sapiens* est enfin seul.

Son statut d'unique lui permet de s'affranchir de sa condition d'animal et de porter son regard en deçà de la vue :

« D'une pleine vue la créature voit
l'Ouvert. Seuls nos yeux sont
comme à rebours, posés tout autour d'elle
ainsi que pièges, cernant sa libre issue.
Ce qui est au-dehors, nous le savons seulement
par la face animale ; car le jeune enfant déjà
nous le ployons et contraignons pour qu'il voie en deçà
ce qui a figure et nom l'Ouvert,
si profond dans la vie animale. Libre de la mort.
Quand nous ne voyons qu'*elle* ; le libre animal
a son déclin toujours derrière soi
et devant soi Dieu, et quand il va, c'est
en l'éternité, comme vont les fontaines [28]. »

28. Rainer Maria Rilke, *Huitième Élégie de Duino*, traduite par Roger Munier, Paris, Fata Morgana, 1998.

II

L'homme interprète passionné du monde

La première partie m'a permis de peindre le tableau en pied d'un homme débarrassé de sa pelure animale et devenu par la grâce de l'évolution un être cultivé, intelligent et éloquent. Il manque, cependant, une qualité à ce portrait, celle que les anciens désignent sous le terme de sensibilité *(aisthesis)* et qui fait de l'homme un artiste et un amateur d'art.

L'art est ce produit spécifique du cerveau humain, au même titre que le langage et, comme ce dernier, un acte qui ne peut être que destiné à l'autre, c'est-à-dire à un être sensible qui le reçoit. Ce qui se manifeste à travers les organes des sens apparaît sous les instances contradictoires du plaisir et de la souffrance : ces *processus opposants* dont on verra qu'ils sont les fondations sur lesquelles s'établissent les passions de l'homme.

Selon Ernesto Grassi [1], « le monde qui se manifeste à travers les sens est notre monde originaire : ce sont les sens qui ouvrent le rideau du théâtre sur lequel nous apparaissons tout à la fois comme des acteurs et des spectateurs. La voix sémantique, indicative, surgit à travers le plaisir et la profondeur d'une réalité abyssale, comme manifestation immédiate et indéductible sans qu'il y ait un avant et un après, sans distinction de cause et d'effet, sans pourquoi ».

1. E. Grassi, *La Métaphore inouïe*, Paris, Quai Voltaire, 1990.

Au lieu d'être seulement une représentation plus ou moins rationnelle, plus ou moins ressemblante, l'art est l'expression de ce que j'ai désigné sous le terme de représentaction, c'est-à-dire une relation vivante où le sujet « s'investit selon les particularités de sa présence à soi et au monde et où les mouvements du désir suscitent décharges affectives, productions imaginaires et valeurs [2] ». Un acte de prise sur le monde comme celui du musicien qui interprète une partition. Cet art jaillit à la source du désir, au sein d'un ensemble de sensations porteuses de sens. Il est pathétique et émouvant dans la mesure où il exprime les éléments émotionnels qui autant – sinon plus – que les éléments logiques déterminent l'essence de l'homme. En lui, de façon spécifiquement humaine, dans un arrachement à l'animalité, éclatent la joie et la souffrance qui sont les modalités premières de l'être au monde.

En cela, l'art n'est pas différent du langage dont il est probablement le contemporain neuronal. Les deux naissent avec l'homme moderne, on serait tenté de dire de l'homme achevé. Vers 35 000 ans avant notre ère, celui-ci parle des langues qui pourraient être les nôtres et réalise des fresques et des sculptures que nous comptons au patrimoine de l'humanité. L'apparition de l'art comme celle du langage n'implique pas un « big bang ». Faut-il répéter que dans ce domaine, comme s'agissant des parties molles non fossilisables des organismes, le fait que la longue évolution qui a précédé l'art paléolithique n'ait pas laissé de traces visibles sur le sol ou dans la pierre, ne veut pas dire qu'elle n'ait pas eu lieu ? Peut-être l'œuvre d'artistes contemporains comme celle de Dubuffet, est-elle la récapitulation de la phylogenèse de l'art et reproduit-elle les étapes effacées de son évolution ?

Par son « actualité », l'art nous fournit une introduction exemplaire à l'étude de l'homme passionné et des mécanismes biologiques à l'œuvre dans son cerveau.

---

2. J. Granier, « Philosophie et interprétation », *Encyclopédie philosophique universelle*, vol. 1, *L'Univers philosophique*, André Jacob dir., Paris, PUF, 1989, p. 56-57.

L'art et le cerveau

Si l'on effaçait de la surface de la terre l'ensemble des cerveaux humains, l'art disparaîtrait du même coup. Les cathédrales continueraient de se dresser dans le ciel et les tableaux de pendre sur les murs des musées désertés. Toutes ces œuvres du génie humain n'auraient plus la possibilité de vivre chaque fois qu'un regard humain se porte sur elles. L'art n'existe en effet que dans le cerveau de l'homme à qui il s'adresse et qui seul est capable de le produire.

Je ne parlerai ici que de la peinture parce que les exemples y abondent et sont faciles à montrer, mais ce que je dirai s'applique à l'art dans sa généralité.

Le simple fait de voir est une opération mystérieuse. Les yeux, grâce aux cellules sensorielles de la rétine, recueillent des données physiques sur le monde visible : forme, couleur, mouvement et disposition spatiale des objets qui le composent. Disposer de ces informations, aussi précises soient-elles, ne permet pas de connaître le monde et encore moins de l'interpréter.

Ainsi, la couleur d'un objet n'émane pas de celui-ci, mais est donnée par les longueurs d'onde de la lumière que renvoie sa surface. Cette réflectance varie à chaque instant et cependant la « rose reste rose de l'aube pâle jusqu'au soir quand son ombre devient rouge ».

La forme d'un objet varie également selon l'angle de vision, mais reste constante dans sa représentation cérébrale. Les cubistes qui prétendent atteindre l'essence d'un objet par la vision simultanée de multiples points de vue se trompent et n'aboutissent qu'à brouiller l'image en faisant une concurrence trop simpliste au cerveau. L'émotion esthétique, de façon paradoxale, naît dans leurs œuvres de la violence maladroite faite à ce dernier. Ce qui ne change d'ailleurs rien à son rôle exclusif en matière artistique. C'est lui qui assigne une constance aux données sensorielles que lui adresse le monde. Du flot incessant et changeant des informations, il extrait et sélectionne celles qui lui permettent de catégoriser les êtres et les choses.

Lorsqu'il décrit les mécanismes cérébraux de la vision, Semir Zeki [3] cite Matisse : « Voir, dit celui-ci, c'est déjà une opération créatrice qui exige un effort. » Cette création s'effectue dans des aires de l'écorce cérébrale ou cortex. Ces zones que l'on désigne par la lettre V en occupent la partie postérieure.

Étrange navire dont le poste de vigie est situé à la poupe : la région V1 où viennent aboutir les signaux électriques en provenance des rétines. Sans entrer dans les détails de construction du système, on rappellera que l'hémisphère gauche « regarde » la moitié droite du champ visuel et le droit, la moitié gauche. Le tout, selon une organisation point par point telle que chaque point du demi-espace visuel opposé projette ses messages en une région ponctuelle [4] de V1. Les neurones (des centaines de milliers) y sont disposés en colonnes dont les éléments répondent préférentiellement à un segment de ligne orientée dans l'espace [5] ou à d'autres informations élémentaires comme la composition spectrale de la lumière émanant du champ récepteur.

Grâce aux informations recueillies en V1, le cerveau construit une image cohérente de l'objet. Celle-ci est comparable aux lignes que le peintre trace sur la toile avant de réaliser le tableau. Lorsque V1 est détruite, le sujet perd toute vision consciente du monde. On dit qu'il est atteint de cécité corticale.

L'aire principale V1 distribue parallèlement les signaux aux régions corticales qui l'entourent. L'aire V4 apporte la couleur ; sans elle, un patient voit le monde en noir et blanc et il y a peu de chance qu'un tableau peint par un fauviste le séduise. La destruction de V5, en revanche, entraîne

---

3. S. Zeki, *Art and the Brain*, Daedalus, 1998, *127*, p. 71-103.

4. Il est préférable de parler de champ récepteur qui corresponde à une région limitée de l'espace, un point étant par définition dépourvu d'étendue.

5. Voir, pour plus de détails, P. Buser, *Cerveau de soi, cerveau de l'autre*, Paris, Éditions Odile Jacob, 1998.

l'inaptitude du sujet à percevoir les objets en mouvement ; il restera indifférent devant un mobile de Calder. Les régions (V2 et V3) permettent de reconnaître les formes, une autre (V3[A]) de préparer l'action qui accompagne cette identification. Il existe enfin des aires situées plus en avant vers la proue du navire, étroitement connectées avec les précédentes, qui participent aux processus de mémoire. Une image peut naître également dans le cerveau en l'absence de l'objet représenté. Les aires activées par l'imagination sont les mêmes que celles qui interviennent dans la perception directe. Ainsi, un sujet qui a perdu l'aire 4 vit dans un monde imaginaire aussi incolore que sa perception de la réalité.

Les représentations que le sujet a du monde ne sont pas préformées dans son cerveau. Certes, V1, V2, V3, etc., sont assignées à résidence dans des territoires déterminés par les gènes. Mais il est indispensable que l'organisme soit exposé à des signaux visuels pendant une période critique qui suit la naissance pour que les cellules nerveuses s'organisent en vue de reconnaître les formes, les couleurs, les mouvements, bref toutes les qualités modulaires qui caractérisent la vision. Par exemple, un chaton élevé dans un environnement constitué uniquement de bandes verticales ne percevra pas adulte les dimensions horizontales du monde [6].

La réalité à laquelle le très jeune enfant est exposé instruit son cerveau, afin qu'il soit capable ensuite d'identifier les objets qui pour lui ont un sens. Cette « éducation » est reçue dans un contexte émotionnel qui en est la condition même. L'objet inaugural est un visage, celui de la mère. Même aveugle, un bébé « voit » la figure maternelle – vision purement affective sans ligne, sans couleur et sans mouvement –, une sorte de vision aveugle, le regard de l'amour à l'état naissant.

Une région du cortex proche de l'aire V4 est spécialisée dans la reconnaissance des visages. Des chercheurs ont

6. Voir sur le sujet des relations entre l'art visuel et la neurophysiologie : J.-P. Changeux, *Raison et plaisir*, Paris, Éditions Odile Jacob, 1994.

enregistré dans cette région, chez le macaque, l'activité électrique de neurones qui répondaient sélectivement à la présentation d'un visage. Confronté à la Joconde, le singe reconnaîtra sûrement un humain, mais je doute qu'il soit ému et qu'il puisse échanger ses impressions avec quiconque. Les œuvres d'art, la Joconde du Louvre ou la Vache de Lascaux, sont des représentations extérieures et destinées à « l'autre », tirées de représentations internes conçues dans le cerveau de l'« artiste ».

À plusieurs reprises, j'ai insisté sur l'association entre action et représentation. Des expériences réalisées sur des chatons dans les années 1960 par Held sont, sur ce point, très démonstratives. Des petits chats étaient élevés dans le noir et exposés à la lumière seulement quelques heures chaque jour pendant lesquelles ils étaient associés par paires : un chaton était actif tandis que l'autre était passif. Le premier pouvait se déplacer librement, mais était équipé d'un harnais de telle sorte que chacun de ses déplacements entraînait un manège sur lequel était fixé le chaton passif. Au bout de quatre semaines, seul l'animal actif présentait des réactions visuo-motrices correctes [7].

L'art témoigne d'une pareille collusion sensori-motrice. « Les Grecs, rappelle Ernst Gombrich, n'avaient qu'un seul mot et un seul concept pour l'art et l'habileté, *tekhné* – l'histoire de l'art par définition était l'histoire de la maîtrise technique. » Jean Clair [8], qui fait référence à cette définition, insiste sur le rôle du « faire » dans la genèse de l'œuvre. On parle de l'œil et de la main et de leur partenariat, c'est en réalité dans le cerveau que se fait la fusion de la vision et du geste. « L'œil s'enracine, au premier regard, dans un terreau riche et confus, chaotique, qui est celui de la sensibilité. Mais déjà, tirer un trait, au sens propre, fouiller pour extraire un fil de ce fouillis, c'est faire l'effort d'intellection de ce que l'on a sous les yeux. [...] Ce chassé-croisé entre la sensibilité et l'intelligibilité suppose un équilibre. La pure intelligibilité du tracé mathématique tout comme la pure

7. M. Jeannerod, *Le Cerveau machine*, Paris, Fayard, 1983.
8. J. Clair, *L'Art est-il une connaissance ?* Paris, Le Monde éd., 1996.

sensibilité du tracé instinctif en sont exclues. L'œil a besoin à chaque instant de se nourrir de l'épreuve du réel, tout comme l'esprit a besoin sans arrêt de vérifier la validité du trait. » Ce qu'on peut conclure par la phrase célèbre de Goethe : « Ce que je n'ai pas dessiné, je ne l'ai pas vu. »

Il n'est donc pas étonnant que l'enfance de l'art prenne sa source dans le regard du bébé et dans ses mains. La passion qui les anime installe le jeune artiste au cœur d'un vaste programme d'imitation et de communication.

Il est fascinant d'observer un enfant âgé de deux à trois ans, capable de reconnaître et de nommer un animal, qu'il s'efforce de reproduire par des traits gribouillés sur du papier à sa plus grande satisfaction. L'icône qui représente l'animal est implicite dans le geste, alors même que celui-ci n'aboutit qu'à quelques traits non identifiables. Cependant, le sens éclate dans l'émotion partagée entre l'enfant et l'adulte qui regardent son œuvre.

L'interprétation du monde à laquelle se livre le cerveau repose, on vient de le voir, sur le duo passionné de la sensibilité et de l'action. Mais l'exemple de l'art illustre une autre dualité, celle des cerveaux droit et gauche.

Pour résumer les choses et au prix d'inévitables approximations, il apparaît que les deux hémisphères, lorsqu'ils sont séparés chirurgicalement [9], interagissent, selon des compétences et des modalités différentes avec la moitié du corps et de l'espace qui leur revient : la droite pour le cerveau gauche et la gauche pour le cerveau droit.

Le cerveau gauche, dit hémisphère dominant, est responsable du langage parlé et écrit, des tâches motrices qui exigent précision et concentration dans l'espace, du calcul – il pense de façon logique et sérielle et établit les relations de causalité entre les objets et les faits. L'hémisphère droit est en revanche supérieur dans la perception des plans d'ensemble dans laquelle le corps évolue ; il guide les yeux et

9. L'opération dite de *split brain* consiste à sectionner les fibres nerveuses faisant communiquer les deux hémisphères. Elle est effectuée chez l'homme, afin de supprimer des crises d'épilepsie résistantes aux médicaments et qui menacent de léser le cerveau.

les mains dans l'exploration de l'espace dont il a une appréhension globale et intuitive ; il reconnaît les gens à la vue et à la voix ; il semble enfin qu'il ait une interprétation du monde à la fois plus réaliste, plus pathétique et une coloration plus sombre des humeurs qui s'en dégagent.

On doit toutefois remarquer que la séparation artificielle créée par la chirurgie empêche d'apprécier le fonctionnement normal des deux hémisphères. Il paraît prouvé en effet que le cortex gauche exerce le rôle de contrôleur sur le fonctionnement du cortex droit et assure l'unification de la conscience. Il est d'ailleurs étonnant que les patients opérés n'éprouvent aucune modification de leur état de conscience, de leurs facultés, ni aucun sentiment d'incapacité intellectuelle. Si l'on croit Michael Gazzaniga qui a contribué à la plupart des recherches sur les *split brains*, c'est peut-être à la fabuleuse supériorité de son cortex gauche que l'homme doit sa conscience unifiée qui lui permet d'appréhender l'Être sous les instances de la parole originelle.

C'est à cette dernière que renvoie une des plus belles œuvres de la peinture en Occident : la Vierge de l'Annonciation *(Annunciata)* par Antonello da Messina. Un visage, des mains et un livre ouvert sont rassemblés sur une petite surface (45 x 34,5 cm) ; ces trois icônes représentent la rencontre passionnée de l'être avec le monde originaire. Le tableau parfaitement centré sur l'axe vertical de la Vierge sollicite avec une égale intensité les deux cerveaux du spectateur. Le corps de la madone est légèrement tourné vers la droite où se trouve le livre qui s'adresse directement à notre hémisphère gauche. Son regard est, en revanche, orienté vers la gauche, porteur d'une intériorité abyssale qui ne peut être dite. Dans la partie inférieure gauche, la main droite – peut-être la plus belle main qui ait jamais été peinte – semble sortir du tableau pour appréhender le monde. Tout ce que j'ai dit de la fusion entre action et représentation, des mains et du regard source de l'art qui jaillit de la rencontre entre la mère et l'enfant, s'éclaire devant cette annonciation où le spectateur ébloui occupe la place de l'Ange.

La conscience réfléchie

Revenons à notre amateur d'art. Debout sur ses membres inférieurs ou confortablement installé dans un fauteuil, il regarde le tableau. Celui-ci fonctionne comme un véritable miroir abstrait. L'image renvoyée est celle du sujet qui se regarde regardant le tableau. La passion contenue dans ce regard, même si elle est discrète et éphémère, est, nous le verrons, la condition nécessaire pour que s'exprime la conscience de soi ou conscience réfléchie du cerveau [10].

Ce cerveau est un royaume dont le monarque est en même temps le sujet. Merveilleuse ambiguïté du mot, celle-ci renvoie à l'impossibilité d'appréhender la conscience de soi autrement que par un arrêt sur image. Faute de se déplacer dans le jeu des miroirs, le sujet ne peut plus vérifier qu'il existe.

J'ai, dans un ouvrage précédent [11], défini le territoire de la subjectivité par le concept d'état central fluctuant dans lequel le sujet est un être unique, à la fois état et acte, représentation et action. Il s'exprime selon trois dimensions : *corporelle, extracorporelle* et *temporelle*. La première comprend le corps, espace de communication géré par les neurones et les hormones avec les viscères, muscles, os et liquides variés. Elle est séparée de la seconde par une surface où s'étalent peau et visage et par laquelle le corps extériorise son contenu. La dimension extracorporelle représente le monde propre de l'individu, celui sur lequel il agit, et par lequel il est agi, celui qu'il connaît ou qu'il explore et dont il est informé par les organes des sens. La dimension temporelle est celle de l'histoire du sujet, de son développement (ontogenèse) et le produit de l'affrontement

10. J'emploierai indifféremment *cerveau* et *sujet*, les deux mots se référant, pour mon propos, à un même contenu sémantique.

11. J.-D Vincent, *Biologie des passions*, Paris, Éditions Odile Jacob, 1986.

entre ses gènes (mémoire de l'espèce) et le milieu (épigenèse).

Cet état central fluctuant permet le déploiement de la subjectivité dans un espace/temps où s'expriment les émotions et les passions.

Bien que les termes soient souvent pris pour synonymes, je voudrais introduire ici une distinction majeure entre les émotions et les passions. Les premières sont partagées par tous les vertébrés. Elles expriment les relations fluctuantes du corps et de son milieu. Produit de la sélection naturelle, elles possèdent des fonctions d'adaptation et de communication. Les secondes sont le propre de l'homme, car elles supposent chez le sujet la conscience réfléchie de son corps ému. Pour exprimer cette différence par l'exemple, je dirai que l'attachement et l'agressivité sont le lot commun des bêtes, mais que l'amour et la haine n'appartiennent qu'à l'homme. L'attachement et l'agressivité peuvent être qualifiés d'émotions. Elles expriment le mouvement qui porte l'animal vers un congénère à la recherche d'une relation de lien ou d'affrontement. Dans l'amour et la haine, ce même mouvement est intériorisé dans la conscience réfléchie du sujet. Il peut certes se traduire par des émotions, mais celles-ci ne constituent plus que l'animalité de la passion.

La conscience réfléchie – on l'appellera aussi bien « conscience passionnée » – est produite par le sujet se reconnaissant comme tel. Subjectivité vécue qui peut être aussi une subjectivité partagée. L'état central fluctuant de l'un intègre alors dans son espace extracorporel, l'état central fluctuant de l'autre. Rencontre possible, parce que la subjectivité se montre. Elle s'affiche sur le pelage ou la peau et sur le visage, part visible de l'émotion qui fait connaître à l'autre le vécu corporel de celui qui est ému. L'homme, à la différence de la bête, sait qu'il sait et reflète l'éprouvé de son corps dans sa conscience sous la forme de sentiments. Ceux-ci sont aux passions ce que les battements du cœur, la pression sanguine et la coloration de la peau sont aux émotions, des éléments qui s'associent dans la conscience réfléchie de l'homme au gré des mouvements de son état central fluctuant. Une différence majeure enfin entre émotions et passions : même si les unes et les autres servent à communiquer, les premières sont muettes quand les secondes se disent avec le langage des sentiments, les mots de la haine par exemple ou ceux du discours amoureux – les passions se racontent et font de l'homme un héros de roman.

Après avoir introduit une distinction entre émotions et passions à laquelle m'a conduit la crainte d'une dérive vers une anthropologie trop animalisante, il me faut cependant accepter de biologiser les passions pour suivre la proposition : l'homme est un animal (voir première partie) – tout en me rendant à l'injonction inverse : en raison de ses passions, l'homme n'est pas un animal. Position inconfortable certes, mais après tout, que celui qui pense que la situation de l'homme dans le règne animal est confortable, me lance la première pierre !

Pour conserver une base biologique, je distinguerai par la suite les émotions proprement dites ou émotions ordinaires et les émotions primordiales.

Les émotions ordinaires sont réparties en autant de classifications que de livres qui leur sont consacrés. Selon William James, « leur liste est aussi intéressante que la description des cailloux d'une ferme du New Hampshire [12] ». Je citerai : la colère, la peur, la tristesse, la joie, la surprise, le dégoût... Ces émotions conservent un statut identique chez l'animal et l'homme, mais chez ce dernier, elles contribuent à structurer et alimenter la conscience réfléchie.

Les émotions primordiales sont au nombre de trois. La première ou *désir* sert de fondement au couple que forme les deux autres : le *plaisir* et l'*aversion*. Ces émotions se changent en passions chez l'homme grâce au travail de la conscience réfléchie et de son attribut essentiel, le langage [13].

Une place à part sera faite à l'*amour* et à la *haine*, car si

---

12. W. James, *The Principles of Psychology*, New York, H. Holt, 1890.

13. Demeure de l'Être, selon la formule célèbre de Heidegger que l'on pourra de façon moins sublime décrire ici comme la demeure de l'individu passionné.

ceux-ci plongent leurs racines animales dans les émotions primordiales, ils sont en revanche le propre de l'homme et ne peuvent exister sans une conscience de soi confrontée à celle de l'autre.

Les émotions ordinaires

Elles se manifestent par des modifications d'apparence – peau, face, attitude – souvent associées à des actions caractéristiques : fuite, attaque, émission d'urine ou d'excréments, cris, etc. On peut également mesurer les bouleversements qui surviennent à l'intérieur de l'espace corporel de l'animal (homme ou bête) et qui concernent différents paramètres : battements cardiaques, pression artérielle, irrigation sanguine de la peau et des viscères, sécrétions d'hormones et interventions du système nerveux végétatif. La description des émotions peut donc être faite sans qu'on s'éloigne d'une position strictement biologique, en feignant toutefois d'oublier qu'elles sont aussi un objet privilégié d'étude pour le philosophe.

J'insisterai d'emblée sur leur universalité à travers les cultures chez l'homme et dans le règne animal. Ceci laisse penser qu'il s'agit d'un processus adaptatif majeur au service de la survie de l'individu et de l'espèce. Il n'est donc pas étonnant de rencontrer Darwin [14] parmi les théoriciens des émotions. Il établit que celles-ci sont un bagage inné dont l'utilité confère un avantage sélectif dans la lutte pour la vie.

Le rôle des émotions peut être ramené à deux grandes fonctions : communication et adaptation. La première permet d'envoyer un signal à l'adresse d'un congénère ou d'un étranger – l'avertir de l'état dans lequel se trouve le sujet, colère ou crainte par exemple. La seconde consiste à préparer l'organisme lorsque celui-ci est confronté à une

14. C.R. Darwin, *The Expression of the Emotions in Man and Animals*, Chicago, University of Chicago Press, 1965.

situation nouvelle et à gérer son accommodation aux fluctuations de l'espace extracorporel.

Les manifestations extérieures de l'émotion constituent un répertoire inné de signes par lesquels s'établit la communication entre les individus [15]. Chez l'animal, il s'agit le plus souvent d'attitudes stéréotypées obéissant selon Darwin au principe d'opposition : des émotions contraires engendrent des comportements opposés. Par exemple, un chien en colère, prêt à l'attaque, présente la tête haute, le poil hérissé, le corps en extension et la queue raide ; soumis, reconnaissant son maître, il s'aplatit au sol, baisse la tête et remue la queue. D'une façon générale, les animaux disposent, selon les espèces, de moyens très variés d'exprimer des émotions à travers différents canaux de communication.

Pour les mammifères, l'olfaction joue un rôle prépondérant. Des rats exposés à l'urine de congénères ayant subi des chocs électriques manifestent immédiatement les signes de la plus vive anxiété. L'audition offre un autre canal de transmission à distance de l'émotion : cris d'alarme à l'approche du prédateur, vocalisations de détresse chez les jeunes séparés des parents sont quelques exemples communs et discrets en comparaison des manifestations sonores variées et complexes observées chez les primates.

Chez les espèces diurnes, oiseaux et reptiles dont les membres vivent en contact rapproché, le canal visuel s'impose grâce aux formes et aux couleurs changeantes de certaines parties du corps. La tête d'un iguane vert qui vient de perdre un combat passe du vert clair au brun sombre. Les poissons dont nous ne connaissons le plus souvent que la triste apparence sur l'étal du marchand sont capables dans l'eau de communiquer par des signaux visuels. Il en est de même de certains invertébrés. Le poulpe par exemple, cette bête intelligente au cerveau millionnaire en neurones, est capable de transmettre à l'autre, grâce aux changements de couleur de sa peau, un relevé d'état de sa subjectivité.

Mais quand on évoque la vue, on pense évidemment à

15. Pour une approche plus détaillée de la biologie des émotions, voir R. Dantzer, *Les Émotions*, Paris, PUF, 1988.

l'*expression faciale* des émotions. Celle-ci ne s'est véritablement développée que chez les primates. Elle existe cependant chez le chien, le chat et le cheval dont les babines et la musculature faciale sont des indicateurs puissants de la colère ou de la soumission. Il est d'ailleurs remarquable que ces capacités d'expression se rencontrent surtout chez des espèces domestiques ; on peut se demander si elles n'ont pas facilité le rapprochement avec l'homme. Du point de vue évolutif, il pourrait d'ailleurs ne pas y avoir homologie, mais simple analogie avec l'expression faciale des émotions chez les singes. Celle-ci va de pair avec le développement de la musculature de la face et avec la capacité de dissocier les mouvements des lèvres de ceux des narines. Mais il ne faut pas s'y tromper, malgré la gamme fabuleuse des nuances affectives qui sculptent le visage humain, le nombre des émotions de base (de 6 à 9 selon les auteurs) qu'un individu peut exprimer sur sa face varie étonnamment peu quand on passe du macaque au chimpanzé et à l'homme. Selon Robert Dantzer [16], il est plus vraisemblable que l'anatomie complexe de la face soit liée aux habitudes alimentaires des espèces. Autrement dit : à mangeur omnivore, muscles faciaux multiples. L'expression émotionnelle n'aurait fait ainsi qu'utiliser les moyens neuromusculaires mis en place pour d'autres buts. On note à l'appui de cette thèse que l'expression faciale de la surprise, du dégoût ou de la joie n'a pas d'équivalent chez les primates non humains. En tant que primate humain et gourmet impénitent, j'ai quelque satisfaction à penser que la richesse de mes émotions est le produit de mon éclectisme alimentaire.

Médiocre gastronome, Darwin [17] explique, en revanche, de façon particulièrement clairvoyante, l'expression faciale des émotions. « On doit comprendre pourquoi différents muscles sont activés lors des différentes émotions ; pourquoi, par exemple, les extrémités des sourcils sont relevées et les angles de la bouche abaissés, chez une personne souffrant de chagrin ou d'anxiété. » Darwin a raison de penser

---

16. *Ibid.*
17. C.R. Darwin, *op. cit.*

qu'un certain nombre de contractions musculaires suffit à dépeindre avec précision l'état émotionnel d'un sujet. Il s'appuie sur les travaux contemporains de Duchenne de Boulogne (1862) qui dans son livre sur la physionomie humaine se vante de pouvoir, à l'aide de l'électrophysiologie et de la photographie, « peindre correctement les lignes expressives de la face humaine que l'on pourrait, selon lui, appeler l'orthographe de la physionomie en mouvement [18] ».

Sans qu'il puisse en donner la signification biologique, Darwin affirme que les émotions constituent un trait universel de l'homme indépendant de sa race ou de sa culture, qu'elles sont innées et qu'on peut en retrouver les traces dans l'évolution des espèces. La théorie de Darwin a été très contestée lorsque les chercheurs en sciences sociales ont commencé d'accréditer l'hypothèse que ce qui se lit sur le visage d'un homme y est inscrit par la culture. Comme le remarque Ekman [19] : « À une époque où triomphaient les théories de l'apprentissage des comportements humains, la thèse darwinienne qui soutenait l'universalité et l'innéité des expressions faciales avait quelque chose d'indécent. » Malgré le « sourire cruel » des Asiatiques appelés en renfort pour soutenir les thèses culturalistes, plus personne ne doute aujourd'hui de l'universalité des expressions émotionnelles. Les mêmes contractions musculaires traduisent la colère, la surprise ou le dégoût chez les différents peuples. La lecture de l'émotion est la même quels que soient le visage ou la culture concernés. Des Papous qui n'avaient jamais vu d'Américains auparavant ont contracté les mêmes muscles que ces derniers lorsqu'il leur fut demandé à quoi leur face ressemblerait s'ils venaient à perdre un enfant [20].

---

18. G.B Duchenne de Boulogne, *Mécanisme de la physionomie humaine ou analyse électrophysiologique de l'expression des passions*, Paris, Baillère, 1976.

19. P. Ekman, « Universal and cultural differences in facial expression of emotion », *Nebraska Symposium on Motivation*, J.K. Cole éd., Lincoln, University of Nebarska Press, 1972.

20. P. Ekman, *Telling Lies*, New York-Londres, W.W. Norton & Co, 1985.

Leur visage photographié, présenté ultérieurement à des étudiants américains, fut parfaitement identifié comme celui du chagrin. Ces résultats n'éliminent pas totalement l'influence de la culture et de la conscience réfléchie. Il est bien évident que l'éducation, les rites et les conventions ou encore la volonté consciente peuvent venir atténuer, déguiser ou au contraire exagérer l'expression faciale d'une émotion.

Dans une expérience de laboratoire [21], on demande à des acteurs professionnels maîtrisant parfaitement leur musculature faciale de représenter selon des instructions précises six expressions émotionnelles classiques : la colère, la peur, la tristesse, la joie, le dégoût et la surprise. La fréquence cardiaque, la température et la résistance cutanée sont mesurées pendant la représentation. On observe alors des différences remarquables selon les expressions représentées. La fréquence cardiaque s'élève lorsque le sujet représente la colère, la peur ou la tristesse, elle diminue lorsque la face exprime la joie, le dégoût ou la surprise. Bien plus, il est possible de faire une différence entre la tristesse (émotion froide) et d'autres émotions négatives comme la colère (émotion chaude) d'après la température cutanée, témoin de l'afflux de sang dans la peau. Ces observations contredisent les théories cognitives qui prétendent qu'une activation neurovégétative non spécifique accompagne indifféremment les émotions quelle qu'en soit la nature.

On remarque que les sujets *sont émus parce qu'ils ont l'air ému*. Selon Paul Ekman, l'activité des muscles faciaux déclencherait directement les réactions neurovégétatives spécifiques, soit par des rétroactions venues de muscles contractés, soit par une connexion entre les programmes moteurs du cortex cérébral et les centres neurovégétatifs. Autrement dit, quand j'active consciemment mes circuits cérébraux qui commandent l'exécution d'une mimique expressive, une copie de l'instruction (décharge corrolaire)

21. P. Ekman, R.W. Lewenson & W.V. Friesen, « Autonomic nervous system activity distinguishes among emotions », *Science*, 1983, *221*, p. 1208-1210.

serait envoyée aux régions de mon cerveau qui commandent mon cœur, ma circulation et ma respiration, afin que mes nerfs, mes humeurs et mes viscères accordent l'émotion vécue par mon corps à son paraître.

On doit surtout retenir des travaux d'Ekman, qu'au répertoire musculaire des émotions correspond un clavier de modifications humorales et neurovégétatives. Une fois encore, la dimension extracorporelle apparaît indissociable de la dimension corporelle. Est-il plus bel exemple de l'unité de l'état central fluctuant ?

Le dernier point qui concerne la fonction de communication des émotions porte sur leur caractère « attributif ». Si, en effet, chez la plupart des espèces, l'émotion se traduit par un signal stéréotypé qui appelle une réponse invariable et pour le moins prévisible, il est beaucoup plus difficile, en revanche, de montrer que ces expressions émotionnelles sont discriminables et identifiées comme telles par des individus de la même espèce ou d'espèces différentes. Les chercheurs en sciences cognitives appellent « théorie de l'esprit » cette faculté qui permet d'attribuer à l'autre un état mental et d'en partager avec lui la représentation : *Je sais ce que tu éprouves et je sais que tu sais que je le sais*.

Certaines observations laissent penser que le singe est capable d'identifier les modifications d'expression d'un congénère en dehors d'une relation stéréotypée et ritualisée. Une expérience est souvent citée à ce propos [22]. Des singes doivent apprendre à éviter un choc électrique en appuyant sur un levier au moment de la présentation d'un signal sonore avertisseur ; ils sont ensuite testés par paire dans une situation arrangée de façon telle qu'un des animaux entende le signal sonore mais ne dispose plus de levier, pendant que le second a un levier et n'entend plus le signal sonore, mais voit sur un écran de télévision la face de son compagnon. S'il appuie au bon moment sur le levier, il arrête le signal sonore qu'il n'entend pas et évite le choc électrique pour lui et pour l'autre. Dans 9 cas sur 10, l'animal actif réussit l'épreuve en

22. R. Dantzer, *op. cit.*

utilisant comme avertisseur les modifications d'expression faciale du congénère passif.

Quiconque a quelque peu fréquenté les chimpanzés connaît bien leur capacité à lire les émotions sur le visage d'un congénère ou d'un homme. Ce caractère attributif des émotions ne peut donc en aucun cas être considéré comme un trait spécifique de l'homme.

La fonction adaptative des émotions ne présente pas la même sélectivité que leur fonction de communication. Le phénomène dit de *stress* se traduit par des réponses univoques à des situations émouvantes très variées. Il y a peu de différences biologiques lorsque des stress répétés provoquent une nécrose du cœur chez un cochon ou un ulcère de l'estomac chez un P-DG.

L'extériorité de l'émotion n'est plus ici impliquée. Sa traduction à l'intérieur du corps permet à celui-ci de se défendre et de s'ajuster au monde changeant et menaçant.

Une glande est à la fonction d'adaptation ce que le visage est à la fonction de communication : la glande surrénale, face cachée des émotions. Double et symétrique, elle coiffe les deux reins. Elle-même est composée de deux parties : au centre la *médullosurrénale* qui sécrète des catécholamines (l'*adrénaline* et la *noradrénaline*) et en périphérie, la *cortico-surrénale* qui libère du *cortisol*.

L'adrénaline est devenue en quelques années un acteur familier de la vie mondaine. Dire qu'on ressent une « poussée d'adrénaline » sonne plus moderne qu'une « montée de moutarde au nez ». Cette hormone est le lot commun de l'homme et de l'animal. Le chien qui mord le jarret du facteur et le brave préposé baignent tous deux dans l'adrénaline sécrétée par leurs médullosurrénales. La noradrénaline est libérée par ces dernières, mais surtout par les terminaisons des nerfs sympathiques qui innervent la peau, les vaisseaux et les viscères.

Ce système sympathique et médullosurrénal est sollicité chaque fois qu'une situation d'urgence nécessite une riposte immédiate de l'organisme. Face à une menace réelle (le chien pour le facteur) ou supposée (le facteur pour le chien) et à l'adversité sous toutes ses formes (mise en examen pour le député), un individu (homme ou bête) a le choix entre combattre et fuir. Dans les deux cas, il s'agit d'une réplique active : accepter de combattre, c'est en effet estimer possible la victoire immédiate ; fuir, c'est différer l'éventualité de ce succès.

La noradrénaline fait se contracter les vaisseaux de la peau et détourne le sang vers les muscles. L'adrénaline fait battre le cœur plus vite et plus fort ; elle mobilise le sucre hépatique. Grâce à l'action des deux hormones, combustible et oxygène affluent dans le foie et dans les cellules pour soutenir une dépense énergétique accrue. Toutes deux concourent donc de façon complémentaire à une riposte énergique et énergétique de l'organisme, mais avec une signification différente liée à la situation du sujet. Les magnifiques joueurs de rugby qui ont terrassé « l'ogre néo-zélandais » dans le « chaudron de Twinckenham » ne m'en voudront pas de les prendre en exemple de préférence à des rats, ces héros ordinaires de nos laboratoires. Les joueurs activement engagés dans la mêlée face au pack all-black ont sécrété de la noradrénaline, probablement en quantité massive. Leurs remplaçants sur le banc de touche, privés de la possibilité d'intervenir ont en revanche libéré de l'adrénaline. En bref, l'adrénaline est libérée aux dépens de la noradrénaline chaque fois que l'incertitude et l'absence de contrôle de la situation l'emporte sur la détermination dans l'engagement. Remarquons que cette situation de peur/fuite adrénalinique s'apparente assez à ce qui sera décrit plus loin à propos de la corticosurrénale. Mais une différence essentielle doit être soulignée : l'adrénaline représente une perte de contrôle tout en continuant néanmoins de privilégier l'action, la fuite par exemple, alors qu'il n'en est pas de même avec le cortisol.

La libération de cortisol par la corticosurrénale traduit, en effet, pour le sujet son incapacité à réagir dans l'immédiat, accompagnée d'une acceptation (provisoire) de la défaite et chez l'homme d'un sentiment de résignation. Le cortisol est la signature de ce que depuis les travaux de Hans Selye on appelle une réaction de stress, un mot-valise qui sert aussi bien à désigner la réponse d'un organisme à une situation de catastrophe [23] (grands brûlés, accidentés aux fractures multiples, ensevelis) que les problèmes liés aux insatisfactions de la vie quotidienne ou aux aléas digestifs d'un cadre surmené. Les choses sont, on le conçoit, plus subtiles. Le cortisol ne signifie pas échec et passivité, mais adaptation à long terme qui permet au foie de reconstituer sa provision de sucre, en renforçant et prolongeant l'action des catécholamines et en contrôlant les défenses immunitaires de l'organisme. Avec le risque que ces défenses aillent trop loin et dépassent leur but : équilibre toujours menacé entre stress et détresse.

La nouveauté (une cage pour le rat de laboratoire ou un appartement pour l'homme de la ville), la frustration ou l'espérance déçue (privation de nourriture ou de pouvoir), l'incertitude trop grande ou la sanction trop attendue entraînent la libération de cortisol, témoin de l'état de stress. La possibilité d'action empêche celui-ci de se développer. Lorsque deux rats reçoivent simultanément une décharge électrique, mais que l'un a la possibilité d'arrêter la stimulation en manœuvrant une roue, seul le rat passif présente un taux élevé de cortisol sanguin et des ulcérations gastriques. Deux rats placés sur une grille électrifiée développent rapidement un stress avec un taux élevé de cortisol. Mais, si on permet aux deux animaux de se battre entre eux, leur taux de cortisol s'effondre. Agir, même sur autre chose que sur l'agent stressant, freine donc la réponse cortisolique.

La société – est-il besoin de le souligner ? – fournit à l'homme et à l'animal un contingent non négligeable de facteurs de stress. Les chefs, dans leur hantise de perdre la tête, baignent dans le cortisol, plus en tout cas que leurs subordonnés accrochés sans illusion à leur médiocre situation. Cela est vrai chez les singes-écureuils où l'initiative appartient aux dominés et où le dominant doit sans cesse réaffirmer son statut. Chez les chimpanzés, en revanche, où le pouvoir est synonyme de sécurité, le cortisol est le lot des

---

23. Selye a fait ses premières observations sur des rats retrouvés vivants un lundi matin dans une poubelle où ils avaient été jetés pour morts à la veille du « week-end ».

dominés. Je ne saurai dire si les hommes s'apparentent davantage aux seconds qu'aux premiers ; aux deux probablement selon les groupes socio-culturels.

Un autre système hormonal est impliqué dans le stress, celui des morphines naturelles ou endomorphines [24]. Celles-ci sont libérées dans le sang par l'hypophyse et la médullosurrénale ; elles sont aussi présentes dans le cerveau à titre de neuromédiateurs. L'analgésie induite par le stress obéit à des mécanismes complexes. Elle est puissante, comme en témoigne l'expérience consistant à introduire un rat blessé et dolent qui évite de prendre appui sur sa patte meurtrie, dans une cage imprégnée de l'odeur d'un animal stressé : son comportement douloureux disparaît aussitôt ! Le caractère adaptatif d'une telle analgésie peut s'interpréter comme un contrepoids à la douleur, afin d'empêcher que celle-ci se prolonge au-delà de son rôle de système d'alerte. Selon Richard Bolles et Michael Fanselow [25], la peur serait la traduction émotionnelle de cette analgésie ; elle correspondrait à une libération d'endomorphines à l'intérieur du cerveau. Elle aurait pour finalité d'inhiber la douleur pour mieux permettre la fuite. Elle empêcherait les comportements d'aversion de se produire trop facilement et rendrait l'individu endurant à l'épreuve du monde.

La peur est la mieux partagée entre les animaux et les hommes, des émotions ordinaires. Il suffit de nous retrouver face à face avec un chien inconnu pour reconnaître chez lui une frayeur comparable à celle dont nous sommes au même instant envahis. Mais, chez l'homme, la peur ouvre à celui-ci l'univers passionné de la faute. La peur alimente la conscience réfléchie. Le péché est-il autre chose que la peur de soi ? Celle-ci, selon Michel Vienne, est

---

24. Reconnues dans le corps par les mêmes récepteurs que la morphine d'origine exogène, ces substances organiques ne sont pas apparentées à cette dernière sur le plan chimique. Ce sont des *peptides*, fragments de protéines fabriquées par des cellules.

25. R.C. Bolles et M.S. Fanselow, « Aperceptual defensive recuperative method of fear and pain », *Behav. Brain Sci.*, 1980, *3*, p. 736-744.

« créatrice d'être [26] ». N'est-elle pas salvatrice pour le croyant ? Nous ne sommes pas très loin du modèle animal de Bolles (voir plus haut) dans lequel la peur arrête la douleur pour favoriser la fuite. Faut-il alors penser que la crainte de la faute engendrée au plus profond de l'homme (par des endomorphines ?) fasse taire sa désespérance pour lui permettre de chercher son salut ? Croyant ou non, l'homme est cet animal apeuré par la connaissance de sa mort à laquelle, seul parmi les animaux, il rend tribut.

Gérer sa peur, voilà bien la vocation du sujet pris au piège du monde. Le cerveau, on pouvait s'y attendre, est au cœur de la négociation.

Le cortex préfrontal traite les informations et évalue le danger. Il décide d'une stratégie en accord avec les données du problème et le tempérament du sujet. Selon qu'il contrôle ou non la situation, il met préférentiellement en jeu l'axe sympathique (catécholamines) ou l'axe corticosurrénalien (cortisol). Deux structures nerveuses paires et symétriques situées dans les régions médianes du cerveau sont au cœur de ces processus émotionnels : l'*hippocampe* et l'*amygdale*.

Le premier a en charge la gestion du territoire et des cartes relationnelles du sujet avec le monde. Il est aussi fortement impliqué dans la formation des souvenirs. Par l'intermédiaire de l'*hypothalamus* et de l'*hypophyse*, l'hippocampe commande la sécrétion du cortisol par les glandes corticosurrénales. Cette hormone exerce sur celui-ci un frein rétroactif.

La seconde est enfouie dans les profondeurs de chaque lobe temporal. Les deux amygdales servent à reconnaître la peur dans le visage de l'autre, à l'exprimer et à établir des conditionnements qui l'associent à des situations qui n'ont en elles-mêmes rien d'effrayant. Antonio Damasio et ses collègues ont rapporté l'observation particulièrement démonstrative d'une jeune malade incapable non seulement de percevoir la peur ou la colère sur le visage de l'autre, mais

26. Cité par J. Delumeau, *Le Péché et la peur*, Paris, Fayard, 1983, p. 626.

également de la vivre [27]. Celle-ci a tout au long de sa vie ignoré le sens des situations déplaisantes qu'elle pouvait être amenée à connaître. Elle était par contre capable d'exprimer la surprise ou la joie et de les lire sur un autre visage. Le scanner de son cerveau a révélé une destruction bilatérale des amygdales par dépôt de calcaire.

Le cerveau offre la scène de ce drame où se jouent les péripéties de notre existence. Le monde y est perçu à travers la grille des émotions. Celles-ci sont porteuses de sens au point de constituer un véritable langage qui permet au sujet de dialoguer non seulement avec l'autre, mais aussi avec lui-même. *Timeo, ergo sum* (j'ai peur, donc je suis) dit encore non sans humour Michel Vienne [28]. Je compléterai en rappelant la phrase par laquelle s'achève mon ouvrage sur la *Biologie des passions* : « Je suis parce que je suis ému et parce que tu le sais ! »

Grâce au cerveau, l'animal apprend, nous allons le voir, à associer le plaisir et la souffrance à un objet ou une situation et à estimer la valeur hédonique ou aversive d'un stimulus. Ces mêmes structures nerveuses que nous venons de mentionner à propos des émotions ordinaires sont aussi les lieux de mémoire du désir et des émotions primordiales. C'est dans leur sein que s'élaborent chez l'homme ces passions qui le construisent.

Les émotions primordiales

Si le mot émotion signifie mise en mouvement, alors le désir, mouvement de l'être vers l'objet désiré, est bien la plus fondamentale des émotions. Observez au microscope une amibe, créature unicellulaire et parasite de l'intestin de l'homme : tout entière à sa proie attachée, elle approche de celle-ci et l'entoure dans les plis de sa membrane avant de la

---

27. R. Adolphs, D. Tranel et A.R. Damasio, « Impaired recognition of emotion in facial expression following bilateral damage to the human amygdala », *Nature*, 1994, *372*, p. 669-672.

28. Voir note 26.

digérer. Regardez, à l'œil nu, un parasite mondain s'avancer par des mouvements de reptation vers un buffet pour s'y empiffrer de bouchées et de petits fours. Dans ces deux exemples, le désir est à l'œuvre. Il se situe entre le manque et le profit, entre le besoin à satisfaire et la satisfaction sans besoin.

Expression de la subjectivité, le désir se déploie dans les trois dimensions de l'état central fluctuant – corps, espace extracorporel et temporalité – en réponse aux contraintes qui s'y exercent [29].

Le désir est d'abord lié au manque (*desiderare* en latin signifie éprouver un manque). Celui-ci exprime un besoin du corps : eau, matériaux, énergie nécessaires à l'entretien de la vie. Il se situe dans le cadre de l'homéostasie, c'est-à-dire du maintien de l'équilibre en compensant les pertes entraînées par le fonctionnement de l'organisme. La faim et la soif sont la traduction subjective de ces besoins.

Ceux-ci n'apparaissent pas toujours de façon évidente notamment lors de conduites aberrantes. Quel désir pousse la mante à dévorer l'amant ? « Ah, les féroces bêtes ! s'exclame Henri Fabre. On dit que les loups ne se mangent pas entre eux. La mante n'a pas ces scrupules. Elle fait régal de son pareil [30]. » Mais il ne faut pas s'y tromper, il s'agit seulement d'assouvir le besoin des œufs fécondés, la survie des gènes qu'ils contiennent en dépend. Noces de sacrifice, l'étreinte dure six heures, le temps pour l'époux de déposer ses gènes dans le ventre fécond de l'épouse et se s'offrir ensuite à la gueule carnassière, faisant de son propre corps un magasin de ressources pour sa descendance.

---

29. Tout animal est un sujet : subjectivité observée chez l'animal ou le protiste (l'amibe), subjectivité vécue et partagée chez l'homme (le parasite de buffet). Les mécanismes sont des outils qu'un sujet, et non une machine, utilise pour opérer ses perceptions et ses actions : selon l'expression de von Uexkull : « L'animal contient l'opérateur. » Une position qui n'est ni subjectiviste, ni mécaniciste.

30. Belle indignation de l'entomologiste qui permet à celui-ci dans une dérive anthropomorphiste habituelle chez les naturalistes de l'époque de dénoncer « l'anthropophagie, cet épouvantable travers de l'homme ».

La temporalité intervient dans l'attente de la satisfaction du besoin. Immobile dans un buisson, la tique espère pendant des jours, des mois, le passage d'un animal à sang chaud sur lequel, attirée par l'odeur de beurre que celui-ci répand, elle se laisse tomber. Elle s'infiltre alors dans sa peau et se gorge du sang si longtemps désiré.

Quel besoin pressant pousse le papillon vers sa femelle, guidé sur des milliers de mètres par quelques traces aériennes de phéromones sexuelles ? Et Madame Bovary dans la diligence de Rouen ?...

Sous le désir amoureux, le manque simule le besoin. Celui-ci est une représentation imaginaire, une « cristallisation » selon Stendhal ; réactivation incessante du désir à travers la perte simulée de l'objet aimé.

L'homme et son désir, quels mécanismes insensés ! Bien entendu, l'homme n'est pas un papillon et les romans d'amour ne se résument pas à des battements d'ailes. Avant l'installation du primate surdoué sur la terre, c'est toute l'évolution qui raconte l'histoire du désir. Avec une rupture radicale au moment de l'apparition des premiers vertébrés.

Chez les invertébrés et les unicellulaires, le désir est réglé comme du papier à musique. L'activité du corps répond aux stimulations du milieu selon des canons fixes. Le sujet et l'objet de son désir sont liés dans une structure mélodique déterminée par la lecture de la partition écrite dans les gènes. Les variations qui permettent l'évolution ne se produisent que lors de la reproduction.

Chez les vertébrés, en revanche, le désir mène le bal de l'improvisation en trio avec le plaisir et sa commère la souffrance. Une des clés de l'évolution des vertébrés réside dans l'installation des systèmes désirants.

Qu'est-ce en effet qu'un vertébré ? Un animal à la fois mobile et rigide grâce à ses vertèbres, et doté d'une capacité majeure d'interaction avec l'extérieur qui lui est donnée par sa motricité d'une souplesse sans égale. Il bénéficie d'un système nerveux central localisé dans la tête, c'est-à-dire ouvert sur le monde (la vie devant soi) et le long du dos, grâce aux systèmes sensoriels latéro-dorsaux (la vie autour de soi).

À la différence des invertébrés, ces animaux sont soumis tout au long de leur formation individuelle à l'épreuve de l'environnement. La mise en œuvre des gènes de développement qui dirigent la construction de leur cerveau dépend de l'épigenèse. L'aventure des vertébrés est celle de l'individuation. En d'autres termes, la liberté offerte par le monde s'est introduite dans le déroulement du programme interne de formation de l'individu.

Nous avons dans mon groupe de recherche étudié l'évolution de ces systèmes désirants [31]. Les récepteurs d'un certain nombre de neurotransmetteurs qui dans le système nerveux ont en charge ces processus, ont été clonés chez des espèces aussi différentes que la mouche – un animal qu'on aime bien chez les généticiens –, et des animaux moins connus comme l'*amphioxus* ou lancelet (un cousin du *pikaïa*, notre ancêtre fossile vieux de 600 millions d'années), procordé dont nous sommes parents ; la *myxine* (un craniate, presque un poisson au sens strict) ; la lamproie (un poisson archaïque et sans mâchoire, cher au cœur des Bordelais pour qui il est une source ineffable de plaisir gastronomique) et les anguilles, un poisson moderne.

Pour résumer nos données, je dirai qu'à l'origine des vertébrés, on ne trouve qu'un seul récepteur pour un seul système de neurotransmission chargé de gérer ce que l'on pourrait appeler les désirs et les plaisirs du lancelet qui, peut-être, n'en prend guère. Ses systèmes désirants sont en effet rudimentaires. Chez les premiers poissons, apparaît un nouveau système de neurotransmission (l'adrénaline et la noradrénaline) qui gère les mécanismes désirants en association avec la dopamine. Plusieurs gènes pour les récepteurs de ces substances se forment par duplication. Ils sont associés à l'installation de systèmes dits de renforcement qui gèrent le plaisir et la souffrance. Je ne prétends pas que les poissons primitifs sont les premiers animaux à jouir de la

31. B. Cardinaud, J.M. Gibert, K. Sugamori, F. Liu, B. Guibert, J.-D. Vincent, H.B. Nisnik & P. Vernier, *The Amphioxus D, β Receptors : Evidence for the Emergence of an Adnenergie Neurotransmission System in Vertebrates*, PNAS, 2000, 97 in press.

vie, mais ils sont les premiers à posséder le système nerveux qui le permet.

Il est impossible de comprendre le fonctionnement de ces machines désirantes logées dans le cerveau des vertébrés sans connaître leurs rouages. Ceux-ci sont d'ailleurs remarquablement comparables (à la taille près) chez le rat et chez l'homme. Les différences évolutives entre espèces portent principalement sur les régions de l'encéphale qui ont en charge les représentactions : le cortex cérébral et ses différentes aires.

Le cerveau forme un univers de cent milliards de neurones regroupés en centres, noyaux, aires, voies et réseaux ; impossible de s'y promener sans un guide anatomique précis mais fastidieux. Je limiterai donc la description à quelques repères succincts.

Le cerveau avec ses deux hémisphères repose sur un tronc (le tronc cérébral) qui prolonge la moelle épinière. Celui-ci est parcouru par des voies (dites descendantes) qui transportent les signaux électriques du cerveau à destination des nerfs moteurs et des voies (dites ascendantes) qui charrient les informations en provenance du corps et du monde extérieur vers le cerveau.

Dans le tronc cérébral, un feutrage de cellules nerveuses occupe l'espace laissé vacant par les voies. Ces neurones regroupés en différentes structures fabriquent et libèrent à leurs extrémités des neuromédiateurs dont les noms nous sont aujourd'hui familiers, car ils sont les partenaires désignés de nos déprimes et autres embarras psychiques, la dopamine, l'adrénaline, la noradrénaline, la sérotonine et l'acétylcholine. Ils reçoivent des informations de tout ce qui monte au cerveau ou en descend. En retour, ils envoient leurs longs prolongements à la moelle et à l'encéphale dans lesquels ils forment des ramures étendues de telle sorte qu'un seul d'entre eux contacte plusieurs centaines de neurones-cibles.

Les structures du tronc cérébral et l'ensemble des régions profondes médianes du cerveau interviennent de façon complexe dans ce qu'il est convenu d'appeler des états de conscience : sommeil, veille, attention. Leurs lésions provoquent une pathologie neurologique très diversifiée qui va du coma profond à l'état végétatif persistant (dans lequel la survenue de signes somatiques d'éveil périodique ne s'accompagne d'aucune manifestation de conscience) en passant par de curieux états où le sujet ayant perdu totalement l'usage de ses muscles, à l'exception de ceux des yeux, conserve intacte sa conscience du monde tout en demeurant prisonnier de son corps [32].

Je ne souhaite pas aborder ici le problème de *la* conscience [33] autrement que sous l'angle particulier du désir ou dans l'emploi très restrictif de conscience réfléchie.

Le désir en effet ne peut être dissocié des processus que décrit habituellement la psychologie, mais dont la neurobiologie (chez le rat et chez l'homme, grâce à l'imagerie médicale) a fourni des bases anatomiques et pharmacologiques. Il s'agit de l'*attention*, de l'*intention*, de l'*initiation de l'action* et du *soutien* de cette dernière. Les neurones à dopamine rassemblés dans le tronc cérébral fournissent le support logistique grâce à leurs prolongements qui innervent les régions impliquées du cerveau. J'ai qualifié ces dernières de « cerveau flou », car elles forment un feutrage au tissage incertain qui s'entrelace avec le cablage ordonné des aires corticales, substrat des représentactions.

La destruction de ces neurones à dopamine chez le rat supprime non seulement ses comportements désirants les plus élémentaires tels que manger et boire, mais le place dans un état que l'on décrit sous le nom d'*akinésie*. L'animal a perdu toute spontanéité – degré zéro du désir –, il ne se meut plus et garde les positions caricaturales du corps qu'on lui impose. Cependant, si l'on permet à l'animal de survivre

32. Le livre *Le Scaphandre et le papillon* est un témoignage émouvant de cet état dit de « locked-in ».

33. Le marché du livre offre actuellement plusieurs ouvrages qui traitent de la biologie de la conscience. Le mélange, en proportions variables selon le « chef », de rhétorique, philosophie, neurosciences, clinique et informatique, aboutit à des résultats très inégaux qui laissent le consommateur sur sa faim à moins qu'il ne succombe d'indigestion.

grâce à des gavages et des soins, on observe qu'il n'est pas paralysé et que des stimulations violentes (le plonger dans l'eau froide ou lui pincer la queue) réactivent son désir qui se porte, selon l'objet qu'on lui présente, sur de la nourriture, de l'eau... ou une femelle. Désir donc spécifié par l'objet et qu'une excitation, quelle que soit sa nature, suffit à réveiller.

Oliver Sachs [34] a décrit l'histoire de ces malades atteints d'encéphalite lors de la grande épidémie d'encéphalite qui suivit la fin de la guerre de 14-18. Ils avaient vécu pendant plus de quarante ans immobiles, impassibles, presque muets. La découverte de l'origine neurologique de leurs troubles – la destruction des neurones dopaminergiques par l'encéphalite – permit leur traitement à l'aide de L. Dopa. Ces êtres qui avaient vécu des dizaines d'années privés de leurs systèmes désirants, recouvraient progressivement, comme s'ils s'éveillaient, le goût de la vie et une présence active au monde. Interrogé par les médecins, l'un d'eux décrit ainsi l'état dans lequel il était plongé : « Je n'avais plus d'état d'âme. Je ne m'intéressais plus à rien. Plus rien ne me remuait – pas même la mort de mes parents. J'avais oublié ce que c'est que d'être heureux ou malheureux. Était-ce agréable ou désagréable ? Ni l'un, ni l'autre. C'était le néant. » Cette observation, outre qu'elle décrit l'absence de désir, montre aussi que celui-ci avait entraîné dans sa faillite le plaisir et la souffrance.

Ces deux derniers sont les éléments du partage de la subjectivité entre individus qui se développe chez les vertébrés. Cette intersubjectivité conduit au langage. À l'échelon individuel, l'ensemble de nos capacités cognitives et la construction de nos représentactions dans le cerveau sont soumises au filtre du plaisir et de la souffrance.

Il existe une théorie du plaisir qui relie ce dernier à la valeur utilitaire des comportements. Dans leur choix décisionnels, les organismes agiraient en fonction de la somme algébrique des avantages et des inconvénients (plaisir-déplaisir) que provoque le comportement. Citant Stuart Mill

34. O. Sachs, *Cinquante ans de sommeil*, Paris, Le Seuil, 1987.

« Ceux qui ne savent rien sur la question reconnaissent que tous les penseurs depuis Épicure jusqu'à Bentham qui ont défendu la théorie de l'utilité ne signifiaient rien de différent du plaisir, mais bien le plaisir lui-même et l'évitement de la douleur », Cabanac [35], spécialiste de l'approche utilitariste du plaisir, démontre que les courbes de compromis dans le choix conflictuel entre douleur et récompense, obtenues à partir d'expériences de psychophysique, recouvrent exactement les lois économiques décrivant le taux marginal dégressif de substitution ! Où l'économie ne va-t-elle pas se loger ?

Le plaisir serait la véritable « monnaie commune », l'euro de nos comportements. Ceux-ci seraient le résultat de transactions du type : « Tu me donnes tant de plaisir, mais je t'enlève tant de douleur et je paie la différence en monnaie convertible en comportements. »

Une biologie du plaisir, plus pertinente pour le physiologiste que celle que je viens d'exposer, a débuté en 1958 à la suite de l'observation faite par Olds du phénomène de l'*autostimulation* [36]. Lorsque chez un rat, on place une électrode dans les régions latérales de l'hypothalamus formant une sorte de U tourné vers l'avant, dont la base est située dans le tronc cérébral, et que celle-ci est reliée à une source de courant électrique déclenché par une pédale, on observe que l'animal appuie spontanément, de façon itérative et sans jamais se lasser. La conduite ordinaire d'un rat de laboratoire est d'appuyer sur une pédale pour obtenir une récompense, combler un besoin : de la nourriture quand il a faim, de l'eau quand il a soir. Dans le cas de l'autostimulation, l'animal agit « gratuitement », en excitant des régions du cerveau dont la stimulation électrique provoque du plaisir : seule récompense attendue.

Lorsqu'un neurochirurgien place des électrodes dans certaines régions du cerveau dites à renforcement positif et qu'il stimule celles-ci (en général, ils opèrent sans

---

35. M. Cabanac, *Le Plaisir*, Québec, Liber, 1995.

36. Petite région en forme d'entonnoir située à la base du cerveau entre celui-ci et le tronc cérébral.

anesthésie, car un cerveau paradoxalement ne sent rien), le patient dit : « Que c'est bon », et décrit un état très agréable. Le plaisir par autostimulation du rat n'est donc pas une pure interprétation anthropomorphique, mais permet de mesurer objectivement une dimension subjective chez un animal. Il n'y a pas d'autre motif pour le rat d'appuyer sur la pédale que de se faire plaisir.

Évidemment, on peut dire qu'on a mis en jeu des structures de renforcement positif [37] qui n'ont rien à voir avec le plaisir. Une interprétation qui prive l'animal de toute subjectivité et fait de lui une machine à répondre au lieu d'un être désirant. Je me sens parfois trop rat pour souscrire à ce point de vue.

Deux théories sont proposées pour expliquer l'autostimulation. Pour Olds, l'autostimulation produit une récompense (du plaisir) ; celui-ci est le renforçateur naturel qui consolide les réponses comportementales. La finalité du désir, c'est le plaisir, et le choix du comportement est dicté par le plaisir qu'il procure. Pour d'autres auteurs, l'autostimulation active en parallèle désir et plaisir. Elle diffère en cela d'un comportement naturel où le désir répond à un besoin homéostasique ; la satisfaction naturelle du besoin provoque le plaisir en même temps qu'elle supprime le désir et, du même coup, arrête le comportement. On comprend par contre que l'autostimulation, qui emballe au même train le désir et le plaisir, soit insatiable. Sans prendre parti, on peut toutefois s'accorder pour reconnaître que l'autostimulation provoque un état central que nous appelons plaisir.

L'ambiguïté des théories précédentes tient en partie à la séparation qui est faite entre l'acte (ou comportement) et l'état. Dans la théorie dite des processus opposants, l'acte est

---

37. Les psychophysiologistes inspirés par l'école béhavioriste parlent de renforcement positif pour un stimulus (événement ou objet) qui provoque un comportement constituant une récompense pour le sujet qui cherche alors sa répétition, ou de renforcement négatif pour un stimulus qui entraîne une punition dont le sujet évitera qu'elle se renouvelle.

subordonné à un état affectif. C'est le corps-sujet qui est à lui-même son propre motif.

La description des expériences sur lesquelles Solomon [38] a construit sa théorie n'est pas plaisante à faire. Un chien suspendu dans un harnais est soumis à des chocs électriques sur ses pattes arrière. On mesure ses battements cardiaques et sa pression artérielle, données qui permettent de décrire avec précision son état affectif agréable ou désagréable. Lors du passage du courant, on observe l'état affectif désagréable avec le cœur qui s'accélère, la pression sanguine qui monte, etc. Le chien n'est manifestement pas bien. En suivant le devenir de la fréquence cardiaque comme index de l'état affectif, on observe après une élévation brutale une diminution, puis une stabilisation traduisant une sorte d'adaptation. Quand on arrête le stimulus douloureux, une chose étonnante se produit : le rythme cardiaque et l'état affectif ne reviennent pas à un niveau de base, mais inférieur. Autrement dit, un ralentissement cardiaque qui traduit un état de bien-être succède à l'état de mal-être. Si on répète cette expérience en augmentant la stimulation électrique, l'effet aversif primaire s'accroît et l'effet opposant secondaire également. En reproduisant cette expérience d'un jour à l'autre, on enregistre un phénomène curieux : la disparition progressive de l'effet primaire. De plus en plus de courant est nécessaire pour obtenir cet effet qui finit même par devenir négligeable. Le chien devenu *tolérant* reste impassible sous les chocs électriques. Mais plus surprenant est le devenir de l'effet secondaire. Le rebond qui suit l'effet primaire, non seulement persiste d'une séance à l'autre, mais augmente. Au bout de quelques jours de répétition, l'effet primaire n'existe plus, mais en revanche, l'effet secondaire est à son maximum.

L'ensemble des phénomènes observés dans le temps témoigne de l'existence des processus opposants mis en place lors de réactions affectives répetées. Au cœur du

---

38. R.L. Solomon, « The opponent-process theory of acquired motivation : the cost of pleasure and the benefits of pain », *American Psychol.*, 1980, *35*, p. 691-712.

système nerveux, tous les états affectifs fonctionnent par couple. Un peu comme un funiculaire, avec un wagon qui monte en entraînant automatiquement un wagon qui descend. Chaque fois que se produit un processus primaire affectif dans un sens donné (l'aversion dans l'exemple du chien), interviennent, en sens inverse, des structures nerveuses responsables de processus opposants. Ceux-ci sont caractérisés par leur forte inertie et leur persistance à l'arrêt du phénomène primaire. Chez les toxicomanes, où l'état primaire recherché est le plaisir, l'effet de rebond secondaire se traduit par la souffrance du manque qui pousse le sujet à rechercher le stimulus renforçateur positif. Ainsi se crée l'*assuétude* ou *dépendance* qui enchaîne le sujet à une source de plaisir que la tolérance rend de moins en moins efficace. Avec pour conséquence, le recours à des doses de plus en plus élevées.

Comme je viens de le signaler, ce système de processus opposants fonctionne dans les deux sens. Le processus primaire est, selon les cas, la douleur ou le plaisir. Ainsi en est-il des coureurs de marathon. Ils n'ont d'autre motif de courir et de se faire si mal que la quête de cette ineffable sensation de bien-être qui suit la souffrance et où le cerveau baigne dans ses endomorphines, transporté par ses systèmes opposants dans un véritable nirvana. Il en est de même des gens qui font de la chute libre ou du saut à l'élastique. Les spécialistes s'accordent à dire que, lorsqu'on a fait ça quinze fois, on est prêt à sauter à tout prix, indifférent à la peur, tant est délicieuse la récompense attendue : le sol !

En revanche, il y a les sujets qui se font plaisir au début et subissent ensuite des processus opposants qui leur apportent la souffrance. Ce sont les « drogués » déjà mentionnés. Toutes les drogues mettent en jeu les systèmes opposants, qu'il s'agisse de drogues licites comme l'alcool ou le tabac, de drogues moins licites comme la marijuana ou totalement illicites comme la cocaïne et la morphine. D'abord, le plaisir, puis le manque et la dépendance !

Ces systèmes sont impliqués dans tous nos comportements, même les plus normaux. Leur emballement conduit à l'addiction. L'*addictus* pour le droit romain est le débiteur qui ne peut rembourser son créancier et condamné à devenir son esclave. Celui qui devient « addicte » devient dépendant du système ; il entre dans le cercle infernal des processus opposants qui l'enchaînent au couple plaisir-aversion.

Le phénomène est enclenché de façon quasiment irréversible dans le processus d'autostimulation que j'ai décrit chez le rat, mais il est aussi observé pour le sexe, pour l'alimentation avec les obèses boulimiques ou les anorexiques mentaux qui rentrent dans ce même cercle infernal ; pour tous les comportements compulsifs de recherche du plaisir ou de recherche de la souffrance ; pour les joueurs enfin qui jouent leur vie à qui perd gagne.

Sous-jacents à tous nos comportements, formant les soubassements, en quelque sorte, de l'édifice constitué par l'individu, des ensembles neuronaux gèrent les processus opposants. Ils peuvent se ramener en première analyse à deux systèmes inverses : récompense et aversion. L'ensemble des comportements qui visent à la survie et à l'équilibre de l'individu (homéostasie) ou à sa reproduction et à son développement sont, nous l'avons vu, causés et entretenus par la survenue de la récompense dont la composante affective est le plaisir.

Les récompenses naturelles suivent deux pentes sur les voies du plaisir : *la première est de l'ordre du désir pur*, attente d'un objet convoité, voire d'un plaisir sans objet. *La seconde est liée à la consommation et à la satisfaction d'un besoin*. Mais il est difficile de séparer les deux. Par exemple, le désir que l'on a d'une nourriture est, sans qu'on en prenne conscience, lié à la valeur calorifique. La bière sans alcool ou les plats de régime ne sont guère attractifs et n'engendrent pas de dépendance comme l'original alcoolisé ou une nourriture riche et goûteuse.

La première pente suit le *système mésocortical* qui utilise la dopamine comme neuromédiateur. J'ai déjà évoqué sans les décrire ces voies dopaminergiques qui naissent dans le tronc cérébral, parcourent l'hypothalamus latéral pour se terminer dans des structures profondes du cerveau qui portent de jolis noms latins *(nucleus accumbens, striatum, hippocampus)* et dans les régions frontales et médiales de l'écorce cérébrale.

La seconde pente emprunte des voies qui libèrent des endomorphines. Dans les conditions normales, les deux systèmes fonctionnent de façon synergique, ce qui signifie joindre l'utile à l'agréable.

Comment s'explique les systèmes opposants : rétroaction par intervention d'un neurotransmetteur inhibiteur, le Gaba (acide gamma-amino-désoxybutyrique) et/ou désensibilisation des récepteurs ? Je ne rentrerai pas dans ces modalités trop complexes pour être résumées et qui portent à la fois sur l'organisation des voies et sur des mécanismes cellulaires et génomiques.

Quelle qu'en soit la nature, l'encombrement ou le blocage de ces « voies de la récompense » laisse libres et largement ouverts les « chemins de la punition ». Ce sont les systèmes médians du tronc cérébral et du cerveau profond, associés à la souffrance et à l'aversion. Ils utilisent la *sérotonine* comme neuromédiateur.

Comment ces systèmes qui associent les trois émotions fondamentales : le désir, le plaisir et l'aversion, interviennent-ils dans la genèse des conduites d'un indivivu ? Pour faire simple, on peut dire que tout ce qui entre dans le cerveau et tout ce qui en sort doit, peu ou prou, payer tribu aux chemins neuronaux du paradis ou de l'enfer dont j'ai seulement esquissé la description. Autrement dit, tout ce que le sujet connaît du monde et toutes ses actions sur ce monde font intervenir les processus opposants qui se déroulent dans les structures profondes du cerveau qui projettent sur l'ensemble de l'encéphale, notamment sur le cortex où se font les cartes cognitives, support des représentactions. Celles-ci, sous formes de réseaux neuronaux supportent, je le rappelle, à la fois les « images » que le sujet a du monde et ses stratégies ou programmes d'action sur ce monde. Chez certains sujets, ces cartes sont vandalisées par les processus opposants auxquels le cerveau a été exposé pendant son épigenèse.

J'ai décrit ailleurs [39] comment se construisent chez le très jeune enfant les cartes cognitives où sont représentés les futurs objets du désir et comment se préparent les stratégies d'action pour l'obtention de ces objets. Que l'emballement des processus opposants vienne lors de la genèse des cartes les contraindre de façon intolérable, et les conduites de l'adulte définitivement gravées dans ses ensembles neuronaux feront de lui un pervers et parfois un criminel. Il ne s'agit pas seulement d'un désir d'ordre sexuel ; celui qui sous-tend le lien affectif entre les parents et les enfants peut également être compromis : les bourreaux d'enfants sont souvent des anciens enfants battus dont les cartes ont été définitivement vandalisées.

L'amour et la haine sont l'expression de ces émotions fondamentales qui opposent le plaisir et l'aversion sous l'aiguillon du désir et que je qualifie de passions chez l'homme dans la mesure où elles s'enracinent dans sa conscience de soi.

L'animal ne connaît pas la haine, mais l'agressivité et la peur qui le font fuir ou attaquer un adversaire. Ces émotions et leurs conduites associées sont l'expression de l'état central fluctuant : contraintes de l'environnement, du corps et de l'histoire du sujet, comme la raréfaction des ressources, le taux élevé d'une hormone ou un stress après la naissance, etc.

L'animal ne connaît pas l'amour, mais l'attachement à ses petits ou l'attirance pour un partenaire sexuel, là encore dépendant de l'état central fluctuant : odeurs, hormones, événements pré- et périnataux, etc.

L'homme seul connaît la haine et l'amour. Peut-être parce que le développement « fabuleux » de son cortex préfrontal lui permet une appréhension du temps grâce à des catégorisations et des représentactions dont l'animal est incapable. L'homme se sait le héros d'un roman qui a un commencement et une fin et, à la différence du singe, il peut en faire le récit à lui-même et à l'autre. Et ce, même si cet homme est le

39. J.-D. Vincent, *La Chair et le Diable*, Paris, Éditions Odile Jacob, 1996.

plus misérable des pervers ou des assassins. À moins, bien sûr, que la démence ou la perte de conscience ne vienne en interrompre le fil.

Allegro vivace

Dans la gestion de cette partie de cartes qu'est la vie, il faut tenir compte du jeu servi et de la façon de jouer. Le jeu servi vient de la génétique. Même les rats sont inégaux devant les processus opposants [40] : des rats (souche Lewis) développent plus vite que d'autres (souche Fisher) des comportements d'auto-injection de drogues. Ces animaux prédisposés génétiquement à la toxicomanie sont curieux et hyperactifs. Ils sont l'analogue des humains hyperactifs dont le seuil d'ennui est très bas et que l'on appelle des « sensations seekers » (P-DG, sauteurs à l'élastique, toxicomanes, coureurs de rave-party, etc.).

On retrouve chez les patients psychiatriques ces « tempéraments [41] », selon un vieux terme hippocratique, qui oppose des individus hédonistes et anhédonistes réagissant différemment aux stimulations et aux événements du monde. Traiter une dépression par des antidépresseurs qui touchent la sérotonine ou ceux qui touchent les catécholamines est un choix fonction du tempérament. Les deux dépressions ont peut-être la même apparence, mais elles ne sont pas les mêmes selon le versant des processus opposants qui est touché préférentiellement.

Il y a une génétique de l'addiction, comme il y a une génétique de l'ennui. Mais la manipulation et le stress de jeunes rats naïfs à leur naissance peut en faire des chercheurs de sensations, accessibles à la toxicomanie. Les cartes cognitives d'un humain, plus encore que d'un rat, sont en majorité

---

40. F. Dellu, P. Mayo, P.V. Piazza, M. Le Moal & H. Simon, « Individual differences in behavioral responses to novelty in rats. Possible relationship with the sensation-seaking trait in man », *Person. Individ. Difff.*, 1993, *15*, p. 411-418.

41. R. Jouvent & A. Ammar, « Modèle dimensionnels et psychobiologie », *Traité de psychopathologie*, D. Widlöcher éd., Paris, PUF, 1994.

acquises, ce qui malheureusement ne signifie pas liberté face au déterminisme génétique. De quelle liberté dispose un enfant violé et battu qui sera demain bourreau à son tour ? Tout le paradoxe de la liberté de l'homme est là.

En conclusion, le plaisir et son partenaire l'aversion sont probablement les principaux facteurs qui déterminent les comportements de l'homme et de l'animal. Mais, bien plus, la capacité montrée par les humains de partager leurs expériences du plaisir (et de la souffrance), grâce au développement du langage, est à la base de l'*humanitas* et des fondements de la culture et de l'art : vivre en homme ou le plaisir partagé !

III

Un vivant parmi les morts

L'homme est vivant – un vivant qui promène avec lui son cadavre, ce corps que la mort change en relique pour l'édification des passants. « Cicéron dit que philosopher ce n'est autre chose que s'apprêter à la mort. C'est d'autant que l'étude et la contemplation retirent aucunement notre âme hors de nous, et l'embesognent à part du corps qui est quelque apprentissage et ressemblance de la mort, ou bien, c'est que toute la sagesse et discours du monde résout enfin à ce point, de nous apprendre à ne craindre point à mourir [1]. » Pour paraphraser Montaigne, je dirai que biologiser n'est autre chose que s'efforcer de connaître ce qu'est la vie afin de lui trouver un sens. La question de l'homme rejoint ainsi celle du vivant : l'homme peut-il avoir quelques raisons d'exister si la vie n'en a pas ?

Au commencement

Premier janvier de l'an 2000, le soleil s'est levé à 7 h 52 GMT et je suis encore en vie.

Deux mille ans ! Quelle précision au regard des trois milliards et quelques millions d'années écoulées depuis la naissance de la première cellule, celle dont vous et moi descendons comme l'ensemble du monde vivant. L'idée que

1. M. de Montaigne, *Essais*, Livre 1, chap. XX.

le « fils de l'homme [2] » dont on vient de célébrer le 1999e anniversaire partage avec l'âne et le bœuf qui l'ont réchauffé dans la crèche, le même ancêtre commun ne heurte pas seulement la foi religieuse, mais tout simplement le bon sens.

Cette première cellule, LUCA, acronyme pour *Last Universal Common Ancestor*, a été, comme tout le vivant dans sa diversité passée et présente, confrontée à la sélection naturelle dont il a été fait mention à propos de l'homme (p. 147). La réussite face à celle-ci est le succès d'un seul. *La cible de la sélection naturelle est en effet l'individu* [3] (figure).

Depuis le milieu du XIXe siècle s'est progressivement imposé le concept fondamental que toute cellule naît d'une cellule : *omnis cellula e cellula*, selon le célèbre aphorisme de Virchow. Étant donné que toutes les cellules vivantes, qu'elles appartiennent à des individus unicellulaires ou à des organismes pluricellulaires comme les végétaux, les champignons et les animaux, possèdent des constituants identiques (par exemple la rhodopsine, protéine de la rétine sensible à la lumière, déjà présente chez les bactéries), il faut admettre qu'un ancêtre commun en a été le premier dépositaire : le seul, l'unique dont tous les autres descendent.

Pourquoi un et pas deux ou des milliards ? La réponse est apparemment simple. Plusieurs ancêtres indépendants auraient donné naissance à différentes formes de vie. Or il n'en existe qu'une. Cette contradiction tomberait si l'on acceptait l'hypothèse qu'au lieu de LUCA, le premier ensemble vivant ait été constitué par une vaste collection de cellules échangeant sans contrainte leur matériel génétique, c'est-à-dire leur identité. Dans ce cas, il n'y aurait pas eu de barrière génétique donc pas d'espèces et sans ces dernières,

---

2. Le fils de l'homme est venu, mangeant et buvant, et ils disent : voilà un homme qui aime à faire bonne chère et à boire du vin. Matthieu XI, 19.

3. La notion de sélection de groupes ou d'espèces est abandonnée par la majorité des biologistes de l'évolution. Quand une espèce s'impose ou disparaît, c'est toujours au niveau des individus qui la composent qu'agit la sélection naturelle.

pas d'évolution. Premier paradoxe de la vie : elle est multitude, mais n'est possible qu'à l'aune de l'individu.

Cela ne veut pas dire que LUCA soit sorti tout armé du cerveau de la terre comme Minerve du cerveau de son père. Avant que cette cellule s'impose, d'autres prototypes ont occupé le milieu, et se sont affrontés pour l'utilisation de ressources limitées qui leur permettaient de croître et se multiplier. C'est la longue *période prébiotique* – presque un milliard d'années – pendant laquelle la vie s'est cherchée jusqu'à la réussite de LUCA et ses descendants qui par le jeu de la sélection naturelle l'ont emporté sur tous les concurrents. Depuis, dans tous les organismes vivants, on retrouve les mêmes mécanismes qui leur permettent de se reproduire à l'identique et de corriger les erreurs de recopiage.

Une telle fidélité rend impossible l'appariement avec des étrangers. Les mécanismes de séparation ont été présents dès l'origine. Une fois les barrières mises en place, la vie pouvait se répandre à la surface de la terre et le divers jeter son manteau de lumière sur l'UNIQUE.

À l'étal du monde

Sur les trois rayons de la boutique du vivant – l'eau, l'air et la terre – la profusion des espèces oblige le « propriétaire » à faire du rangement. C'est un talent particulier du cerveau de l'homme que cette faculté de classer les objets que lui désignent les organes des sens. Certes, connaître et reconnaître correspondent à la définition même de ce que l'on appelle les fonctions cognitives dont tous les animaux, à un niveau près de complexité, sont pourvus. Certains relativement éloignés de l'homme, les oiseaux par exemple, sont capables de catégoriser leurs semblables, leurs ennemis ou des éléments de leur environnement : arbres, maisons, etc. Mais l'homme a le privilège de nommer les classes dans lesquelles il range, selon des critères qui changent d'une culture à l'autre, les objets du monde. Tout classement implique des séparations et des hiérarchies. Les frontières entre le vivant et ce qui ne l'est pas sont différentes d'une société à l'autre et sont restées incertaines longtemps après que les sciences dites naturelles eurent connu leur premier essor au siècle des Lumières. Linné par son ouvrage intitulé *Systema naturae, sive regna tria naturae, systematice proposita, per classes, ordines, genera et species* (1735) proclame la fixité des espèces, expression de la création divine, et écarte toute variabilité provenant d'une génération spontanée.

L'idée que le vivant possède une histoire viendra bouleverser cette belle assurance. Les classifications que proposent les scientifiques reposent, désormais, sur les liens de parenté qui relient l'ensemble des êtres vivants et sur la notion d'ancêtres communs. La diversité est le reflet de cette histoire et classer le divers revient à en établir la généalogie. La construction d'arbres phylogénétiques (figure) permet non seulement d'afficher en les nommant les acteurs de cette VIE dont l'homme se prétend la « vedette », mais surtout de mieux comprendre la pièce qui se joue.

L'histoire en question

Il a bien fallu que cela commence. Cela aurait pu ne pas commencer. Cela a continué. Cela aurait pu ne pas continuer. Cela ne recommence plus. Cette série de propositions s'achève par une question : cela finira-t-il ? Cela, c'est-à-dire la vie. Je raconterai son histoire avant même de l'avoir définie et décrite, car cette histoire aide à comprendre ce qu'est la vie.

Un récit historique se doit de serrer la vérité au plus près. Il s'appuie pour cela sur des traces objectives du passé – les fossiles pour l'histoire du vivant – et sur des hypothèses dont la valeur se juge autant à leur puissance explicative qu'à leur résistance aux tentatives de réfutation. Ce caractère de réfutabilité – pierre de touche de l'épistémologie poppérienne – sert aujourd'hui, on le sait, aux tenants de la doctrine créationniste pour combattre les théories de l'évolution. Sans entrer dans un débat qui n'a pas sa place ici, je signalerai seulement que combattre des préjugés à l'aide d'idées fausses conduit parfois à un triomphe paradoxal de la vérité.

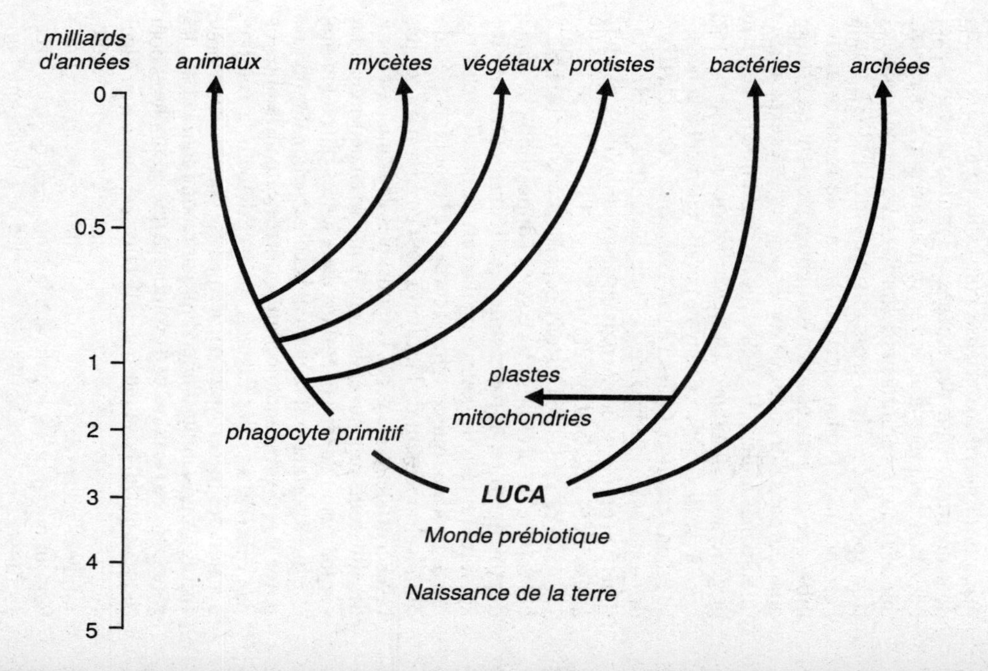
milliards d'années
animaux
mycètes
végétaux
protistes
bactéries
archées
0
0.5
1
2
3
4
5
plastes
mitochondries
phagocyte primitif
LUCA
Monde prébiotique
Naissance de la terre

Ainsi en est-il de la génération spontanée d'organismes, machine de guerre matérialiste construite contre la doctrine de la création divine des espèces. Au milieu du XIXe siècle, Félix Pouchet prétend apporter, démonstration expérimentale à l'appui, les arguments définitifs en faveur de la génération spontanée. Mais trois ans plus tard (1862), Louis Pasteur, un catholique fervent, prouve de manière irréfutable que des germes microscopiques existent en grande quantité dans l'air et jusque sur les objets que les expérimentateurs manipulent. Il s'agit donc de contamination et non de génération spontanée. La conclusion que la vie ne peut se faire à partir de l'incréé renvoie paradoxalement à la nécessité d'une création. Celle-ci à son tour, en réaction à la fixité des espèces qu'elle implique et que démentent les observations paléontologiques de plus en plus nombreuses, conduit à l'essor du concept d'évolution.

Un des procédés de l'histoire consiste à éclairer le passé à la lumière du présent. En ce sens, l'opposition classique depuis Aristote, entre histoire et théorie, pourrait être aujourd'hui résolue pour ce qu'il en est du statut exclusivement théorique que certains accordent à l'évolution. L'étude du développement de l'individu, de l'embryon à l'adulte, révèle l'existence de gènes responsables de la mise en place des différents organes et des fonctions qui en dépendent. La comparaison de ces gènes dans des espèces plus ou moins éloignées permet non seulement la construction d'arbres de parenté et de descendance qui confirme ceux déjà obtenus par l'observation des fossiles, mais également la compréhension des mécanismes par lesquels se crée la diversité du vivant. La possibilité d'intervenir par recombinaison sur ces gènes a ouvert le concept d'évolution à une approche expérimentale qui lui faisait jusque-là défaut [4].

4. Une nouvelle branche de la biologie que l'on qualifie parfois du nom d'*Evo-devo*.

Les moteurs de l'histoire

Tous les organismes vivants possèdent un *programme génétique* qui donne des instructions pour réaliser des *formes* qui assurent des *fonctions*. Autrement dit la fonction est la conséquence de la forme, elle-même conséquence d'une information portée par des gènes. On ne peut manquer de noter la circularité de ce raisonnement, car ces gènes sont eux aussi des formes dont on est bien forcé de s'interroger sur l'origine.

Les théories anciennes supposent un acte créateur ou des lois préexistantes qui rendent inévitable et nécessaire la présence de l'objet formel. Celui-ci dans sa réalisation plus ou moins parfaite exprime une essence immuable. Dans ce cas, l'histoire de la vie ne peut qu'emprunter la structure d'un mythe.

La biologie moderne est fondée sur la notion que toutes les formes vivantes peuvent se transformer et évoluer à partir de formes préexistantes. Deux principes gouvernent ces transformations, celui de l'*instruction* et/ou celui de la *sélection*.

L'instruction considère qu'une forme vivante (de la molécule à l'organisme) se modifie en réponse à des instructions émises par un autre objet ou un ensemble d'objets – en clair, en réponse aux instructions du milieu. Ce principe impose un postulat de stabilité (sinon de fixité) puisque le système reste constant en l'absence de nouvelles instructions. Celles-ci ont pour mission de faire passer la forme d'un état initial à un état nouveau déterminé, opération qui requiert des systèmes extrêmement précis de déchiffrage et de transfert de l'information.

Une parenté indéniable existe entre instruction et création. Si tout objet n'acquiert sa forme qu'en réponse à une forme préexistante, de forme en forme, le principe instructionniste est finalement confronté à la question du premier objet.

La génétique moléculaire dans beaucoup de ses aspects

ne contredit pas le modèle instructionniste. Les gènes en situation d'inactivité constituent un système stable. C'est seulement en présence d'instructions spécifiques liées à l'environnement cellulaire ou à un programme temporel contenu dans une forme préexistante que les gènes sont activés. Mais il ne faut pas s'y tromper, instruction ne signifie pas intervention d'un opérateur extérieur au système comme le propose (l'impose) le modèle créationniste. Le rôle moteur du milieu (épigenèse) ne doit pas non plus être compris dans le sens dont on attribue la paternité diffamatoire à Lamarck, d'un transformisme lié à des informations nouvelles venues de l'environnement. Il n'est donc pas impertinent de reconnaître le bien-fondé du principe instructionniste tout en approuvant la critique radicale de Jacques Monod : « Cette analyse, on le voit, réduit à une dispute verbale, dénuée de tout intérêt, l'ancienne querelle des préformationnistes et des épigénétistes. La structure achevée n'était nulle part, en tant que telle, préformée. Mais le plan de la structure était présent dans ses constituants eux-mêmes. Elle peut donc se réaliser de façon autonome et spontanée, sans intervention extérieure, sans injection d'information nouvelle. L'information était présente, mais inexprimée, dans les constituants. La construction épigénétique d'une structure n'est pas une *création*, c'est une *révélation* [5]. »

La mise en action des instructions suppose tout un jeu de reconnaissance. Telle ou telle molécule ne peut accomplir sa fonction qu'en s'associant à telle ou telle autre dans laquelle elle reconnaît un site d'affinité, c'est-à-dire une forme complémentaire de la sienne. Les deux formes se stabilisent dans une contrainte réciproque [6]. Comme l'avait compris Claude Bernard, c'est dans cette rencontre que la molécule

5. Les citations de Jacques Monod sont extraites de J. Monod, *Le Hasard et la Nécessité, Essai sur la philosophie naturelle de la biologie moderne*, Paris, Le Seuil, 1970.

6. Cette propriété du vivant est appelée allostérie. Voir J.-P. Changeux, « Allosteric proteins from regulatory enzymes to receptors, Personal recollection », *Bioassays*, 1993, *15*, p. 625-634.

vivante, l'enzyme, reconnaît la molécule inerte, le métabolite, dont elle tire l'énergie nécessaire au maintien de l'ordre du vivant. Cette propriété ne s'applique pas seulement aux enzymes, mais à toutes les formes qui interagissent au sein de l'organisme ; elle entraîne des cascades d'instructions qui peuvent également rétroagir sur elles-mêmes dans des dispositifs en boucle que l'on retrouve à tous les niveaux d'organisation du vivant. Le clivage organisme/milieu s'efface au niveau de l'organisme si l'on replace celui-ci dans ce que j'ai défini comme l'état central fluctuant. En devenant inséparables, milieu et organisme cessent de s'affronter. Cela reste vrai aux différents niveaux d'organisation et les « phénomènes macroscopiques doivent être considérés comme la résultante intégrée d'interactions microscopiques multiples due aux protéines et reposant sur leurs propriétés de reconnaissance stéréospécifique [7] ». Au total, tout se limite à la recherche d'un « comment local » qui exclut l'interrogation sur le pourquoi et laisse ouverte (béante !) la question des origines.

La sélection naturelle explique l'adaptation des individus à leur milieu. Elle en est la cause unique. Toute autre justification d'une adaptation relève soit de la providence – la nature pourvoit aux besoins de l'organisme : l'œil pour voir, la langue pour parler, les jambes pour marcher, bref l'organe précède la fonction –, soit de l'action bénéfique du milieu, traduction du « lamarckisme » – transformation sous l'empire de la fonction qui précède l'organe et héritabilité de cette modification. Dans les deux éventualités, on tombe sous le coup d'une inculpation de finalisme et de céder à la métaphysique du Dr Pangloss selon laquelle : « Il n'y a point d'effet sans cause et dans ce meilleur des mondes possible [...] tout est au mieux. » La sélection naturelle n'est pas sans susciter parfois le même reproche : tout étant pour le mieux avec le meilleur des gènes possible, l'adaptation donne une finalité *rétroactive* à l'action de la sélection

7. J. Monod, *ibid.* Stéréospécifique désigne la forme de la molécule dans l'espace à trois dimensions. Les liaisons entre molécules se font de façon spontanée et non covalente.

naturelle – ce que je qualifierai volontiers de panglossisme « rétro ».

La sélection naturelle explique à la fois l'évolution et l'adaptation. Elle suppose que la « nature » dispose d'une variété de propositions sur laquelle s'exerce la sélection. Le sculpteur Rodin, sur la fin de sa vie, offre l'exemple d'une démarche sélective. Il rejette la manière traditionnelle qui consiste à réaliser un modèle conforme à des instructions initiales et assemble sans plan apparent, des fragments de plâtres choisis parmi les centaines dont il dispose dans son atelier jusqu'à l'obtention d'un résultat qui le satisfasse. Un tel procédé n'aurait pas été possible sans la diversité des fragments offerts à la créativité de l'artiste. L'efficacité de la sélection naturelle suppose donc l'existence d'un générateur de diversité.

Finalement, l'évolution obéit à deux exigences : *stabilité* de la forme d'une génération à l'autre sans laquelle il n'y aurait pas de conservation de l'espèce, et *variabilité* sans laquelle il n'y aurait pas d'adaptation. L'une et l'autre sont satisfaites par les gènes dont la réplication assure le maintien des formes d'une génération à l'autre et dont les mutations spontanées sont la source de changements transmissibles pour peu qu'ils satisfassent à l'examen de passage exercé par la sélection naturelle.

L'adaptation exprime l'accord entre l'organisme et son milieu – un compromis provisoire plus ou moins stable qui peut toujours être remis en question par une mutation de l'organisme ou un changement du milieu.

William Paley, au siècle des Lumières, expliquait l'adaptation par la perfection de la création. Il n'y a pas d'autre façon de comprendre les merveilleux instruments dont nous sommes dotés comme l'œil et l'oreille, qu'en les attribuant au génie de leur inventeur. La perfection de la création, son adaptation à ses fins, sont les preuves irréfutables de l'existence du créateur : le parfait engendre le parfait qui témoigne de cette perfection !

L'adaptation pouvait aussi se concevoir d'une façon dynamique et non préconçue grâce à la transformation progressive d'un organisme en fonction de ce que le milieu exige de lui pour assurer sa survie. L'antilope pour échapper au lion développe ses muscles afin d'accroître sa vitesse de fuite et le lion modifie ses capacités cognitives pour adapter ses stratégies de chasse à la rapidité du gibier. Mais on ne peut prétendre qu'une telle transformation soit possible sans que l'organisme possède déjà les éléments qui permettent ce changement. L'hérédité des caractères acquis ne modifie donc pas les données du problème.

Toutes les théories basées sur le concept de transformation dirigée se heurtent au même obstacle : l'incapacité d'offrir une explication autre que créationniste, que l'on débarrasse ou non celle-ci de ses atours religieux et de ses relents d'intégrisme. Osborn et d'autres paléontologues ont attribué la constitution de certaines lignes évolutives à une *orthogenèse*, c'est-à-dire à une succession de mutations directionnelles sans intervention de la sélection naturelle – par exemple, les accroissements parallèles de la taille et de l'évolution des cornes chez les titanothères (rhinocéros). Theilhard de Chardin, en utilisant ce concept à des fins théologiques, a illustré *a contrario* sa faible scientificité.

La transmission des caractères acquis [8] ou celle des mutations dirigées présentent l'adaptation comme un produit automatique de l'hérédité [9]. Mais on considère aujourd'hui, selon la théorie synthétique de l'évolution qui réconcilie celle-ci avec la génétique que la variation n'est en rien adaptative par elle-même. Elle est aléatoire par rapport à sa valeur adaptative et cette dernière résulte de la sélection naturelle qui apparaît ainsi comme la force directionnelle de l'évolution.

Je n'insisterai jamais assez sur cette proposition fondatrice de la biologie moderne. *La sélection naturelle explique l'adaptation ; elle en est la cause unique.*

Toutes les adaptations connues peuvent être expliquées

---

8. L'hérédité des caractères acquis n'est ni centrale, ni propre à la théorie de Lamarck. On continue néanmoins de qualifier ce concept de lamarckisme.

9. Pour plus d'informations, voir M. Ridley, *L'Évolution biologique*, trad. R. Rasmont, Bruxelles-Paris, De Boeck et Larcier, 1997.

par la sélection naturelle. Une telle affirmation ne va pas de soi. Comment comprendre en effet les coadaptations ?

La dispute célèbre entre August Weissmann et Herbert Spencer à propos de l'inévitable cou de la girafe illustre la difficulté. Spencer supposait que l'allongement des vertèbres exigeait des modifications indépendantes, mais corrélées et simultanées des muscles et des vaisseaux sanguins.

Il y a une difficulté comparable à concevoir les coévolutions qui ont transformé un singe en homme : bipédie, taille du cerveau, modification de la tête, de la circulation cérébrale, etc. Comment la sélection naturelle peut-elle retenir toutes ces variations – à supposer qu'elles se produisent toutes en même temps ?

La découverte de gènes de développement responsables du développement d'ensembles de pièces organiques et des fonctions qui vont avec, fournit aujourd'hui une explication satisfaisante.

Et que dire de l'œil ! Lorsque la distance de la cornée à la rétine se modifie au cours de l'évolution, d'autres caractères optiques comme la convergence du cristallin doivent être modifiés en même temps. L'improbabilité évidente de mutations corrélatives simultanées empêche d'expliquer l'origine d'un appareil aussi finement ajusté par la sélection naturelle. Or l'évolution a « inventé » l'œil plusieurs fois dans des lignées aussi éloignées que celles qui conduisent à l'homme et au poulpe. Par stimulation sur ordinateur, à partir d'un stade initial constitué d'une couche de cellules transparentes et d'une couche pigmentée profonde, Nilson et Pelger [10] ont fait modifier la forme de l'œil par étapes aléatoires de 1 %. L'évolution était dirigée par un programme qui conservait comme point de départ d'une nouvelle génération, la forme de la génération précédente possédant les meilleures caractéristiques optiques et qui rejetait les autres comme l'aurait fait la sélection naturelle. L'évolution

10. D.E. Nilson et S. Pelger, « A pessimistic estimate of the time required for an eye to evolve », *Proc. Royal Soc.*, Londres, 1994, *13(256)*, p. 53-58.

complète pour parvenir à un œil de vertébré ou de poulpe s'est faite en 2 000 étapes, ce qui, d'après des calculs de probabilité, nécessiterait 400 000 générations, soit au rythme moyen d'une génération par an, moins d'un demi-million d'années, le temps d'un clignement de paupières à l'échelle de la vie.

Un autre argument opposé à la sélection naturelle porte sur l'existence nécessaire d'un organe rudimentaire avant d'obtenir l'organe achevé sur lequel repose l'adaptation. À quoi servaient des ébauches d'ailes avant que les dinosaures qui en étaient pourvus ne volassent ? Le gradualisme impose en effet un allongement progressif de l'ébauche. Et les plumes ? À amortir la chute pour les uns, à conserver la température du corps pour les autres. L'oiseau n'a pas bondi dans les airs, tout ailé et tout emplumé. Parfois, on peut parler de préadaptation. Les membres palmés ont précédé l'adaptation à l'eau de certains mammifères et réciproquement, la transformation de nageoires en membres griffés servant à s'accrocher aux prairies de la mer a fourni les instruments de la marche à quatre pattes lors de la sortie de l'eau.

Dans ces formes préadaptées, on peut ranger ce que Goldschmidt a appelé les *monstres prometteurs*. Mutations brutales et radicalement nouvelles qui ont pu donner le départ au démarrage explosif de nouvelles lignées.

Fonctions du passé ou fonctions du présent, l'organe qui les supportent est toujours le rescapé de la sélection naturelle.

La sélection naturelle n'est pas, en revanche, l'explication unique de l'évolution. Il existe par exemple des contraintes structurales qui n'ont aucune valeur adaptative. Les brachiopodes, coquillages marins n'appartenant pas au taxon des mollusques, possèdent deux valves latérales minéralisées en forme de chevrons. Ceux-ci pourraient à la rigueur passer pour un camouflage s'ils n'étaient totalement inutiles chez des animaux enfouis dans le sol. La sélection naturelle reste indifférente devant cet aspect architectural qui impose cependant une forme à l'animal.

Parmi les moteurs de l'histoire, je ne pourrai m'attarder

sur la théorie neutraliste de l'évolution qui ne contredit en rien celle de la sélection naturelle. J'y reviendrai à propos de la molécule d'ADN qui contient des régions silencieuses (ne contrôlant pas de fonction dans l'organisme) et des régions actives (c'est-à-dire exerçant une responsabilité dans la vie de l'organisme). Les premières évoluent rapidement au rythme continu des mutations – ce que l'on appelle l'horloge moléculaire – sans conséquence apparente et dans l'indifférence de l'organisme –, les secondes beaucoup plus lentement, prises entre les contraintes fonctionnelles (qui éliminent toute mutation supprimant la fonction) et les nécessités de l'adaptation.

Quelles sont donc ces molécules sur lesquelles *in fine* s'exerce la sélection naturelle ?

Les acteurs de l'histoire

Le décor a son importance. La vie exige l'intimité. Celle-ci permet la reconnaissance entre des formes qui s'attirent et se lient grâce à des forces instables, faibles mais suffisantes pour produire des complexes actifs. La mare donc, la flaque et pas l'étendue sans limite des eaux, avec – pour finir par le début – la cellule, unité de la vie.

J'ai choisi pour symboliser ce commencement l'*annunciazone* de Simone Martini en écho à l'*annunciata* d'Antonello qui illustrait la conscience réfléchie. Je me défends d'un préjugé religieux ou d'obéir à une quelconque vision orthogénique de l'évolution. Juste une image : à l'intérieur de la chambre dorée, la vie annoncée se lit dans le regard étonné de Marie et dans la complémentarité de deux formes qui se reconnaissent, l'ange et la vierge – origine commune de la plante dans la main de l'un et de la chair animale dans le ventre de l'autre.

Les ferments qui font lever la pâte à pain, changent le jus du raisin en vin et celui-ci en vinaigre, sont des *enzymes*, eux-mêmes des *protéines*, une des trois catégories qui regroupent les macromolécules de la vie avec les *sucres* et les *lipides*.

Les protéines, qu'elles proviennent d'un animal, d'une plante, d'un champignon ou d'une bactérie, associent en nombres variables, de deux à plusieurs milliers, des éléments de base, les *acides aminés*, choisis dans un répertoire qui en compte exclusivement une vingtaine. On comprend qu'au gré de la séquence variée de ces vingt motifs, le nombre de protéines différentes que pourrait offrir le vivant est gigantesque, des milliards de milliards qui font paraître modestes les centaines de milliers retenues par l'évolution.

Une protéine est une forme complexe qui allie la régularité cristalline au désordre apparent d'un écheveau. Les contraintes exercées par les forces internes liées à la succession des acides aminés génèrent des hélices, des coudures et des repliements en feuillets, dégagent des lieux d'affinité où se fixent d'autres molécules, des foyers d'activité et des sites où le phosphore va se blottir en changeant la forme et les propriétés de la protéine.

Sa structure dans l'espace confère à chaque protéine une activité biologique spécifique : enzyme, elle facilite et accélère (parfois des millions de fois) une réaction chimique dans la cellule vivante ; pièce de son squelette elle lui donne sa forme ; moteur, elle assure sa mobilité et les déplacements internes de ses constituants ; canal, pompe ou transporteur, elle permet le franchissement de la membrane ; facteur activateur ou inhibiteur, enfin, elle intervient dans le contrôle de l'activité des gènes.

Les *sucres* fournissent l'énergie à la cellule. Leur chef de file, le glucose, est dégradé et cède l'énergie qu'il recèle à une autre molécule, l'ATP, qui la transporte afin de répondre aux besoins des réactions chimiques (métabolisme).

Les molécules élémentaires de sucre s'enchaînent sous forme de polymères comme l'amidon qui sert de réserve d'énergie aux plantes ou le glycogène stocké dans le foie et les muscles des animaux.

Les sucres sont parfois liés à des protéines (glycoprotéines). Ils sont un des constituants des acides nucléiques. Leurs propriétés physiques leur confèrent aussi un rôle de colle, de ciment entre les cellules ou d'adhésif à leur surface.

Des *lipides* (ou graisses), je dirai seulement qu'ils forment la membrane cellulaire. Celle-ci est imperméable à l'eau et aux substances hydrosolubles. Sans cette barrière, il n'y aurait pas de vie. Mais, sans les molécules ancrées dans son épaisseur ou sur ses faces interne et externe qui permettent les échanges avec l'extérieur, la relation individu-milieu, caractéristique du vivant, n'existerait pas.

Les *acides nucléiques* se présentent sous deux grandes formes : l'ADN et l'ARN. L'acide désoxyribonucléique (ADN) dont le sucre (désoxyribose) en perdant son oxygène a gagné une grande stabilité qui convient au rôle de porteur de l'information codée (gènes). Celle-ci est *transcrite* sous forme d'acides ribonucléiques (ARN) qui sont ensuite *traduits*, selon le code génétique, en protéines diverses.

La molécule d'ADN est confinée dans le noyau [11] de la cellule où elle peut prendre deux aspects : tantôt celui de structures denses, les *chromosomes*, seulement visibles lors de la division cellulaire, tantôt celui de la *chromatine* diffuse et biologiquement active. Les chromosomes ne représentent donc qu'une forme compactée, temporaire et inactivée de l'ADN qui sera distribuée à part égale entre les deux cellules filles.

L'ADN est formé de l'enchaînement régulier d'éléments semblables mais non pareils, appelés *nucléotides*. Ceux-ci sont composés d'un sucre, le désoxyribose, d'un phosphate et d'une base. Seule cette dernière varie selon les nucléotides. Il n'existe pour tous les êtres vivants que quatre bases appelées Adénine, Thymine, Guanine et Cytosine et représentées respectivement par leur initiale A, T, G, C. Le motif sucre-phosphate indéfiniment répété forme le squelette de la chaîne sur laquelle sont attachées les bases. L'information génétique réside dans leur ordre de succession selon un code universel (le code génétique) dont la connaissance est aujourd'hui partagée entre les organismes vivants et les savants qui ont su le décrypter.

---

11. Cela est vrai chez les cellules dites eucaryotes qui possèdent un noyau. Chez les bactéries dites procaryotes, l'ADN est libre dans le compartiment intracellulaire.

La chaîne d'ADN prend spontanément la forme d'une hélice régulière. Mais la molécule est elle-même composée de deux hélices complémentaires l'une de l'autre, emboîtées à la façon d'un escalier à double révolution : deux spirales dont l'une est le reflet parfait de l'autre et qui jamais ne se confondent. Les règles d'association qui permettent cette « double hélice » sont simples : A se lie par affinité avec T, et G avec C. Par exemple à la séquence : TTCTACTTA correspond la séquence complémentaire AAGATGAAT.

Les ARN ont une structure chimique très voisine de celle des ADN : même squelette sucre-phosphate (le ribose remplaçant le désoxyribose) et mêmes bases (l'uracile [U] remplaçant la Thymine [T]).

Plusieurs catégories d'ARN s'activent dans la cellule. Les ARN messagers (ARNm) transportent l'information contenue dans les gènes vers les sites de synthèse des protéines (ribosomes). Les ARN ribosomaux servent à lire les messages transmis par les messagers et à les transformer en protéines. Les ARN de transfert (ARNt), enfin, ont pour rôle d'apporter les acides aminés aux ribosomes qui les assemblent (voir plus loin).

Ce que je viens de décrire brièvement [12] s'applique à tout ce qui est vivant, de la cellule isolée (bactéries ou levure) à l'homme. Celui-ci en matière de vie ne bénéficie d'aucun statut spécial, d'aucune singularité dans le code génétique par exemple. La règle du jeu est la même pour tout le monde !

La règle du jeu

Le vivant appartient à un parti extraordinairement conservateur : mêmes constituants fondamentaux, même code génétique depuis l'origine de la vie. Mais parti d'extrême droite lorsqu'il s'agit des sucres qui entrent dans

---

12. On trouvera une relation simple et précise de ces données de la biologie moléculaire dans C. Auffray et L.M. Houdebine, *Qu'est-ce que la vie ?*, Paris, Le Pommier-Fayard, Collection Quatre à quatre, 1999.

la composition des acides nucléiques et d'extrême gauche pour les acides aminés qui constituent les protéines [13]. Pasteur l'affirmait : « La seule ligne de démarcation bien tranchée que l'on puisse placer entre la chimie de la nature morte et la chimie de la matière vivante est l'homochiralité, c'est-à-dire la présence exclusive d'une seule conformation droite ou gauche dans les constituants du vivant. »

Derrière cette conservation se manifeste une mécanique génétique commune impitoyable de régularité mais dont – ô paradoxe suprême ! – les dérèglements génèrent la diversité dont se nourrit la sélection naturelle, moteur de l'évolution.

Une cellule a dans la vie deux ambitions, d'ailleurs souvent contradictoires : se diviser, autrement dit se multiplier, et se différencier – devenir un neurone, par exemple. Dans les deux situations, l'ADN est maître d'œuvre.

En réponse à un signal de multiplication, la cellule fabrique le matériel moléculaire qui formera les deux cellules filles. L'ADN est ensuite dupliqué ; opération rapide pendant laquelle chaque brin de l'hélice se sépare pour permettre à un enzyme (l'*ADN polymérase*) de synthétiser son brin complémentaire. À la fin de l'opération, la quantité d'ADN a donc doublé, chacun des brins initiaux étant pourvu de son brin complémentaire. La chromatine cesse alors son activité et apparaît dans le noyau sous la forme de deux jeux complets de chromosomes. La membrane du noyau s'efface pour permettre à chaque jeu et au contenu moléculaire de la cellule de se répartir à égalité de part et

13. Les corps chimiques ont une forme asymétrique qui dévie la lumière polarisée vers la droite ou vers la gauche, selon qu'il s'agit d'une forme D (pour dextrogyre) ou L (pour lévogyre). Ces deux configurations L et D sont rigoureusement semblables, mais non superposables comme un objet et son image dans le miroir ou comme les deux mains, droite et gauche, d'où le terme de *chiralité* (*kheir*, la main). Dans le monde physique, les molécules sont présentes en quantité équivalente sous leurs formes droite et gauche. En revanche, les grosses molécules de la vie sont exclusivement composées d'acides aminés gauches pour les protéines et de sucres droits pour les acides nucléiques. Les acides aminés droits et les sucres gauches ont été escamotés dans le processus de genèse du vivant.

d'autre de la séparation qui se fait entre les cellules filles ; leur noyau se reforme et l'ADN reprend son activité.

L'ADN donne ainsi la réplique à l'ADN sans se tromper depuis trois milliards d'années. Les bafouillages, les dérapages, les erreurs de réplication d'un brin confrontés à sa doublure intacte sont corrigés par des mécanismes si présents et si efficaces qu'on peut presque dire que la « réparation » est une propriété fondamentale du vivant.

Cette stabilité – relative car sinon il n'y aurait pas d'évolution – se dissimule sous le foisonnement des protéines : des centaines de milliers et leurs variantes d'un individu à l'autre, d'une espèce à l'autre, d'un milieu à l'autre. Avec, sous-jacente à cette diversité, la psalmodie monotone des quatre bases, A, T, G, C, répétées des milliers de fois le long du brin d'ADN.

La règle fondamentale est la suivante : la structure primaire d'une protéine – c'est-à-dire la succession des acides aminés – est prévue par la séquence des bases sur l'ADN. La correspondance obéit à un code [14] qui permet la *transcription* du gène en messager et la *traduction* du messager en protéine.

Les ARN messagers sont la copie exacte (avec des U à la place des T) du fragment de brin d'ADN qui porte le message génétique. Ils transportent l'information de l'ADN du noyau où sont alignés les gènes, vers le cytoplasme où sont fabriquées les protéines. Pour garder au système sa souplesse, les ARN messagers ont une durée de vie relativement brève qui leur permet de répondre à la demande fluctuante de la cellule. Produits de l'expression des gènes, les protéines

---

14. Le code génétique repose sur un triplet de trois bases ou *codon* qui correspond à un acide aminé. Ainsi sur l'ADN l'association CGC est *transcrit* en GCG sur le brin d'ARN messager, *traduit* ensuite en alanine par le ribosome. L'association trois à trois de quatre bases donne 64 combinaisons. Étant donné qu'il n'existe dans le vivant que 20 acides aminés, chacun d'eux peut donc être codé par un ou plusieurs codons. La séquence des bases d'un gène permet donc de connaître sans ambiguïté la séquence des acides aminés de la protéine, mais l'inverse n'est pas vrai. On dit que le code est *dégénéré* (cf. *ibid.*).

sont, elles aussi, détruites au fur et à mesure et remplacées (ou non) en fonction des besoins de la cellule.

Je le dis une fois encore, l'ADN représente l'invariant dans l'univers fluctuant du vivant. La vie, telle une partition de Bach, déroule la suite variée des possibilités jusqu'à l'aria « finale » interprétée par le cerveau humain. Comment dire l'étonnement du biologiste, qui nage désespéré dans les tourbillons de sa névrose, éclaté entre la peur de vivre et celle de mourir, devant cette molécule d'ADN – certitude venue du fond des temps !

Après sa sortie du noyau, la traduction de l'ARN en protéine se fait dans un organite intracellulaire, le *ribosome*, formé d'un complexe d'acides nucléiques et de protéines. Celui-ci glisse lentement sur l'ARN messager à la façon d'une tête de lecture et accroche à chaque codon rencontré l'acide aminé correspondant apporté par un petit ARN dont une partie (anticodon) reconnaît le codon et une autre transporte l'acide aminé. Les acides aminés qui ainsi se succèdent sont accrochés entre eux par un enzyme contenu dans le ribosome.

Les protéines sont ensuite transformées, réséquées, affublées de sucres. Certaines, incorporées dans des sacs membranaires, « mûrissent » avant d'être adressées à leur lieu de travail (le cytoplasme, la membrane ou le noyau) ou expulsées de la cellule, destinées à d'autres cellules (hormones, neuromodulateurs, facteurs de croissance, etc.).

On peut édifier une stèle immémoriale à la gloire de l'ADN, mais celui-ci n'est rien sans l'unité régulée que réalise la cellule. À preuve les virus. Ils ne sont pas comme on le croit parfois des formes prématurées et inabouties du vivant, des antécédents, mais tout au plus des déchets ou reliques, fragments d'ADN ou d'ARN contenant quelques gènes dont le programme ne peut s'exécuter qu'au sein d'une cellule possédant la machinerie nécessaire à leur expression. Les rétrovirus, parmi lesquels le fameux VIH responsable du sida, descendent vraisemblablement de séquences d'ADN appelées *transposons*, structures capables d'être copiées et de s'intégrer au hasard dans un génome par ailleurs tout à fait normal. Le rétrovirus intégré dans le génome de certaines cellules se transcrit en ARN, lui-même rétrotranscrit en ADN qui s'intègre à son tour dans le génome de l'hôte [15].

L'ADN retrouvé dans les cimetières qui sert aujourd'hui à identifier les morts est aussi silencieux que la tombe où il repose. Pour vivre, il a besoin de la machinerie cellulaire. Les gènes, c'est-à-dire la partie codante transcrite, ne constitue qu'une faible partie (moins de 5 % chez les mammifères) de l'ADN total formant le génome d'un organisme. Une séquence est ininterprétable sans une ponctuation qui indique le début et la fin de la région transcrite [16]. En amont de cette dernière, des séquences d'ADN régulent l'expression du gène. Ces régions « promotrices » plus ou moins distantes du gène, sont elles-mêmes régulées par des protéines, les facteurs de transcription activés par le fonctionnement cellulaire et l'influence du milieu. Ils se fixent sur des séquences spécifiques du promoteur. Ces sites n'ont pas le caractère d'universalité du code génétique. Les recombinaisons génétiques sur lesquelles sont fondées les biotechnologies consistent à transférer un gène appartenant à un organisme dans le génome d'un autre organisme (une bactérie par exemple comme le fameux *Escherichia coli*) encadré d'un promoteur et d'une séquence de terminaison appartenant à l'espèce-hôte ou à une espèce proche.

Je n'ai fait que donner quelques principes de fonctionnement du génome et de ce qu'on appelle aujourd'hui le protéome, c'est-à-dire l'ensemble des agents d'exécution de l'information contenue dans les gènes. Pour conclure, il convient d'insister sur la souplesse du dispositif. Un gène code parfois plusieurs protéines et celles-ci sont les objets de régulations complexes dites épigénétiques qui replacent le

---

15. Un transposon a pu devenir virus en acquérant la capacité de fabriquer une capside et une enveloppe qui permettent au génome viral de sortir des cellules pour en infecter d'autres.

16. La région dite codante d'un gène commence par un codon de démarrage (en général ATG) et se termine par un codon stop (TAG, TAA ou TAG).

gène dans le milieu de la cellule et celle-ci dans son environnement proche ou lointain contenant notamment d'autres cellules. Je n'ai fait qu'entrouvrir le grand livre de la *physiologie* : étude des fonctions et des contraintes exercées par le milieu sur ces dernières.

Synopsis pour une histoire de la vie

La vie date de 3,5 à 4 milliards d'années. Notre premier ancêtre commun dans la remontée du temps, LUCA (voir plus haut) n'est pas venu sur la terre tout armé et prêt à l'action. Il est déjà lui-même le produit d'une évolution qui s'étend sur un milliard d'années. Une histoire qui commence sous forme d'un dilemme, celui de « l'œuf et de la poule » : qu'est-ce qui est apparu en premier des protéines ou de l'ADN ? Il faut en effet, on l'a vu, des protéines (enzymes) pour permettre la fabrication et la réplication des ADN qui portent les gènes codant la séquence des protéines dont dépendent leur individualité et leurs fonctions. La découverte d'ARN qui possède à la fois le code et la fonction (les ribozymes) répond à cette question digne du Sphynx : trouver une molécule qui soit à la fois la forme qui se réplique et l'enzyme qui fabrique les outils de cette réplication. La flexibilité et l'efficacité des enzymes-ARN ont pu être accrues par la coopération d'acides aminés venus s'attacher à l'ARN, donnant ainsi naissance à un premier code génétique. Ce monde ARN était peuplé d'entités cellulaires formées de membranes dont l'origine est, elle aussi, un mystère mais est probablement liée à l'activité de protéines rudimentaires.

Le monde ARN n'est sûrement pas apparu d'emblée. La molécule d'ARN est en effet très difficile à fabriquer. On peut penser que des polymères primitifs, disparus aujourd'hui, se sont formés grâce à une chimie de surface dont Günter Wachterhauser a proposé un modèle avec le couple sulfate de fer/hydrogène sulfuré (autrement dit la pyrite, roche dorée appelée or du fou).

On suppose également que la membrane s'est formée, dès

cette époque, délimitant un milieu intérieur clos et propice à l'interaction entre molécules. Cette cellularisation a donné des individus soumis à une sélection de type darwinien, fondée sur la compétition entre prototypes. La relève des polymères par les ARN n'est venue que dans un deuxième temps.

L'invention de l'ADN, molécule plus stable et plus résistante que l'ARN, ne s'est faite qu'ultérieurement en tant que produit de la guerre biologique que se livraient les organismes et a assuré le triomphe d'un monde ADN sur l'ancien monde ARN. Désormais, le code et la fonction étaient portés par des appareils séparés.

LUCA était bien la première cellule moderne [17]. Elle possédait des gènes dont tout notre matériel génétique est issu. Il est vraisemblable qu'elle ait été à l'origine des trois règnes vivants qui se partagent aujourd'hui la terre : les eucaryotes qui enferment leur ADN dans un noyau, les bactéries et les archées.

Selon l'hypothèse défendue par Patrick Forterre et Hervé Philippe, les bactéries et les archées qui forment les deux grands règnes de procaryotes (unicellulaires dépourvus de noyau) seraient issues d'un processus de simplification à partir d'un ancêtre plus complexe de type eucaryote. Elles se seraient ainsi adaptées de façon optimale à leur mode de vie ; le rêve d'une cellule procaryote (pour reprendre l'expression de François Jacob) étant de se diviser le plus rapidement possible dès que les conditions de milieux sont favorables. Leur ADN est recopié à une vitesse dix fois supérieure à celle des eucaryotes. Ces derniers prennent davantage leur temps ; ils ont investi dans une augmentation de taille et de complexité.

Retour sur les ancêtres eucaryotes, complexes et de forte taille que nous retrouvons confrontés au monde

17. Pour en savoir plus, on consultera l'article de Patrick Forterre : « À la recherche de l'ancêtre de toutes les cellules », *L'Évolution. Pour la Science*, hors-série, janvier 1997 et John-Maynard Smith & Eörs Szathmary, *The Major Transition in Evolution*, Oxford, New York, Heidelberg, Freeman, 1995.

envahissant des bactéries. Ils ressemblaient à *Giardia*, un organisme unicellulaire, vieux de deux milliards d'années, devenu aujourd'hui un parasite intestinal. Celui-ci en forme de poire de quelques centièmes de millimètres de long est mille à dix mille fois plus gros qu'une bactérie ordinaire. Sa paroi est souple, mais conserve sa forme grâce à un squelette interne d'entretoises et de câbles rigides. Il se déplace grâce à quatre paires de longs flagelles ondulants qui lui permettent de se rapprocher d'une proie, attiré par quelque signal chimique. Celle-ci est capturée grâce au processus dit de *phagocytose*. La bactérie après s'être collée à la surface de la cellule est progressivement enveloppée par un repli de plus en plus profond ou invagination de la membrane qui forme une poche. Elle se détache, entraînant la proie à l'intérieur de la cellule. Des enzymes déversés dans le sac ainsi formé permettent la digestion de son contenu.

L'eucaryote primitif était comme *Giardia*, strictement anaérobique et hétérotrophe, c'est-à-dire qu'il se nourrissait de produits déjà fabriqués. L'énergie était fournie par des cascades de transfert d'électrons dans lequel intervenait l'assemblage de la molécule d'ATP.

L'*autotrophie*, c'est-à-dire la capacité de fabriquer ses propres constituants à partir de matières premières minérales, s'est installée progressivement chez certaines familles de bactéries. Grâce à la molécule de chlorophylle, celles-ci ont acquis la propriété de tirer de l'énergie de la lumière pour effectuer directement la synthèse de leurs constituants à partir du gaz carbonique (photosynthèse). Le transfert d'électrons prélevés finalement à l'eau par le *photosystème* aboutit à la formation d'oxygène qui est rejeté dans la nature. Ce dispositif se rencontre chez des bactéries appelées autrefois algues bleu-vert et plus justement aujourd'hui *cyanobactéries*.

D'autres bactéries dites « pourpres non sulfurées » possèdent dans leur membrane des chaînes respiratoires branchées sur l'oxygène qui produisent de l'ATP. Selon une hypothèse très probable, les ancêtres de ces bactéries seraient à l'origine des *mitochondries*, formations remarquables présentes dans les cellules des protistes, des plantes, des champignons et des animaux. L'intérieur de ces organites contient des systèmes métaboliques qui dégradent une grande variété de substances pour y puiser les électrons qui alimentent les chaînes respiratoires. Ces mitochondries sont dans toutes les cellules eucaryotes aérobiques, le site d'utilisation de l'oxygène et de production d'ATP. Ce sont, en quelque sorte, les centrales thermiques de la cellule. Elles contiennent de l'ADN sous forme circulaire ; celui-ci est dupliqué et transmis lors de la bipartition de l'organisme comme dans le cas des bactéries libres. Les gènes portés par l'ADN mitochondrial ont la même structure que ceux des bactéries chez qui on peut d'ailleurs retrouver leurs ancêtres. Cette présence permanente d'une bactérie dans une cellule eucaryote offre un exemple d'endosymbiose. Elle suppose une adaptation progressive entre l'hôte et le visiteur qui se fait notamment par le transfert de gènes. La façon dont s'est produite l'endosymbiose pourrait résulter d'une phagocytose. Par le même procédé, la capture de cyanobactéries aurait donné naissance au *plaste,* organite intracellulaire des végétaux effectuant la photosynthèse.

Pendant trois milliards d'années, interminable premier acte, la scène n'a été occupée que par des êtres unicellulaires, mais avec quelle diversité déjà dans leur troupe innombrable.

Côté jardin : les bactéries, des archées, dépourvues de noyau, avec leur ADN libre. Elles ont tout envahi : les sources bouillantes et les courants glacés, les lagunes tiédies au soleil et les fonds abyssaux. Il y en a des bleues, des vertes, des rouges pourpres et aussi des sans-couleur ; des bâtonnets, des sphères, des informes ; des lisses, des velues, entourées d'une gangue hérissée de piquants. Toutes occupées à se diviser pour coloniser l'espace dans une épuisante confrontation avec les autres.

Côté cour : les eucaryotes ou protistes pourvus de plastes et de mitochondries ; les premiers végétaux unicellulaires ou phytoflagelles qui ont constitué le phytoplancton producteur d'oxygène, à l'origine de l'atmosphère actuelle. Parmi eux, certains flagelles en perdant leurs chloroplastes, spécifiques des cellules végétales, sont devenus des zooflagellés, qui se nourrissent de la chair des autres [18].

Le premier acte s'achevait dans la confusion ; animal ou végétal ? Bien difficile de le dire. L'aventure pluricellulaire commençait.

Décor : le globe avec ses trois scènes : la mer, le rivage et la terre. Cette dernière était encore un désert aride et stérile et la première, une étendue sans limite à la surface irisée d'algues intracellulaires venues y chercher la lumière. Mais, entre ces deux immensités, l'intimité des eaux sans profondeur comme lors des premiers commencements deux milliards d'années plus tôt, accueillait les premiers jardins. Des cellules ont cessé de se séparer après division pour former des rubans qui flottaient au gré des courants et marées. Une enveloppe en polymères de sucre leur donnait la consistance d'une tige élastique. Algues brunes, vertes ou rouges, elles tapissaient les fonds marins où leur parvenaient les rayons du soleil. Une structure caractéristique apparaissait : le *cladome* formé d'un axe à croissance illimitée et de rameaux latéraux riches en plastes et à durée temporaire ; préfiguration, peut-être, du rameau tenu dans la main de l'Ange.

Ces algues se nourrissaient de lumière et de minéral. Elles avaient une reproduction sexuée qui exige un milieu liquide. Parallèlement se formaient des colonies de protistes animaux qui se nourrissaient de la chair des algues. L'évolution des animaux était en route. Elle restera longtemps confinée à la mer ; le temps pour les végétaux de conquérir la terre et de la recouvrir d'un sol où croissaient bactéries, algues, mousses et lichens et bientôt la végétation des plantes qui s'élevaient vers le ciel dans leur foisonnante immobilité, apprenant bien avant les animaux à se passer du milieu aquatique pour se reproduire – le jardin de l'homme.

Anthropocentrisme inacceptable – c'est entendu, notre belle vie est le produit du hasard, mais un « hasard qui fait

---

18. M. Lamy, *La Diversité du vivant*, Paris, Le Pommier-Fayard, 1999.

bien les choses » en offrant à l'homme les plus beaux fruits du jardin – avec le péché originel en prime. L'illusion finaliste est si fort enracinée dans notre cerveau qu'il faut nous faire violence pour accepter de quitter notre orgueilleux piédestal. Ce sont les contraintes subies par les vivants qui ont changé le hasard en *destin*, un mot terrible pour désigner la contingence ordinaire ou le nécessaire enchaînement des causes et des effets : nécessité d'une énergie pour transformer en chair vive la matière inerte ; nécessité de l'eau pour croître et multiplier ; nécessité de l'air pour respirer ; nécessité de la dureté pour résister à la pesanteur ; nécessité de la mobilité pour atteindre la nourriture, etc.

Les trois règnes ont opposé à ces contraintes des réponses étonnamment semblables. Le règne végétal dont se nourrissent les deux autres a fait souvent figure de précurseur. La baisse de niveau des eaux jusqu'à l'assèchement complet a forcé les plantes à plonger leurs racines dans les profondeurs de la terre. N'étant plus soutenus par la poussée d'Archimède et désormais livrés au champ gravitationnel de la terre, les tiges et les troncs se sont dressés contre la pesanteur. Un système vasculaire de circulation a permis aux cellules de conserver un contact avec l'élément liquide nécessaire aux échanges avec le milieu. Lointaine descendance du plancton végétal qui flottait dans les océans, une végétation luxuriante dans laquelle s'élevaient des arbres géants a recouvert le sol entre trois et quatre cents millions d'années avant notre ère. Le reste de ces plantes accumulées et fossilisées a donné lieu aux énormes gisements de matières carbonées qui fournissent aujourd'hui à l'homme son énergie – le comble de l'hétérotrophie.

Plus tard, la rareté extrême de l'eau sur une terre devenue désertique [19] a obligé la fécondation à s'affranchir totalement du milieu aquatique grâce à l'invention de la graine

19. Après cinquante millions d'années de vie florissante, les marais du carbonifère (286 à 360 MA) s'asséchèrent et leur végétation dépérit. Cette crise dite du permien (250 à 286 MA) qui vit une éradication massive des espèces correspond probablement à la soudure des terres émergées en un continent unique : la pangée.

– même contrainte et solution comparable dans le règne animal avec l'œuf amniotique.

Avant de revenir à notre histoire de notre règne, je donnerai, pour mémoire, une brève évocation du troisième règne, celui des mycètes si proches de nous. Comme nous, ils sont hétérotrophes ; véritables charognards, ils se nourrissent de chair végétale ou animale. Comme les végétaux, avec lesquels on les confond souvent, ils sont immobiles, accrochés aux plantes ou aux muqueuses animales. Il en existe plus de deux cent mille espèces qui comprennent les levures, les moisissures et les champignons. L'étude de leurs gènes a montré qu'ils étaient plus étroitement liés à nous qu'avec les végétaux – nos cousins germains, en somme, sur le grand arbre généalogique du vivant. La truffe a sans doute un parfum de famille qui nous la rend précieuse.

Le trait fondamental de l'animal est sa mobilité. Celui-ci lui permet de bouger pour favoriser les échanges avec le milieu et l'émanciper de ses contraintes. Que l'on songe au degré de mobilité atteint par l'homme. Ce n'est pas le moindre paradoxe de dire que l'avion, le chemin de fer ou l'Internet font de lui, un peu plus à chaque nouvelle avancée, un parangon de l'animal.

Si les animaux les plus simples, les éponges formées de deux couches cellulaires, bougent en restant sur place, d'autres comme les méduses deviennent libres après avoir traversé un stade de polypes évoquant une plante fixée à son support. Ces animaux d'origine ancienne disposent déjà d'une ébauche de système nerveux avec des cellules neurosensorielles qui reçoivent des informations du milieu et des cellules neuromusculaires qui agissent sur ce dernier. On oppose à ces animaux qui n'ont aucune symétrie ou une symétrie radiaire, tous les autres qui en diffèrent par deux innovations majeures : d'une part la symétrie bilatérale et d'autre part la présence d'un nouveau feuillet entre ectoderme et endoderme, le mésoderme. Ils constituent le grand ensemble des bilatéralia ou triploblastes. Leur mode de vie est fondamentalement *libre*, c'est-à-dire qu'ils se déplacent activement avec une extrémité appelée tête orientée vers l'avant et une face dite ventrale, tournée vers le substrat :

deux axes donc, l'un antéro-postérieur, l'autre dorso-ventral – à peu de chose près, le plan d'un homme.

Le bon fonctionnement de l'animal capable de se mouvoir librement nécessite que l'activité des parties successives de son corps soit coordonnée grâce à l'intervention d'un système nerveux. Dans la construction du corps, la mise en place de ce dernier précéderait et organiserait la disposition des segments dans le sens du mouvement, c'est-à-dire en suivant l'axe antéro-postérieur [20]. Ce plan d'ensemble repose sur l'intervention des gènes *Hox* [21]. Ceux-ci sont disposés en ligne sur la carte génétique. Leur ordre d'expression se fait selon la « règle de la cholinéarité » d'une façon séquentielle parallèle à la succession des différentes parties de l'organisme et en respectant un certain *tempo*.

La construction a lieu en effet par addition de segments à partir d'une zone de croissance située à l'arrière de l'embryon. Chaque gène *Hox* s'exprime localement au niveau du segment dont il est responsable, puis active la construction du suivant. La taille de chaque segment est donc fonction de la durée d'intervention du gène qui le spécifie. L'antériorité d'un segment s'entend au double sens de spatiale et temporelle. Pour le dire autrement, le chromosome est porteur d'un véritable « animalcule » qui représente en puissance les quatre dimensions de la construction du futur individu. Il s'agit là curieusement d'une résurgence des vieilles théories préformationnistes.

Il y a correspondance entre la position du gène et le site de son expression dans l'organisme en construction. La lecture des gènes sur le chromosome se fait dans le sens qui est celui

---

20. J. Deutsch et H. Le Guyader, « The neuronal zootype. An hypothesis », *C.R. Acad. Sci.*, Paris, Sciences de la vie, 1988, *321*, p. 713-719.

21. Les gènes *Hox* appartiennent la grande famille des gènes homéotiques. Ils codent des protéines dont la structure est conservée de manière extraordinaire au cours de l'évolution notamment grâce à la présence constante d'un homéodomaine, peptide de soixante acides aminés qui a la propriété de se lier à l'ADN. Les homéoprotéines sont des facteurs transactivateurs qui ont pour rôle d'activer d'autres gènes et d'enclencher ainsi des cascades de transformations cellulaires aboutissant à la genèse d'une partie du corps.

de l'édification de l'animal. Par ailleurs, chaque nouveau gène qui s'exprime au fur et à mesure du bourgeonnement des cellules vers l'arrière domine celui qui le précède, selon la règle dite de « la prévalence du postérieur[22] ».

Ces gènes de positionnement relatif des parties du corps existent depuis les lointains débuts du règne animal. Certes, de nouveaux gènes sont apparus par duplication des premiers ; d'autres ont disparu, et le temps de leur expression a varié d'une espèce à l'autre, mais le système est resté globalement inchangé. Voilà pourquoi, à un moment de leur développement, tous les embryons se ressemblent. Les embryons peuvent être aussi différents que possible dans leurs formes précoces, tous traverseront un stade où ils se ressemblent tellement qu'on ne peut plus faire la différence entre un poisson, un lézard, un oiseau ou un rat. La suite du développement conduit à la divergence des formes qui permet à nouveau de les identifier. Ce point de ressemblance entre les espèces d'un même embranchement est appelé *point phylotypique*, goulot d'étranglement où les gènes homéotiques imposent à l'animal un schéma général qui est le plan d'organisation commun à toutes les espèces : le *zootype*.

Il faut rappeler enfin que ce zootype serait fondamentalement neuronal, les différentes parties du corps ne faisant que « suivre le mouvement » organisé par le système nerveux.

Je me surprends à penser (mais probablement s'agit-il encore d'un sursaut d'anthropocentrisme) que l'évolution des animaux est un long cheminement vers la liberté.

Avec, d'abord, la troisième couche cellulaire qui a servi à façonner des organes et à disposer entre ceux-ci les espaces et les circulations du « milieu intérieur », véritable refuge contre les caprices du milieu extérieur et assurance d'indépendance.

Avec cette étonnante mobilité surtout. Que l'on songe, par exemple, à l'invention des vertèbres. Celles-ci protègent le

22. A. Prochiantz, *Les Anatomies de la pensée*, Paris, Éditions Odile Jacob, 1997.

système nerveux – devenu entre-temps dorsal – dans une gaine dure mais qui a gardé de la souplesse et confère au corps allongé une agilité due à la juxtaposition des segments articulés.

Dans l'évolution des vertébrés, l'interface entre l'organisme et le monde n'a cessé de croître du fait, d'une part, de la multiplication des réseaux nerveux de communication et de leurs récepteurs branchés sur l'environnement, d'autre part de la variété et de la puissance de leurs modes d'action sur le monde : nageoires, pieds, mains et pour l'homme, les outils et les sons articulés du langage. Plus la surface de séparation entre l'individu et le monde était vaste, plus s'y introduisait le jeu (au sens du jeu dans une machine) et plus le courant du désir et la force des passions avaient d'espace et de liberté pour s'exprimer. J'ai déjà raconté cette histoire de l'expansion du cerveau à l'extrémité céphalique du corps où ont explosé la structure axiale et l'alignement des gènes homéotiques sous la pression débordante des facteurs d'environnement auxquels ses systèmes sensoriels et affectifs exposaient l'individu.

Je pourrais terminer mon récit par la chute traditionnelle : « Ils se marièrent et eurent beaucoup d'enfants. » Ce serait passer sous silence l'importance des modes reproductifs dans l'affranchissement de l'animal dans son milieu au cours de l'évolution. Après sa sortie de l'eau, il est resté tributaire pour se reproduire du milieu aquatique où se poursuit le développement des œufs et des larves. L'invention de l'œuf amniotique a permis à l'aide d'une poche liquide d'abriter l'embryon pendant son développement. La clé du succès des reptiles a résidé dans cette nouvelle capacité de se reproduire en tous terrains. L'utérus des mammifères, enfin, a représenté le perfectionnement ultime de la reproduction grâce à l'éclosion de l'œuf à l'intérieur du corps de la mère, affranchi ainsi des contraintes imposées par la nidation et des dangers auxquels le monde extérieur expose les embryons.

Dans cette histoire, j'ai adopté le point de vue de l'homme, un choix délibéré qui ne tient pas compte de la diversité des espèces animales. Les chemins de la liberté que j'ai essayé de suivre, aboutissent par une sente étroite à la demeure de mon héros. J'ai ainsi omis de décrire les innombrables voies parcourues par l'évolution avec sa profusion d'embranchements, certains effacés progressivement, d'autres anéantis brutalement et tous ceux enfin présents encore aujourd'hui qui font de l'*Homo* une espèce parmi des millions.

À plusieurs reprises, j'ai essayé de montrer que malgré la multitude, seul l'individu compte au regard de l'évolution, car c'est à lui que s'adresse la sélection naturelle. Cet être unique, ce porteur de gènes qui sont sa marque identitaire, se trouve confronté à ces deux piments de la vie – à la fois inutiles et indispensables – qui sont le sexe et la mort.

Le sexe et la mort

Ils occupent, on me l'accordera volontiers, une place considérable dans les préoccupations existentielles de l'homme. De là à dire qu'il ne pense qu'à ça, il y a, bien sûr, un pas que je ne franchirai pas. Mais quel contraste entre l'importance de ces deux phénomènes dans notre conscience réfléchie et le peu que l'on sait de leurs rôles exacts.

Certes, le biologiste avance toute une série de raisons d'être pour le sexe sans nier que certaines espèces ne se portent pas plus mal de se reproduire sans lui ; on affecte aussi de croire que la mort est utile en débarrassant le plancher des vieux qui ne valent plus rien pour la reproduction. Alors, le sexe et/ou la mort : compagnons inséparables ou ennemis jurés ? La réponse est loin d'être simple.

Le sexe permet la reproduction des individus. Reproduire veut dire produire de l'identique, or le propre du sexe est d'introduire de la variation grâce au mélange de deux génomes différents. Chez les unicellulaires, la chose se fait simplement par fusion de deux cellules. Les pluricellulaires délèguent le soin de leur reproduction à des cellules spécialisées : les *gamètes*. Celles-ci, grâce à une forme particulière de division (la méiose), ne possèdent qu'un génome simple, lui-même résultat d'un panachage entre les deux chromosomes de chacune des paires qui constituent le génome double de l'individu. En règle donc, les cellules dites *somatiques* de l'individu sont *diploïdes* et ses gamètes sont *haploïdes*. Le sexe consiste à unir *deux* cellules haploïdes pour en faire *une*, diploïde : le *zygote* dont la division par le procédé ordinaire (mitose) formera l'embryon et en fin de développement un nouvel individu apte à se reproduire.

Le sexe a pour conséquence première de mettre deux individus face à face : le mâle et la femelle, ou pour adopter un langage plus philosophique, l'un et l'autre – l'altérité au cœur du vivant. Lorsqu'il se résume à ses gamètes, cet autre est toujours différent [23]. Les gamètes femelles ou *ovules* sont gros, gorgés de cytoplasme. Les gamètes mâles ou spermatozoïdes sont petits, presque réduits à leur noyau et mobiles. Cette observation, valable pour les cellules sexuelles, ne l'est plus pour les individus. Je ne parlerai pas de la reproduction sexuée chez les végétaux marquée par l'existence d'un gros œuf immobile et par l'alternance des générations. Les principes directeurs sont les mêmes que chez les animaux, mais les particularités qui s'attachent aux espèces risquent de nous éloigner de l'homme même si ce dernier a su maîtriser la reproduction des plantes bien avant de connaître les secrets de sa propre sexualité.

Chez les animaux, le mâle et la femelle sont en général distincts avec des appareils reproducteurs bien identifiés. Leurs corps sont plus ou moins dissemblables selon les espèces. Chez les primates, l'homme et la femme offrent un bel exemple de dimorphisme sexuel. Il existe des espèces chez lesquelles un même individu possède les deux appareils mâle et femelle (on cite toujours l'escargot, mais il n'est pas le seul). Ce qui ne signifie pas que l'individu se féconde lui-même : tantôt femelle, tantôt mâle, il aura toujours recours à l'autre pour accomplir la fécondation. Cet hermaphrodisme vrai peut se rencontrer exceptionnellement chez l'homme qui présente plus fréquemment des cas de pseudohermaphrodisme dans lesquels l'apparence somatique d'un sexe recouvre la présence inexprimée de l'autre sexe.

---

23. À l'exception toutefois de nombreux champignons et d'algues.

Les espèces à reproduction asexuée sont rares. Elles ont d'ailleurs le plus souvent perdu l'usage du sexe au cours de l'évolution ou traversent encore une phase sexuée dans leur cycle biologique. Le *bourgeonnement* concernent des animaux primitifs (les hydres et les méduses). La *parthénogenèse* chez les animaux plus évolués permet à des individus de se reproduire sans avoir recours à la sexualité. Un exemple connu est celui des pucerons. Ils se reproduisent très rapidement grâce à la parthénogenèse pendant la belle saison. Lorsque les conditions deviennent difficiles (automne-hiver), certains individus se différencient en mâles et femelles. Leurs œufs fécondés restent quiescents jusqu'au printemps suivant. Tout se passe comme si le recours à l'autre profitait à l'adaptation de l'espèce. Explication purement verbale qui n'est guère satisfaisante sur le plan des mécanismes. Que dire devant ces lézards fouette-queues [24] dont les femelles ont réussi à s'affranchir des mâles pour se reproduire et qui restent donc entre « elles » ? Il leur faut cependant s'accoupler pour ovuler, en souvenir probablement de l'ancêtre sexué qui survit dans leurs gènes – futile nécessité du sexe.

À ces exceptions près, le sexe lors de l'évolution des espèces l'a emporté sur toute la ligne. En termes de rendement de la reproduction, cette situation est incompréhensible. Un individu en se divisant en produit deux ; le sexe implique en revanche de se mettre à deux pour en faire deux. On peut facilement montrer que l'aptitude d'une femelle asexuée en matière de population ne vaut que 50 % de celle d'une femelle sexuée. Expliquer la sexualité équivaut donc à trouver un avantage sélectif qui doit donc être supérieur à 50 %. Théoriquement, une femelle asexuée engendrera une femelle identique, donc aussi bien adaptée que sa mère. La

24. Les lézards fouette-queues *(Cnemidophorus unipareus)* des déserts semi-arides américains ne comprennent que des femelles. Chacune d'entre elles se reproduit donc sans être fécondée à partir de deux de ses cellules sexuelles. Les femelles s'accouplent de façon comparable à celles d'espèces très proches de lézards sexués sans qu'une finalité reproductrice directe intervienne.

fille d'une femelle sexuée, en revanche, se contentera d'un demi-génome de sa mère et aura reçu un demi-génome étranger. Pour compenser ce déficit, il faudrait donc théoriquement que la sexualité permette à la femelle d'engendrer une fille dont l'aptitude vaille au moins le double de la sienne propre. Situation plus vraisemblable quand on sait que l'évolution se contente en général de quelques pourcents. Ce débat trop abstrait a le mérite de souligner le propos de G. C. Williams [25] qui affirme que « la sexualité demeure l'énigme majeure de l'évolution biologique ».

Des réponses sont cependant proposées. La sexualité, en permettant le mélange des mutations favorables, accélérerait l'évolution. La reproduction sexuée, en introduisant massivement du neuf dans un vieux génome, permettrait sa réparation. Combien d'aristocrates menacés par la sélection naturelle ont sauvé leur patrimoine en épousant une riche roturière dont la fortune a permis la restauration d'un château qui menaçait de s'effondrer...

Autre raison, l'opposée des précédentes, la sexualité, en accumulant les mutations défavorables, favoriserait l'élimination immédiate des débiles et renforcerait la qualité de la progéniture.

Enfin, la reproduction sexuée, source intarissable de nouveauté, offrirait en permanence une réponse aux modifications rapides du milieu. Selon P. H. Gouyon [26], chaque espèce doit évoluer sans cesse pour éviter de se trouver étouffée par la pression des facteurs biotiques, c'est-à-dire la concurrence des autres espèces – hypothèse dite de la Reine Rouge par analogie avec le personnage *de l'autre côté du miroir* qui force Alice à courir aussi vite qu'elle peut afin de pouvoir rester à la même place.

Tout cela reste très théorique. On a beau tourner le problème dans tous les sens, la question reste ouverte : pourquoi deux êtres éprouvent-ils l'impérieuse nécessité de

---

25. G.C. Williams, *Adapation and Natural Selection*, Princeton, Princeton University Press, 1966.

26. P.H. Gouyon, M. Sandrine, X. Rebond & I. Till-Botrand, « Le sexe, pourquoi faire ? », *La Recherche*, 1993, 250, p. 70-86.

s'accoupler ? Sauvegarde du patrimoine, intérêt du groupe et, d'une façon plus générale, adaptabilité accrue ? C'est à voir.

Dans certains cas intervient la sélection sexuelle qui pour être naturelle n'en pose pas moins le problème du caractère adaptatif de la « beauté ». L'évolution peut alors favoriser chez l'un des partenaires un caractère proprement nuisible à l'espèce, comme la queue du paon qui rend celui-ci vulnérable et maladroit dans le vol. Ailleurs, c'est l'infirmité qui est sélectionnée selon l'hypothèse que les femelles préfèrent les mâles porteurs d'un handicap au prétexte que celui-ci témoigne de leur plus grande capacité de survie.

Ces avantages adaptatifs du sexe ne se manifestent qu'à long terme ; ils constituent des « causes ultimes » qui ne peuvent expliquer l'instauration dans une espèce de la reproduction sexuée à moins de se transformer en « causes finales » et d'attribuer à la sélection naturelle une prescience qui l'inciterait à conserver, *a priori*, une solution désavantageuse dans l'immédiat. Un tel finalisme étant interdit, il faut trouver au sexe des causes proximales qui pourront être très différentes selon les espèces et donneront à celui-ci une causalité tardive, *a posteriori*.

Le sexe n'a donc pas de but avoué, mais il permet d'introduire dans les formes vivantes une diversité maximale, un moyen peut-être d'échapper à l'ennui, antichambre de la mort, qui naît de l'informité. Sans le divers, pas de sélection naturelle, pas d'évolution et pas de vie. Peu importe alors la cause immédiate qui pousse l'un dans la quête de l'autre. Le plaisir par exemple, loin d'être une retombée accessoire de l'acte reproducteur, est peut-être chez les vertébrés supérieurs (oiseaux et mammifères) la cause proximale qui a fait le succès du sexe et le triomphe évolutif de ces espèces. Chez ces dernières, le mâle porteur de testicules insémine la femelle porteuse d'ovaires. Une paire de chromosomes est responsable de cette organisation. Celle-ci, toutefois, est loin d'être la règle dans toutes les espèces vivantes. Chez certains reptiles, le sexe de l'embryon est déterminé par la température d'incubation de l'œuf. Chez d'autres espèces, notamment les poissons, le sexe dépend de l'environnement social.

La présence obligatoire d'une paire de chromosomes différenciés responsables de la dualité des sexes est relativement récente dans l'évolution animale : entre 240 et 320 MA, c'est-à-dire peu de temps après la divergence des oiseaux et des mammifères.

Dans cette affaire des chromosomes sexuels, je me limiterai à exposer le cas des mammifères qui est valable pour l'espèce humaine. L'opinion publique sait que le sexe de l'individu est déterminé par la vingt-troisième paire de chromosomes. La réunion dans l'œuf fécondé d'un chromosome X venant de la mère et d'un chromosome X ou Y venant du père produit une fille XX ou un garçon XY. C'est donc le spermatozoïde selon qu'il est porteur d'un X ou d'un Y qui décide le sexe de l'embryon. La différenciation sexuelle se fait ensuite grâce à la formation soit de gonades femelles (ovaires), soit de gonades mâles (testicules) dont les sécrétions hormonales, œstrogènes ou testostérone, seront responsables respectivement de l'apparence féminine ou masculine du corps et de la sexualisation du cerveau.

Les choses sont, comme souvent en génétique, beaucoup moins tranchées que le laissaient entendre les premières observations. Selon celles-ci, le gène de la masculinité devait se trouver sur le chromosome Y. Il s'est avéré que le bras court du chromosome Y était effectivement porteur d'un gène *SRY* dont l'expression, sous la forme d'un facteur de transcription *SRY*, au niveau des ébauches gonadiques, aboutissait à la sécrétion d'une hormone (MIS). Celle-ci provoquait la régression des canaux de Müller (ébauche de l'appareil sexuel femelle) suivie du développement des canaux de Wolf (ébauche testiculaire). En l'absence du gène, les ovaires se formaient spontanément. La génétique confirmait l'idée reçue selon laquelle on était femme par défaut. Une hypothèse récente [27] propose que SRY n'intervient

27. J.A. Marshall-Graves, « Interaction between SRY and SOX gene in mammalian sex determination », *Bioassays*, 1998, 20, p. 264-269.

qu'indirectement par l'intermédiaire de gènes situés sur le chromosome X : *SOX3* et *SOX9*. Chez la femme, *SOX3* inhibe *SOX9* ; chez l'homme, SRY inhibe *SOX3* et permet à *SOX9* d'activer la fonction testiculaire. Une telle complexité dans la chaîne de facteurs génomiques qui détermine le sexe, permet de comprendre les contradictions liées à l'observation de sujets humains présentant une inversion sexuelle : XX pour des hommes et XY pour des femmes. Comme on le voit, en matière de sexe l'absolu n'est pas de mise et toutes sortes de discordances peuvent survenir entre le sexe génétique et le sexe corporel.

D'autant plus qu'une fois réglé le problème génétique XX ou XY avec ses nombreuses sources de confusions, la fabrique du sexe est encore l'affaire des hormones, femelle ou mâle, qui sculptent dans la chair du fœtus le petit garçon ou la petite fille qu'il sera à la naissance. Mais là encore, bien des ambiguïtés, notamment lorsqu'il s'agit de mettre en place les réseaux neuronaux dans ce cerveau dont on nous dit qu'il est un et universel. Les hormones, celles du fœtus et celles de la mère, jouent en effet un rôle déterminant dans la construction des circuits cérébraux dont dépendront les fonctions sexuelles de l'individu et notamment ses conduites mâle ou femelle plus ou moins affirmées. Sans entrer dans les mécanismes de la sexualisation de certaines régions cérébrales, j'insisterai sur l'ambivalence étonnante des hormones en remarquant que la testostérone (hormone mâle) doit être convertie en œstradiol (hormone femelle) dans le cerveau pour y exercer sa fonction masculinisante et que, dans beaucoup d'espèces, y compris l'humaine, elle peut exercer une action stimulante sur l'activité sexuelle mâle aussi bien que sur la femelle. En revanche, la progestérone, hormone femelle par excellence et qui passe pour avoir un effet inhibiteur sur l'activité sexuelle mâle, s'avère également stimulante dans certaines conditions. Ainsi, un pic de sécrétion de progestérone accompagnerait la montée de désir du mâle avec la tombée de la nuit ! Conclusion : n'attachons pas trop d'importance à la science du biologiste pour discuter de l'homme et de la femme et de leur singulier face-à-face. Que le sexe de l'un et de l'autre soit un produit du hasard tiré à la loterie génétique de la fécondation et que le jeu des hormones soit chargé d'ambivalence, voilà qui ne change rien à cette étonnante constatation qu'une femme est une femme !

Hélas, on ne peut même pas être assuré que cela soit toujours aussi évident. Il reste en effet une dernière étape à parcourir après la naissance, celle du *genre* qui est le sexe déclaré à l'état civil et qui dépend largement de l'opinion que se font les parents du sexe de l'enfant dans les trois premières années de sa vie [28]. Cette observation nous conduit à parler des liens étroits chez l'homme entre le sexe et la culture.

Depuis l'Antiquité, la science s'est efforcée de réduire les

---

28. « Il y a une trentaine d'années, la vogue était de traiter les femmes enceintes menacées d'avortement par des progestagènes à action androgénique, c'est-à-dire comparable à celle de la testostérone. Il en résultait, pour les nourrissons femelles, une masculinisation plus ou moins marquée de leurs organes génitaux externes au point que certains pouvaient être pris pour des petits garçons. Lorsque l'erreur était plus tard reconnue, ces faux hermaphrodites avaient d'autant plus de difficultés à accepter leur nouvelle identité sexuelle que la découverte en avait été plus tardive. Finalement, il ressortait de ces observations que l'identité sexuelle du futur adulte dépendait presque exclusivement de la conviction des parents sur le sexe de leur enfant dans les deux ou trois premières années de sa vie. La description de cas de pseudo-hermaphrodisme mâle obervés en Amérique centrale semble contredire cette opinion. Ces individus génétiquement mâles naissent avec des organes génitaux externes femelles du fait d'un déficit en enzyme (5-α-réductase) permettant la transformation de la testostérone en hydrotestostérone, seule forme active dans la différenciation des organes génitaux mâles. Ces enfants sont élevés comme des filles ; mais, à la puberté, peut-être en raison d'une plus forte sécrétion de testostérone, les petites filles se transforment en garçons. Contrairement à ce que l'on pourrait attendre de la théorie qui lie l'identité de genre aux facteurs sociaux et éducatifs, ces adolescents s'acceptent comme garçons et se servent normalement de leurs nouveaux organes mâles. Ehrhardt remarque toutefois que le fonds socio-culturel de ces observations n'a pas été suffisamment examiné pour éliminer toute influence du milieu dans les premières années de la vie de l'enfant. » Extrait de J.-D. Vincent, *Biologie des passions*, Paris, Éditions Odile Jacob, 1986.

différences entre l'homme et la femme selon le modèle du sexe unique et des deux genres. Le genre, on vient de le voir, désigne une catégorie culturelle qui assigne à l'individu sa place dans la hiérarchie sociale : pour l'homme, la première. Les observations anatomiques ont confirmé l'opinion de Galien selon laquelle les organes féminins étaient l'ébauche d'un appareil qui atteignait son achèvement chez l'homme. Vagin, ovaires et utérus n'étaient que les ébauches mal dégrossies du pénis et de la paire de testicules enfouies dans les bourses : *duos habet et bene pendentes*, voilà qui était conforme à la perfection du pontife, premier parmi ses pairs. Sexuellement, la femme était donc un homme imparfait, ce dont rendait compte sa position sociale inférieure. À un sexe unifié correspondaient deux genres, l'un dominant (masculin) et l'autre dominé (féminin). Notons en passant que la position universaliste, héritée des Lumières, ne prétend pas en réalité autre chose lorsqu'elle entend rétablir, contre nature, l'égalité entre le fort et le faible.

Au XIXe siècle s'est accomplie une révolution culturelle qui a abouti à l'affirmation d'une différence radicale entre les deux sexes et nul ne songe plus aujourd'hui, militant sexiste, sociologue ou chercheur, à nier cette différence.

« La différence corporelle de l'homme et de la femme ! Ce luxe fabuleux m'éblouit », dit le poète Gilbert Lely ; ébloui au point d'être aveuglé et de ne plus voir que cet autre est un « je ». En revanche, il est impossible pour un anatomiste de distinguer le cerveau d'une femme de celui d'un homme. Et cependant les différences sont là, inscrites dans l'intimité des neurones et sélectionnées par l'évolution des espèces. Un petit noyau hypothalamique, apanage du mâle, une centaine de grammes de matière cérébrale en plus ou en moins, une asymétrie des hémisphères moins marquée chez la femme : maigre bilan en regard de corps si dissemblables, de comportements si opposés et de statuts sociaux si distincts. Tout se passe comme si l'altérité se concentrait dans l'apparence corporelle et le comportement, mais déléguait au cerveau l'identité profonde de l'être, masculin ou féminin. Le cerveau humain bénéficie de cette capacité que lui confère ses réseaux neuronaux de reconnaître l'autre comme porteur d'une subjectivité identique à la sienne. Comme toute forme vivante, cette reconnaissance appelle une autre forme qui s'oppose et s'affirme dans le même mouvement [29].

J'ai déjà signalé le rôle de la bipédie dans le bimorphisme sexuel de l'homme. Celui-ci interviendrait dans le fondement des cultures et dans la nécessité de conventions sociales pour réguler la circulation du désir. F. Héritier [30] va plus loin et considère que la différence des deux sexes constitue la matrice sur laquelle se construit la pensée de l'homme et un support majeur pour les systèmes idéologiques de type binaire : le chaud et le froid, le sec et l'humide, le haut et le bas, l'inférieur et le supérieur, le clair et l'obscur, etc. Couples d'oppositions qui ne sont pas sans rappeler les systèmes opposants du neurobiologiste.

Sexe et mort, un couple peut être plus littéraire que scientifique. En tout cas, deux mystères qui se valent ; car si j'ai émis quelques doutes sur l'utilité du sexe (adopté cependant par l'immense majorité des animaux), celle de la mort est encore plus discutable, elle qui n'aurait, selon Cervantes, d'autre raison d'être que de donner la vie à l'esprit. La mort alimente la boutique des poètes, mais les biologistes ne savent en réalité qu'en faire.

La vie n'est pas, contrairement à une opinion couramment admise, l'obligée de la mort. Beaucoup de végétaux et de mycètes naviguent aux frontières de l'immortalité. Les grands conifères des forêts de Californie ont dépassé mille ans ; mortels certes, mais comme de toute chose exposée aux violences du monde, il vaudrait mieux dire amortels, semblables aux assiettes d'un service en porcelaine, inusables mais que les accidents de lavage condamnent à disparaître un jour. « Tout casse, tout passe, même les immortels », disait Auguste Roux.

Chez les êtres unicellulaires qui se reproduisent par division, il est difficile de parler de mort devant l'absence de

29. Repris après J.-D. Vincent, « Une femme est une femme », *Le Monde* du jeudi 22 avril 1999.

30. F. Héritier, *Masculin/féminin*, Paris, Éditions Odile Jacob, 1996.

cadavre. La mort est la grande spécialité de l'animal dont le corps est presque toujours périssable. La reine des abeilles pourrait avoir des prétentions à l'immortalité si ses filles ne venaient interrompre ce scandale par le meurtre.

Parmi les invertébrés, un petit ver nématode tient une place incomparable dans le cœur des étudiants de la mort. Le *Caenorhabditis elegans*, animalcule transparent et au destin rigoureusement tracé qui partage avec la mouche *Drosophila melanogaster* les faveurs des généticiens. Le phénomène d'*apoptose* ou mort cellulaire programmée a été particulièrement étudié chez cet animal. On connaît le nombre total de ses cellules somatiques produites pendant la période de développement : 1 090, sur lesquelles 131 vont mourir après la phase de prolifération. Ce processus d'élimination met en œuvre onze gènes dont trois sont parfaitement connus. On retrouve dans leur intervention le principe d'affrontement des contraires qui définit le vivant. Deux gènes (*ced-3* et *ced-4*) sont impliqués dans la mort des neurones. Une mutation entraînant la perte d'activité de l'un des deux gènes suspend la sentence de mort. Un autre gène *(ced-9)* s'oppose aux effets des deux précédents ; sa défectivité entraîne la mort immédiate de neurones qui n'étaient pas destinés à mourir. Autrement dit, dans les conditions physiologiques, il se pourrait que les neurones survivent grâce à l'inhibition permanente par *ced-9* d'un programme de mort cellulaire intrinsèque.

Ce processus mortifère existe chez les vertébrés selon des modalités plus complexes et davantage soumises aux aléas du milieu. Chez l'homme, la construction du cerveau exige la production de milliards de neurones par divisions successives de quelques cellules souches. Une fois différencié, le neurone perd la faculté de se diviser [31] et envoie des prolongements dans la direction de cibles précises : par exemple, un motoneurone de la moelle épinière doit atteindre un

31. On sait depuis peu que quelques neurones indifférenciés gardent la propriété de proliférer dans certaines régions du cerveau adulte. Il n'est guère de dogme en biologie qui n'appelle ses exceptions.

muscle déterminé ou une cellule sensorielle rejoindre un relais à l'intérieur du cerveau. Les neurones sont produits en excès au cours du développement, mais plus de la moitié dégénèrent et meurent pendant la période périnatale. L'ampleur du phénomène varie selon les différentes populations de neurones et semble contrôlé par des facteurs sécrétés par la cible qui, de façon rétrograde, arrêtent le programme de mort. Tout se passe donc comme si le neurone qui n'a pu atteindre sa cible était condamné à accomplir son programme suicidaire.

On connaît chez les vertébrés un gène homologue du gène *ced-9* du nématode : le gène *Bcl-2*, prototype d'une famille de gènes dont la fonction est de s'opposer à la mort. La mort cellulaire mettrait en jeu plusieurs mécanismes parmi lesquels l'intervention d'enzymes protéolytiques (qui assurent la destruction des protéines cellulaires) liés à l'activité de gènes de la famille *Bax*. La fonction de la protéine de vie *Bcl-2* serait de s'associer avec la protéine *Bax*, afin de la neutraliser et ainsi de l'empêcher de tuer la cellule.

L'apoptose vise principalement les cellules différenciées qui ont acquis un statut très spécialisé au prix de la perte de leur capacité de se diviser : essentiellement les neurones et les fibres musculaires. L'impossibilité pour la cellule d'aboutir à une division déclenche la mise à feu dans le génome d'une cascade de gènes chargés de détruire la cellule. La cellule semble donc se suicider faute d'avoir pu accomplir sa destinée : se diviser. La survie n'est possible que grâce à l'intervention de facteurs dits « trophiques » ou antisuicides. Chaque neurone vivant dans notre cerveau est un suicidé en puissance. Il est possible que l'appauvrissement des populations neuronales qui accompagne le vieillissement soit au moins partiellement lié à la faillite progressive des mécanismes protecteurs contre la mort neuronale.

Le processus de mort cellulaire est, de façon plus générale, un outil nécessaire à la construction de tout organisme pluricellulaire. Celle-ci se fait, en effet, par addition/soustraction. L'exemple de l'extrémité des membres est souvent cité [32]. Chez la souris, les membres apparaissent sous forme de manchons entre le neuvième et douzième jour et d'une gestation qui en compte vingt. Au treizième jour, on observe à l'extrémité quatre bandes de mort cellulaire qui conduisent à l'élimination du tissu interdigital et à la formation des doigts. En l'absence de cette mort cellulaire programmée, le membre sera palmé ou réduit à l'état de moignon.

Caenorhabditis nous permet une autre incursion dans le domaine de la mort qui nous amène à considérer à nouveau ses rapports avec le sexe et d'une façon plus surprenante encore avec le métabolisme de l'individu. D'après les observations de deux chercheurs, H. Hsin et C. Kenyon [33], il apparaît que le système reproducteur du nématode intervient dans la durée de vie par l'intermédiaire d'un système de signalisation comparable à celui de l'insuline chez les mammifères. Dans cette affaire, les cellules somatiques des gonades (celles qui forment les organes reproducteurs) et les cellules de la lignée germinale (les spermatozoïdes et les œufs) mènent un jeu contraire. Le facteur de transcription DAF-16 qui augmente la longévité du ver fait figure de clé de voûte. Il est d'une part inhibé par la lignée germinale, d'autre part facilité par les cellules somatiques. Celles-ci agissent en freinant la cascade inhibitrice qui est elle-même stimulée par des récepteurs de type insulinique. Malgré la complexité des relais dont je donne ici une version très simplifiée (à côté de DAF16, on connaît DAF12, DAF23, CTL1, etc.), on peut réduire ces données à trois constatations : premièrement, le développement de la lignée germinale qui assure la reproduction diminue la durée de vie ; deuxièmement, le développement des cellules somatiques a un effet inverse ; troisièmement, la stimulation de l'axe insulinique qui intervient dans le métabolisme des graisses et des sucres réduit la longévité. Ce dernier point rappelle une donnée vérifiée chez la souris et le rat selon laquelle la

32. A. Klarsfeld et F. Revah, *Biologie de la mort*, Paris, Éditions Odile Jacob, 2000.

33. H. Hsin & C. Kenyon, « Signals from the reproductive system regulate the lifespan of *C elegans* », *Nature*, 1999, 399, p. 362-366.

restriction calorique allonge la durée de vie de ces bêtes d'au moins 30 %. J'insiste sur le point que ces résultats ne sont pas extrapolables à l'homme qui possède cependant des gènes homologues de ceux identifiés chez le ver – à moins de condamner à une mort précoce les champions du sexe et de la bonne chère, sanction dont l'application est fort heureusement beaucoup moins rigoureuse que celle de la peine de mort aux États-Unis.

On ne peut comprendre la mort si l'on ne se place pas dans la perspective de l'évolution. On vient de voir que, sans tomber dans le paradoxe ou la litote poétique, la mort est une fonction de la vie. Je parle de la mort endogène, pour ne pas dire naturelle, celle qui relève de l'intervention de certains gènes de l'individu en dehors de toute action de l'environnement. Position d'ailleurs arbitraire car un génome en dehors de son milieu n'a pas plus de sens qu'une abeille isolée de sa ruche.

Les généticiens nous apprennent que les corps, ces avatars [34] périssables d'un dieu immortel, sont les « organismes à survie » des gènes, les véhicules qui transportent ces derniers à travers les générations. En termes de sélection naturelle, la qualité du véhicule se mesure à son aptitude à transférer ses passagers à la descendance, autrement dit, à sa capacité de faire des petits. Les mutations, produits de l'air du temps et des intempéries cosmiques, frappent les gènes aveuglément. Elles sont néfastes, neutres ou, très rarement, favorables. Dans cette dernière éventualité, elles se répandent grâce à l'avantage reproductif qu'elles confèrent aux corps qui les transportent.

La sélection naturelle exerce donc son pouvoir grâce à la reproduction. Elle est indifférente à ce qui advient dans l'organisme après que celui-ci a rempli son devoir de transmission des gènes. Ceux-ci, dans leur course vers les générations futures, ont fabriqué des véhicules de plus en plus performants, au prix parfois de leur longévité sans que cela

---

34. Avatars, dans la religion indoue, désigne les formes matérielles prises par le dieu Vishnu lors de ses visites sur la terre. J.-P. Gouyon, J.-P. Henry et J. Arnould, *Les Avatars du gène*, Paris, Belin, 1997.

constitue une règle. Le succès reproductif de certaines espèces augmente parfois avec l'âge, chez les oiseaux par exemple. En revanche, aucun mammifère n'échappe au vieillissement et à la mort. On peut tout de même le dire en privilégiant le point de vue de l'homme : les corps ne sont pas faits pour durer. Des gènes néfastes à déclenchement tardif peuvent accomplir leurs actions délétères en toute impunité. Ils sont libres d'achever ce qui vit encore dans un corps qui a perdu toutes ses forces dans la bataille pour la reproduction. Les gènes de mort n'ont pas été programmés en raison de leur utilité. Ils sont les ouvriers de la dernière heure qui viennent quand tout est accompli. C'est la grande leçon de l'évolution : elle nous réduit à n'être que les instruments aveugles de nos gènes, mais, à ce prix-là, elle rend la mort inutile.

Cela n'explique pas, si la mort ne sert à rien, pourquoi elle est aussi présente dans le règne animal. Des théoriciens de l'évolution pensent que les gènes qui occasionnent les troubles de la sénescence sont les mêmes qui favorisent les manifestations de l'adolescence et les succès reproductifs qui vont avec. On comprend mieux alors comment ces fourriers de la mort se sont répandus chez les vivants dans les fourgons de la jeunesse [35].

Mais alors vouloir éradiquer la mort n'est pas *a priori*, tout au moins sur le plan théorique, un programme de recherche absurde. On peut d'abord travailler à la retarder le plus possible en s'attaquant aux causes externes dont certaines engagent la responsabilité de l'individu et de la société (guerres, crimes, tabac et nuisances diverses). Les agents mortifères qui sévissent au sein du corps peuvent être de plus en plus efficacement contrés en luttant, par exemple, contre les fameux radicaux libres.

Le cancer entretient une relation étrange avec la mort, car à ne considérer que les cellules tumorales, celles-ci ont acquis une forme d'immortalité. Rien dans leur génome ne vient plus freiner leur division. Quand une cellule soumise à

35. J.-D. Vincent, *La Vie est une fable*, Paris, Éditions Odile Jacob, 1998.

des agents cancérigènes risque de devenir tumorale, des gènes antitumoraux s'expriment qui inhibent la prolifération de la cellule. Ces mêmes gènes s'expriment lors de la sénescence. Vieillir ou mourir d'un cancer ? L'alternative est d'autant plus consternante que les cancers ne sont pas rares chez les vieux. La même ambiguïté se manifeste avec les *télomères*, extrémités des chromosomes qui se raccourcissent à chaque division et finissent par en limiter le nombre. Grâce à une enzyme, la télomérase, on peut contribuer à rendre une cellule immortelle ou tout au moins lui permettre de se diviser sans restriction, comme celles de la lignée germinale ou des tumeurs.

Ces quelques exemples – mais il existe d'autres gènes intervenant dans le vieillissement et la mort – suffisent à montrer que la thérapie génique de la mort n'est pas pour demain. Elle concernera bien entendu la lignée germinale, donc la fabrication en laboratoire d'êtres humains. Par des ajouts et des retraits successifs sur des embryons transgéniques, on peut déraisonnablement « espérer » obtenir un produit susceptible de devenir un « homme » avec une très longue durée de vie et résistant par ailleurs à la plupart des maladies : premier échantillon d'une espèce non d'immortels mais d'amortels, fabriqués en laboratoire selon un protocole infaillible. Cette démonstration par l'*absurde du possible* montre que l'avenir de l'homme n'est sûrement pas dans sa victoire sur la mort.

Il ne s'agit pas d'un plaidoyer pour la camarde de la part d'un homme résigné à partager le sort des autres hommes. Je confierais plus volontiers à la science et aux techniciens de la biologie le soin de soulager les misères de l'humanité et laisserais à l'individu la sagesse de suivre les conseils de Montaigne dont la citation inaugurait ce cours consacré à la vie.

Conclusion
en forme de questions

Le lecteur l'a compris : nous n'avons pas voulu, tout au long de ces exposés, jouer le jeu, en l'occurrence fictif, du dialogue arrangé et réécrit après coup. D'une discipline à l'autre, il nous paraissait trop lourdement grevé par les faux-semblants pour en valoir la peine. Nos discours sont donc restés parallèles, au sens propre : ils ne se croisent pas. Cela dit, rien n'interdisait pour autant, en guise de conclusion, de faire part de quelques-unes des interrogations suscitées par cet échange.

Quelques interrogations de Luc Ferry à Jean-Didier Vincent

D'abord une remarque très générale. J'ai été très frappé du fait que nos propos aillent souvent dans le même sens, même si les arguments sont parfois très différents. J'en suis presque venu à regretter que tu ne cèdes pas davantage à ce que j'ai nommé le biologisme, que tes penchants matérialistes ne soient pas un peu plus affichés. Cela nous aurait certainement donné l'occasion d'une de ces « disputes » rhétoriques où ton ironie fait toujours merveille…

Cela dit, mes premières questions touchent « la fabrique de l'homme ». J'ai indiqué tout au long de mes exposés comment l'une des thèses principales des philosophies de la liberté, depuis Rousseau, était que seuls les êtres humains ont, du fait même de leur écart par rapport à la nature, une historicité, c'est-à-dire une éducation, une culture, une politique. Au contraire, les animaux, parce qu'ils sont pour ainsi dire régis par la nature, en seraient pratiquement dépourvus. Je comprends bien ce qu'une telle vision des choses peut avoir de caricatural, au moins en apparence, pour un scientifique qui s'intéresse aujourd'hui à l'éthologie : n'est-il pas évident que les animaux ont, eux aussi, besoin de certains apprentissages ? N'importe quel documentaire animalier nous montre ainsi la mère lionne enseignant l'art de la chasse à ses petits, ou souligne, comme tu l'as fait toi-même dans ton exposé, que certains oiseaux n'ont pas le même chant ici ou là – ce qui tendrait à prouver que « l'inné », la nature, ne détermine pas tout en eux. L'argument, d'ailleurs, se trouve déjà chez Claude Lévi-Strauss. Il en va de même dans l'exemple des chatons, que tu donnes également : élevés dans des conditions où ils ne peuvent percevoir que des lignes horizontales, ils ne pourront plus jamais parvenir par la suite à percevoir les verticales ! Ce qui tendrait, là encore, à prouver les nécessités d'une certaine « éducation ». En reprenant même l'exemple de Rousseau à propos du pigeon et du chat, n'est-il pas, là encore, évident que l'on voit chaque jour dans les jardins publics des pigeons manger les restes d'un sandwich, même s'il comporte de la viande, et que les chats peuvent se nourrir partiellement de riz ou de blé ? Bref, rien ne paraît plus aisé que d'opposer à ce « pauvre Rousseau » des contre-exemples – et, encore une fois, tu en donnes toi-même plusieurs au fil de tes interventions.

N'oublions pas cependant qu'il est toujours plus facile de critiquer un grand auteur, deux siècles après, du haut de nos savoirs modernes, plutôt que d'essayer de comprendre ce que son message peut encore avoir, malgré le temps et les objections nouvelles qu'il apporte inévitablement avec lui, de profond et de juste. Peut-être devrions-nous d'ailleurs, d'une façon plus générale, nous méfier davantage de l'idéologie scientiste selon laquelle tout ce qui a plus de dix ans en matière de pensée ne vaut déjà plus grand-chose...

Je l'avoue, bien que je les comprenne, je ne suis pas tout à fait convaincu par ces arguments « scientifiques ». D'abord, parce que l'idée que les animaux n'ont pas d'histoire, c'est-à-dire pas d'éducation ni de culture, me paraît toucher malgré tout assez juste sur le plan simplement factuel. Cela semble même tout à fait pertinent pour certaines espèces, par exemple les tortues marines ou les crocodiles : à peine sortis de l'œuf, ils savent parfaitement marcher, nager, se nourrir, etc. Ils sont pour ainsi dire « tout faits », comme s'ils étaient des adultes en miniature auxquels, du reste, leur simple apparence physique fait étrangement penser. Mais même dans le cas du chaton ou de l'oiseau, je ne suis pas certain qu'on ne se paye pas de mots en parlant de « culture » et d'« éducation ». Je vois bien l'objection : si les pinsons, pourtant rigoureusement de la même espèce, ne chantent pas de la même façon ici ou là, c'est bien non seulement que la nature ne fait pas tout en eux, mais aussi qu'ils sont capables de transmettre certains acquis « culturels » à leur progéniture.

Simplement ceci : peut-on confondre toute action du milieu sur les espèces vivantes avec de la « culture » ? Tout ce qui n'est pas inné est-il forcément « culturel » ? Je crois que le regard ethnologique qui caractérise notre fin de siècle nous conduit insensiblement à mettre le mot culture à toutes les sauces. Oserai-je le dire ? Le fait que les pinsons ou d'autres oiseaux poussent leurs « cui-cui » différemment ici ou là ne me paraît pas constituer *ipso facto* une preuve indubitable de ce qu'ils posséderaient une « culture » et une « éducation ». Bref, je ne suis pas certain que cela soit l'identique, pas même l'analogue ou le « pressentiment » des différences qui séparent les peuples en matière de religion, de cosmologie, d'art ou de littérature. Il me semble que cette analogie est abusive de même que celle qui nous fait confondre, dans l'exemple des chatons, un pur et simple effet mécanique du milieu avec une « éducation ». Et ce n'est pas seulement une question de degré, mais bien, il me semble, de qualité ou d'essence qui est ici en jeu : l'éducation des humains, comme leur rapport à la culture, ne sont pas réductibles à une simple action du milieu sur leurs neurones parce qu'ils supposent, en plus de la transmission ou de la tradition, une appropriation toujours plus ou moins *critique*, une réflexion toujours en quelque façon distanciée (a-t-on jamais vu un enfant apprendre sans critiquer, sans se révolter ?), bref, une certaine *liberté* dont j'avoue ne pas voir la trace dans les exemples du chat et du pinson. En outre, les œuvres de cultures, même enracinées dans leurs communautés d'origine, font toujours en quelque façon signe vers autrui, voire vers l'humanité tout entière de sorte qu'elles dépassent, parfois même sans le vouloir, leurs enracinements initiaux. Nous pouvons n'être pas hindouistes ou musulmans et découvrir avec autant de plaisir que d'admiration certains temples ou certaines mosquées. De cet excès dans le « partage », qui va souvent jusqu'au goût de la réciprocité, je n'aperçois pas non plus la trace dans le règne animal. Qu'en pense le biologiste, le pédagogue... et l'homme de culture ?

J'ajouterai une question annexe sur la métaphore du « couteau à cran d'arrêt » que je trouve à la fois heureuse... et problématique sur un point : ne vaut-elle pas, en effet, pour toutes les espèces vivantes, pour le cheval ou pour le chien aussi bien que pour l'homme ? Quand on cherche un critère définissant la spécificité de l'espèce humaine, il ne s'agit pas d'en trouver un qui soit simplement descriptif – car il en existe pour toutes les autres espèces également, mais, comme tu le dis au début de ton exposé, il s'agit de trouver une distinction qui oppose le règne humain au règne animal tout entier. On peut bien sûr rejeter cette interrogation – c'est ce que font tous les matérialistes qui ne voient pas une différence de nature ou d'essence entre l'humain et l'animal, mais tout au plus (et encore !) de degré. Mais si on l'accepte, comme il me semble que tu le fais, ne faut-il pas trouver un critère qui soit aussi « moral », qui explique pourquoi nous considérons que la vie d'un être humain a malgré tout plus de valeur que celle d'un rat de laboratoire ? En clair : est-ce seulement par « spécisme » (comme on dit « racisme »), parce que nous défendons notre point de vue d'humains, ou est-ce justifié et si oui, pourquoi l'est-ce du point de vue d'un biologiste ? (car c'est seulement si on peut répondre à cette question que la métaphore du couteau à cran d'arrêt prend un sens spécifique).

Un second groupe d'interrogations portera sur la deuxième partie de ton cours... que j'ai trouvée particulièrement « passionnante ». Cette réflexion biologique sur les émotions et les passions montre à quel point nous aurions tort, au nom de préjugés bien-pensants, de rejeter les apports de la biologie contemporaine en matière d'interprétation des comportements humains. Même si c'est choquant pour certains (pour les psychanalystes en particulier ?), il est clair que la dimension biologique, et non simplement psychique, des affects est incontestable et que sa profondeur est abyssale : on ne peut plus sérieusement, après ce que l'on sait aujourd'hui sur les « processus opposants », penser l'addiction du drogué en termes purement psychiques, sans tenir compte des données biologiques. Et nous sommes tous, en quelque façon, des « drogués ». Cela repose, il me semble, en termes relativement nouveaux, la question des rapports de l'inné et de l'acquis – et je ne crois pas du tout, quelque difficile qu'elle soit, qu'on puisse la balayer d'un revers hautain. Car ce que tu nous montres indéniablement, je crois qu'il faut le dire sans avoir peur des mots, ni craindre d'être politiquement incorrect, c'est qu'il existe entre nous une *inégalité naturelle innée* face à certaines options de l'existence : une inégalité face à l'alcool, au tabac, aux drogues, bien sûr, mais aussi, face à l'agressivité, la colère, voire le jeu ou l'ennui... (ce que tu dis de la résistance à l'ennui est particulièrement intéressant pour tous les éducateurs). Bref, nous savons que certaines données sont purement et entièrement innées (par exemple, le groupe sanguin), que d'autres, sans doute, sont acquises et pourraient ne pas l'être (une partie importante de la culture), mais que l'essentiel de nos comportements et de nos choix relève d'une double logique. On dira bien entendu, c'est une tarte à la crème des bien-pensants d'aujourd'hui, que le problème de l'inné et de l'acquis n'a plus de sens, que nos comportements relèvent indissolublement de l'un et de l'autre, qu'il n'est pas d'inné sans acquis, ni d'acquis sans inné, etc., etc. Cela n'est sans doute pas faux, mais il n'empêche : l'une des thèses fondamentales de la biologie des passions, c'est bien qu'elles possèdent une dimension innée qui est très inégalitairement répartie chez les humains, voire entre les sexes. J'ai proposé, pour penser l'articulation des deux moments, inné et acquis, de reprendre le concept sartrien de « situation ». C'est une tentative, sans plus, pour concevoir ce qui est peut-être impensable. Comment t'y retrouves-tu toi-même, qui a écrit quelques pages illustres de cette biologie ?

J'en profite au passage pour revenir à mes premières interrogations, sur la « fabrique de l'homme » : dans cette seconde partie de ton exposé, tu sembles accepter l'idée que l'amour et la haine sont le propre de l'homme – ce qui me convient à merveille, car ces deux passions, qui n'existent pas à mes yeux dans le règne animal, supposent, en effet, une distance à soi et aux autres, ce « je sais que tu sais que je sais », qui requiert très exactement ce que j'appelle liberté. Au fond, on pourrait dire que le propre de l'homme, ce n'est pas seulement la conscience de soi, mais le partage de l'expérience avec d'autres humains, « l'intersubjectivité ». C'est en ce point que le « couteau à cran d'arrêt » serait enfin ouvert. T'ai-je bien compris ?

La troisième partie de ton exposé pose, elle aussi, des questions provocantes pour un philosophe situé dans ma tradition de pensée. Si je comprends bien ton propos – et même s'il reste parfois très implicite – la théorie de l'évolution soulève au moins deux difficultés majeures. La première est, comme il se doit, située aux origines : on ne sait pas d'où vient la vie, ni comment elle s'est engendrée à partir de la « soupe primitive ». Aucun être humain – à part le docteur Frankenstein – n'a encore réussi à fabriquer du vivant à partir du non-vivant. Première question, donc : pourquoi ? S'agit-il d'une difficulté insurmontable ? Les biologistes ont-ils aujourd'hui, à défaut d'une réponse claire et nette, des hypothèses sur le sujet ?

La seconde difficulté n'est peut-être pas la moindre. Elle touche le problème du passage d'un « embranchement » à un autre. Pardonne-moi si mes formulations sont approximatives, mais le problème, si j'ai bien compris, est en soi fort compliqué pour les biologistes eux-mêmes. Il me semble, d'après ce que tu as exposé, pouvoir percevoir à peu près comment, par mutations contingentes et sélection adaptative, on peut passer d'un animal du type antilope à une girafe au long cou par une série de variations infinitésimales qui seront conservées parce qu'elles procurent à l'animal qui en bénéficie des avantages réels sur les autres. Admettons-le donc (même si cela reste encore assez mystérieux). En revanche, on perçoit très mal « intuitivement », comment des parents qui nagent et vivent dans l'eau peuvent avoir un enfant qui respire et marche sur terre, ni comment un reptile marin va se transformer peu à peu (ou d'un seul coup ?) en oiseau qui vole ! Mon incompréhension est sûrement mal formulée, mais elle me vient à la lecture de ton dernier exposé et sans doute pourras-tu lui donner la forme et les mots qui lui conviendraient avant d'y répondre. Où en est la biologie contemporaine à cet égard ? Que valent les espérances mises aujourd'hui dans l'étude simultanée de l'évolution et des gènes du développement *(Evo-devo)* ? Quelles sont les hypothèses les plus plausibles ?

Réponses de Jean-Didier Vincent à Luc Ferry

Je ne sais si nous avons eu raison de choisir ces « voix » parallèles. Trop préoccupé de ma propre chanson, peut-être n'ai-je pas prêté assez attention à la tienne, sûrement aussi juste que la mienne. Il appartient au lecteur non de nous départager, car il n'y a pas eu de joutes oratoires, mais de puiser dans nos deux discours matière à l'éclairer sur les problèmes que nous avons évoqués. Je n'ai revendiqué pas plus que tu ne l'as fait le statut de porteur de vérité. La Science et la Philosophie n'ont rien à gagner dans un affrontement ; elles se retrouvent sous le même joug lorsque la liberté est bafouée.

Parlons-en de cette fameuse liberté qui est au centre de ton questionnement. Elle serait l'apanage des humains (je suis tout prêt à l'accepter) et tiendrait (là je suis moins d'accord) à leur écart par rapport à la nature et tu cites historicité, c'est-à-dire éducation, culture et politique.

Je crois avoir mieux à faire pour te répondre que d'ouvrir mon cabinet de curiosité et de le comparer à celui de Rousseau. L'épopée darwinienne avec ses premiers champions (Huxley, Romanes) a fait un usage incontrôlé d'exemples animaliers pour illustrer les principaux traits de l'homme (le gibbon monogame, la fourmi altruiste, la mante cruelle, etc.), ce qui m'évoque la présentation abusive faite aujourd'hui de certaines données de la génétique (gène de la fidélité, du crime, de l'intelligence, de l'homosexualité, etc.).

J'ai intitulé ma première partie « Fabrique de l'homme » en me gardant bien de mentionner le nom du fabricant. Je voulais dire que l'homme est un produit qui relève d'un certain nombre de procédés de fabrication : contraintes internes et externes, mutations ponctuelles de l'ADN, remaniements chromosomiques. Dans la seconde partie où je parle de l'interprète, je n'ai peut-être pas assez montré que l'homme est aussi fabricant. Autrement dit, ce produit naturel est également un producteur de nature. Je ne parle pas seulement de culture, d'outils et du langage – on voit bien malgré toutes les querelles sur les définitions qu'il en existe des prototypes chez des cousins rapprochés ou des modèles rudimentaires, convergents chez des espèces éloignées – mais de cette capacité de l'homme de prendre ses distances vis-à-vis de l'objet, de le transformer, de le déplacer et de se l'approprier. Cet objet comprend le vaste monde auquel ses moyens de communication lui donnent accès et l'*autre* en qui il se reconnaît lui-même comme objet. C'est dans cette « transitivité » de l'homme que réside je crois sa liberté.

Je reviens maintenant aux différents points de ta question sur lesquels tu cherches à établir des différences radicales entre l'homme et l'animal. L'historicité en premier lieu. Tout être vivant a une histoire, que celle-ci se résume à une brève division cellulaire ou à une succession d'événements plus complexes. L'histoire au regard de la sélection naturelle est toujours celle de l'individu. La majorité des théoriciens actuels (Ernst Mayr entre autres) sont s'accord pour ne laisser qu'une place mineure dans l'évolution à la sélection de groupe. Il y a donc chez l'individu (animal ou homme) une mémoire qui lui est propre, mais lui vient des individus qui l'ont précédé lors de la succession des générations au sein de son espèce elle aussi issue d'une autre espèce et ainsi jusqu'à LUCA, individu fondateur qui inaugure la première mémoire génétique s'imposant comme universelle. L'histoire propre de l'individu correspond à la durée limitée qui va de la formation de l'embryon à la mort. Cette histoire est plus ou moins variable d'un individu à l'autre selon les espèces. Chez les invertébrés principalement, il existe une adhésion complète de l'individu au milieu : la société chez les insectes sociaux, la température, l'éclairement, les conditions climatiques, les mouvements des marées, les disponibilités alimentaires, etc. L'histoire de l'animal (je laisse de côté le règne végétal qui n'est cependant pas différent sur le fond) se reproduit d'un individu à l'autre. Les seuls événements qui peuvent en bouleverser le cours modifient les contraintes internes et externes. Je ne peux reprendre ici le cours à la fois trop compliqué et incomplet que j'ai tenté de faire dans la troisième partie. Je voudrais insister sur ce que j'ai appelé, en choisissant un titre sartrien, les chemins de la liberté. Dans le paysage évolutif, ils sont, je crois, une voie privée qui appartient aux vertébrés. J'ai décrit de façon assez détaillée l'installation progressive, dans le taxon des vertébrés, d'un système nerveux qui a en charge les relations ô combien fluctuantes de l'individu avec son monde propre *(Uumwelt)*. On peut considérer le jeu introduit dans le système qui tient à la noncoïncidence entre le milieu et l'histoire du sujet, l'expression d'un degré de liberté comme il en existe dans les rouages de certaines machines. Si je poursuis la métaphore, je dirai qu'on observe un tournant où le chemin brusquement devient une avenue, celle de l'homme. J'ai essayé de décrire ce tournant sans en connaître les causes véritables, me bornant à signaler quelques accidents de terrain et particularités de paysage. Je t'accorde que c'est un virage assez raide : les accidentés de la circulation jonchent le sol de la savane africaine et les plaines d'Asie.

L'analogie avec le couteau à cran d'arrêt s'applique à beaucoup d'autres tournants sur les chemins de l'évolution. La vérité est que nous sommes sur ce chemin, pas sur un autre et que nous ne savons pas où il conduit. Le couteau à cran d'arrêt qui s'est ouvert brusquement après une progression graduelle offre une comparaison tout aussi valable pour le passage du dinosaure terrestre à l'oiseau. Dans ce cas, nous savons qu'il y a la possibilité de refermer le couteau : beaucoup d'espèces d'oiseaux ont perdu la capacité de voler (autruches, manchots, etc.) : régression de l'organe qui va de pair avec la perte de la fonction. On peut imaginer le cou de la girafe se raccourcissant dans une savane où les végétaux ne dépasseraient plus cinquante centimètres. Qu'adviendrait-il après une disparition du langage chez l'humain ? Je te laisse le soin d'en tirer les conclusions qui te conviennent car je n'en ai aucune à te proposer.

Sur l'éducation, la culture et la politique, je t'accorde, comme pour l'histoire, que la différence quantitative est telle qu'elle devient qualitative. Ce qui importe, je le répète, c'est que de part sa nature (tant pis pour ce gros mot) l'homme est producteur, créateur, inventeur, tout ce que tu voudras, de modes et travaux éducatifs, culturels et politiques. L'homme est libre de créer, quitte à être prisonnier ou victime de sa création. La biologie n'a plus rien ici à nous apprendre. Je ne partage pas l'opinion selon laquelle il y aurait une origine biologique des codes, mais je reconnais que leur existence dépend des capacités neuronales (facultés ? modules ?) qu'ont les hommes de les créer et qu'ils sont soumis aux contraintes de l'environnement comme tout produit, que celui-ci soit naturel ou artificiel.

La liberté de l'homme ne peut s'exercer qu'à l'intérieur de codes qui transcendent ces contraintes naturelles (ou divines), surtout lorsqu'il s'agit, selon la « morale » sadienne, d'aller plus avant contre la nature en la traquant dans ses abîmes les plus sombres.

J'aurai moins de difficultés à fournir des réponses à tes interrogations suivantes parce que celles-ci sont d'ordre strictement biologique, quand bien même il s'agit d'un domaine traditionnel de la philosophie, les passions. J'ai choisi de considérer en premier lieu l'art, car il réalise la synthèse entre l'agir et le percevoir d'une façon plus évidente que dans d'autres domaines de l'activité humaine. Cette synthèse n'est possible que parce qu'elle a lieu chez un individu passionné. L'affect intervient ici comme moteur de la mémoire et support des catégorisations que l'on peut toujours (mais cela ne m'intéresse pas) ramener à des opérations neuronales. Ces dernières, en effet, ne corrigent pas, contrairement à l'opinion de Damasio, l'erreur de Descartes, et laissent ouvert le problème du *primum movens*. Lorsque *je* décide (consciemment ou non) de faire un acte, un neurophysiologiste pourrait observer dans mon cerveau des aires (des neurones) qui s'activent (anticipent) des fractions de seconde avant que ne se mettent en train mes aires motrices proprement dites ; mais avant ? Qu'est-ce qui décide pour ces neurones qui décident, etc. ? Je fais intervenir ici le concept d'état central fluctuant qui rejoint ce que tu proposes sous le terme sartrien de situation, et établis une continuité dans le temps dans une sorte de flux passionné.

À un autre niveau, je réponds également à ta question sur l'inné et l'acquis entre lesquels il n'y a pas de solution de continuité. Ce que j'appelle des *représentactions* se construit sur un courant ininterrompu de génétique qui est très inégalement réparti entre les individus, notamment en ce qui concerne l'intensité et le seuil des processus opposants qui ont une origine à la fois génétique et acquise. Le caractère acquis est lié à l'aspect diachronique des systèmes de neurotransmission sous-jacents aux processus. Leur réponse n'est jamais indépendante de ce qui s'est passé avant (sensibilisation ou désensibilisation) et plus généralement de l'histoire génétique et épigénétique du sujet : une situation.

Tu n'es pas sans avoir remarqué que j'ai introduit une classification qui n'existait pas dans *Biologie des passions*. Je distingue maintenant les émotions ordinaires dans lesquelles l'homme et l'animal sont à égalité de traitement et les passions primordiales, désir, plaisir et aversion sur lesquelles l'homme se construit en tant qu'homme dans sa relation au monde qui est d'abord et avant tout l'autre avec lequel il *partage* ce monde. À ce propos, j'attire ton attention sur une émotion ordinaire si facile à observer chez l'animal : la peur. Sa présence chez l'homme ouvre à la culpabilité, la sienne ou celle de l'autre. Un chrétien sait ce que signifie la culpabilité, mais les ethnologues nous apprennent que c'est une « valeur » universelle.

Tu as bien raison de dire que les origines te posent problème. Je n'ai pas de réponse et je crains que nous n'en ayons jamais. À partir du LUCA, je peux reconstituer à peu près la trame de l'histoire, les avatars successifs de la vie, les essais réussis, les décimations, la place du petit rameau qui conduit à l'homme en situation de bourgeon terminal (mais un parmi des millions d'autres). Je peux comprendre les mécanismes de l'évolution et notamment le rôle de certains gènes de développement présents très tôt dans les premiers troncs communs et qui permettent d'établir une continuité (semée de trous de disparition, d'accidents, etc.) entre des formes directement « dérivées » d'un passé plus ou moins ancien, des formes disparues mais retrouvées à l'état fossile et des formes nouvelles. L'*Evo-devo*, c'est comprendre grâce aux gènes de développement à l'œuvre chez l'individu en formation comment les formes du passé ont évolué en s'associant à de nouvelles structures et à de nouvelles fonctions : évolution qui en retour nous permet de comprendre le « sens » des structures et des fonctions actuelles (ce que l'on appelle parfois le *physiome*).

Je suis incapable de te répondre sur la possibilité de fabriquer un jour du vivant. Une cellule a un tel degré de complexité. Mais il n'est pas exclu que l'on repousse très loin les limites de l'artificiel. Je ne parle pas du clonage, de la fécondation et des manipulations génétiques qui ne sortent pas du vivant, mais de prouesses assez fabuleuses de la chimie moderne. On vient par exemple de synthétiser des moteurs moléculaires avec seulement cinquante à cent atomes, qui fonctionnent comme les moteurs vivants assurant la mobilité de la cellule et ses transits internes. Ces moteurs sont capables d'utiliser de l'énergie extérieure en respectant les lois de la thermodynamique. Il y a d'autres exemples où l'*artificiel* imite parfaitement des machines du vivant.

La question des embranchements tient surtout à la différence des échelles. Regarde deux montagnes également élevées, l'une s'est formée en plusieurs dizaines de millions d'années (Alpes), l'autre en quelques jours (volcan). Il est très difficile de réaliser à l'échelle de l'individu que des milliards de milliards d'individus ont participé en trois milliards d'années à l'évolution du vivant. Dans la conception darwinienne, les changements se font de façon très graduelle (la nature ne fait pas de saut) jusqu'au moment où pour différentes causes qu'il serait trop long d'analyser ici, la barrière d'espèce s'établit (en général c'est la barrière de reproduction, mais ce n'est pas aussi tranché que cela). Je parle dans mon texte du problème de la co-évolution qui est loin d'être trivial et pour laquelle un même gène à l'œuvre dans différents territoires et organes peut être impliqué. Mais il existe, Gould l'a bien montré (ce qu'il appelle des équilibres ponctués), des périodes où l'évolution s'accélère : contraintes violentes, duplication frappant des génomes entiers (tétraploïdisation), décimation, etc. Pour le passage à l'état terrestre de certains poissons, les enfants de poissons ne se sont pas retrouvés brusquement avec quatre pattes à gambader sur les prairies (au fait, il fallait que les prairies soient déjà là) et à respirer à pleins poumons. Les quatre membres existaient déjà (nageoires qui ne servaient qu'à se déplacer sur le fond marin), les poumons aussi à l'état rudimentaire formés à partir de vessies natatoires chez des poissons dont il existe encore aujourd'hui des exemplaires exposés à l'assèchement périodique, puis définitif des lagunes. Il y a aussi la notion de monstres prometteurs, individus isolés qui se retrouvent pourvus d'organes inattendus et sans affectation qui échappent à la faux de la sélection naturelle pour trouver devant des contraintes nouvelles matière à s'employer et devenir une parfaite réussite évolutive. L'homme fut peut-être d'abord un hominidé monstrueux. Mais voici que je recommence mes divagations. Il est temps de te questionner à mon tour.

Questions de Jean-Didier Vincent à Luc Ferry

Face au « biologisme » que tu dénonces à juste titre, il existe, tu en conviendras, un « philosophisme » qui prétend détenir sur l'homme un titre de propriété. Nous essayons tous deux d'échapper à ces ismes qui ont ceci de spécifiquement humain que c'est toujours celui de l'autre qui est insupportable. Ce préalable établi, il n'en demeure pas moins qu'interroger un philosophe reste pour un biologiste un exercice périlleux. Le philosophe dispose d'une habileté dont l'acquisition a nécessité un long apprentissage qui consiste à savoir penser. Celui qui ne possède pas ce talent acquis risque dans ses questions de tomber dans la tautologie, le contresens voire l'ineptie, bref d'apparaître comme un imbécile. Mes questions n'échappent pas à ce risque, mais ta gentillesse naturelle m'empêchera d'en paraître la victime.

Ma première question porte sur la méthode. En quoi la biologie peut-elle apporter des arguments à ta réflexion ? La génétique et surtout la biologie de l'évolution (les deux étant inséparables au niveau moléculaire) sont d'une telle complexité (comme d'ailleurs la physique quantique) que leur maniement est devenu difficile en dehors de la sphère professionnelle. Autrement dit, ne serait-il pas préférable d'introduire de la philosophie dans les sciences naturelles, plutôt que de nourrir la première avec les données indigestes des secondes ?

Kant est un savant de son temps ; il est impensable sans Newton, donc sans Copernic et Galilée. Il me semble partager l'opinion de ce dernier : « La philosophie est écrite dans ce vaste livre qui constamment se tient ouvert devant nos yeux (je veux dire l'Univers) et on ne peut le comprendre si d'abord on n'apprend pas à connaître la langue et les caractères dans lesquels il est écrit en langue mathématique » *(Il saggiatore)*. Il accepte le décentrement – ce décentrement dont la langue génétique propose aujourd'hui une version réservée au vivant – or, n'y a-t-il pas dans la morale et l'esthétique qui se réclament de Kant un effacement progressif de ce décentrement et un retour à un anthropocentrisme de type scolastique ? Comme le remarque A. Prochiantz : « Un héritier de Kant doit (impératif catégorique, c'est une question de morale) accepter le décentrement révélé par Darwin et ses successeurs. » Pour toi qui connais l'œuvre de Kant dans toutes les expressions phénotypiques de son génie, ce commentaire te paraît-il absurde ou dénué de fondement ?

Je partage pratiquement dans sa globalité la critique que tu formules dans ton cours sur le déterminisme et la liberté dans la philosophie contemporaine et j'abonde dans ton sens, lorsque tu juges sévèrement l'éthique évolutionniste dans sa recherche de fondements naturels de la morale. Il est toutefois un point de détail que tu abordes peu ou pas et sur lequel j'aimerais connaître ton point de vue : celui du « scandale » de la mort dans lequel l'homme depuis qu'il enterre ses morts (tu cites Vercors dans ton introduction philosophique) puise une partie de sa définition. Comme tu as pu le lire dans ma dernière partie, la biologie a aussi quelque chose à dire sur le sujet. De façon corollaire, que penses-tu de l'homme entraîné dans des destructions massives de ses semblables (génocides sur lesquels la biologie n'a rigoureusement rien à dire) ? Pour faire référence à Hannah Arendt, comment des hommes (en l'occurrence Eichmann, mais cela s'applique tout aussi bien à un Tutsi ordinaire) en arrive à ne plus penser ? Il serait trop facile de dire que l'homme retourne à l'état de bête sauvage. L'animal ne fait *jamais* ça.

Je ne t'interrogerai pas sur ta dernière conférence, car j'en partage le contenu jusqu'à la mise en garde finale contre toute métaphysique dogmatique et biologisme normatif. Je redoute tout autant que toi l'ordre moral comme l'ordre neuronal.

Dernières remarques de Luc Ferry

J'aurais aimé, pour conclure, pouvoir être plus *fair play*, te concéder, ne fût-ce que par goût d'une symétrie courtoise, qu'il existe aussi un « philosophisme ». Mais, comme on dit, « en mon âme et conscience », je ne suis pas certain que, pour autant qu'il existe, ce dont je doute en raison de la pluralité des philosophies contemporaines, il soit analogue au « biologisme ». J'ai publié jadis, avec une de mes étudiantes, Claudine Germé, une anthologie des principaux textes consacrés à la question de la distinction entre l'homme et l'animal depuis le Moyen Âge jusqu'à nos jours. Or ce qui est frappant, justement, du côté de la philosophie, c'est qu'une variété quasi infinie de positions ont été tenues sur le sujet. Aujourd'hui même, si tu avais entrepris de discuter avec un philosophe matérialiste plutôt qu'avec moi, il aurait bien entendu défendu avec force l'idée d'une continuité parfaite non seulement entre la nature et l'esprit, mais à l'évidence entre le règne animal et le règne humain.

Voilà aussi pourquoi je ne sais jamais trop ce que signifie « introduire de la philosophie » dans une science ou une université scientifique. Car de quelle philosophie parle-t-on ? La plupart des scientifiques ont l'illusion, vu de l'extérieur, que la philosophie est une discipline où il doit bien régner, comme dans la leur, un minimum d'accord sur quelques « découvertes » fondamentales qui formeraient pour ainsi dire un « socle commun ». Je crains que ce ne soit pas le cas et qu'entre un penseur nietzschéen par exemple, et un « philosophe analytique », entre un marxiste et un thomiste, entre un heideggérien et un héritier de Platon, il n'y ait pas beaucoup de notions communes. En revanche, on ne philosophe pas sur rien ni à partir de rien et c'est pourquoi il me semble qu'une « culture générale scientifique » est indispensable aux philosophes d'aujourd'hui.

Que le kantisme soit un anthropocentrisme, cela va de soi, tant sur le plan moral que spéculatif. Et alors ? Kant est un homme des Lumières, un précurseur ardent de la Déclaration des droits de l'homme. Comment aurait-il pu se reconnaître en elle et ne pas être en quelque façon « anthropocentriste » ? La question est toujours d'actualité pour certains écologistes...

Quant à ta dernière question, elle me rappelle la fameuse sentence de Rousseau, qui suit d'ailleurs immédiatement le petit texte que j'évoquais sur la différence entre animalité et humanité : « Pourquoi l'homme seul est-il sujet à devenir imbécile ? N'est-ce point qu'il retourne ainsi dans son état primitif et que, tandis que la bête, qui n'a rien acquis et qui n'a rien non plus à perdre, reste toujours avec son instinct, l'homme reperdant par la vieillesse ou d'autres accidents tout ce que sa *perfectibilité* lui avait fait acquérir, retombe ainsi plus bas que la bête même ? » Autrement dit : c'est parce qu'il n'est pas entièrement guidé par la nature que l'être humain peut commettre des excès dans le mal (la haine et la méchanceté) comme dans le bien (l'amour et la générosité) ; c'est pour la même raison que seul, sans doute, il peut prendre conscience de sa finitude, du temps qui passe et de la mort qui guette. Je ne crois pas ni j'ai jamais cru une seconde à ce que Arendt nommait la « banalité du mal ». C'est un leurre, une fausse bonne idée dont on s'empare pour se cacher à soi-même la vérité : à savoir que les nazis savaient fort bien ce qu'ils faisaient, qu'ils étaient animés par des *intentions* génocidaires et que, sans nul doute, ils avaient parfaitement conscience de se conduire comme des salauds. Que la mort soit devenue pour certains d'entre eux un « métier », que ce dernier se soit « rationalisé » et « bureaucratisé » est une chose. Que cette bureaucratisation ait pu réellement en occulter l'atrocité en est une autre à laquelle, encore une fois, je n'ai jamais cru – en quoi, bien sûr, je me range aux côtés des historiens qu'on dit « intentionalistes » par opposition à ceux qui raisonnent en termes de « fonctions » et de mécanismes aveugles. Malheureusement, je dois toujours y revenir, c'est dans sa capacité à prendre le mal comme projet que se manifeste le plus sûrement la spécificité de l'humain. La seule consolation, c'est que cette capacité ne peut être qu'un effet de sa liberté et que cette liberté, parfois, lui permet cet autre excès qu'on nomme « générosité » ou, tout simplement, amour.

Table

INITIATION À LA BIOLOGIE

Compogravure : Facompo, Lisieux

Imprimé en France sur Presse Offset par

BRODARD & TAUPIN

GROUPE CPI

La Flèche (Sarthe), le 07-08-2001
N° d'impression : 7835
N° d'édition : 7381-1024-X
Dépôt légal : août 2001